André Mathieu

La belle Manon

roman

Révolution
fleurdelisée

Kassandra

Éditions Kassandra,
1110, Croissant-Vendôme
Duvernay, Laval.
H7E 3G1
(819) 357-1940

Dépôt légal:
        bibliothèque nationale du Canada
        bibliothèque nationale du Québec

ISBN 2-9801837-5-X

Note

Il se pourrait que les aspects politiques de ce livre soient dépassés par les événements. Au moment d'aller sous presse, l'ami Bourassa **jappe** victoire (fédéraliste). C'est compter sans nos **pit-bulls** nationalistes et leurs **alliés**, les vieux **bouledogues** anglos qui, selon mes prédictions, finiront par 'souverainiser' notre Boubou à nous autres.

Prophète de malheur, j'ai vu dès 1979 *(Complot)* un **bain de sang** accompagner une indépendance avortée à peine déclarée. C'est cette vision sanglante qui a inspiré le **bain de folie** qui suit. Une folie bien mince en regard de celle de nos chicanes tribales de type africain...

Que le lecteur transpose ce qu'il voudra bien de ce livre dans ses cases à fantasmes et ne cherche surtout pas un engagement politique chez l'auteur qui n'a pas voté depuis 20 ans et n'entend pas le faire de sitôt à moins que les **valeurs humaines** ne prennent le pas sur les valeurs matérielles, ce qui hélas! n'est pas pour demain, semble-t-il...

Qu'on ne me dise pas déconnecté des réalités politiques; au contraire, je suis très bien branché sur le droit sacré et le privilège très démocratiques **de ne pas voter**. Et chaque soir d'élections, je triomphe de m'être abstenu de gaspiller le maigre pouvoir politique que daigne me conférer la démocratie-démagogie dans laquelle nous nageons en nous étiolant comme de pauvres bélugas éberlués et pollués...

A.M.

**Voyons faire
nos vedettes politiques
histoire de rire un peu de
ces fous qui nous gouvernent
et qui se moquent à l'année, eux,
des fous qu'ils gouvernent:
nous tous!**

**Et vive le Québec ivre
de lui-même!**

Avant-propos

La Révolution française

Il aura fallu 1,800 pages à Michelet pour raconter la Révolution française; qu'on me pardonne de ne pas en dire tout en moins de deux. Ce moins de deux (4 pages) suffit pour comprendre ce livre. C'est plus que ne savent 99.9999% des gens sur le propos, même en France.

Les événements:

La pré-révolution: régime monarchique. Crises dans tous les secteurs: économique, social, religieux, politique...

Groupes sociaux: nobles, haut clergé, bas clergé, bourgeoisies, soldats, petits commerçants, ouvriers, paysans, miséreux, exclus...

14 juillet 1789: prise de la Bastille (prison de Paris), symbole de l'absolutisme royal et des abus de l'ancien régime.

1789-1792: lutte de pouvoirs entre la pensée monarchique et la pensée républicaine (sorte de négociation constitutionnelle)...

10 août 1792: suspension de la Royauté et naissance de la Commune insurrectionnelle de Paris.

2-3-4 septembre 1792: massacres de septembre. Y passèrent des criminels de droit commun, des prisonniers politiques et des innocents (prêtres, personnes emprisonnées pour dettes, vieilles dames, malades mentaux, enfants).

10 décembre 1792: ouverture du procès du roi Louis XV1.

21 janvier 1793: exécution du roi.

13 juillet 1793: assassinat de Marat par Charlotte Corday.

1793-1794: Terreur. Le sang coule à flots pendant plus d'un an partout en France, surtout à Paris.

Les autres événements utiles à savoir sont dits dans le palmarès des stars de la Révolution, et que voici.

Les vedettes:

Louis XV1, dit Louis Capet, le roi. Homme faible qui cherchait à contenter tout le monde et réussissait le contraire. Tenta de fuir à l'étranger avec sa famille. Fut arrêté, détenu à la tour du Temple, jugé, condamné et guillotiné en janvier 1793.
(Il devient **Louis Capeté Mulroney** dans ce livre.)

Marie-Antoinette, la reine. D'origine autrichienne, on la blâma pour ses extravagances, de celles que se permettent tous ceux qui ont beaucoup d'argent et peu d'esprit. Fut guillotinée en 1793.
(Elle devient **Mitsou-Antoinette** dans ce livre.)

Et par ordre alphabétique:

Brissot (Jacques-Pierre) Avocat. Fonda la société des Amis des Noirs. Chef de file des Girondins appelés Brissotins, Danton contribua largement à sa perte. Fut guillotiné en juin 1793.
(Il devient **Pierre-Marc Brissot** dans ce livre)

Corday (Charlotte) Élevée au couvent à Caen, 'sublime et raisonneuse', solitaire et belle, intuitive et visionnaire, elle rendit **Marat** seul responsable de la Terreur et se rendit à Paris où elle le poignarda dans son bain le 13 juillet 1793. Elle fut guillotinée six jours plus tard.
(Elle devient **Charlotte-Bombardier** dans ce livre.)

Couthon (Georges-Auguste). Avocat de bonne réputation de Clermont-Ferrand, il devint à moitié paralytique. Député, il fut la 'seconde âme' de Robespierre et le suivit en fait jusqu'à l'échafaud le 28 juillet 1794 après avoir tiré plusieurs ficelles qui en ont pendu d'autres dont Danton et Desmoulins.
(Il devient **Claude Croûton-Béland** dans ce livre.)

Danton (Jacques) fut le plus 'gros calculateur' et aussi le plus populaire des chefs révolutionnaires. Ministre de la justice, il pesait tous les risques, toutes les alliances. Un fin renard! dit l'histoire. Mais pas assez pour éviter la guillotine. Il fut exécuté en avril 1794 et, à sa demande, le bourreau montra sa tête au peuple.
(Il devient **Parizeau-Dalton** dans ce livre.)

Desmoulins (Camille). Journaliste et secrétaire de Danton au ministère de la Justice. Ami de longue date de Robespierre, celui-ci l'envoya à la guillotine. (Devient C. Desmoulins **Ryan**.)

Desmoulins (Lucile) Épouse de Camille, elle protesta auprès de Robespierre qui envoyait son mari à la mort. Il répondit gentiment en l'envoyant elle aussi à la guillotine. (N'est pas dans ce livre.)

Hébert (Jacques-René) Devenu journaliste par accident, il devint chef de file des **Enragés** et fut exécuté le 24 mars 1794. (Transsexuel, il devient **Frulla-Hébert** dans ce livre.)

La Fayette (marquis de) fut aux côtés de Washington lors de la guerre d'Indépendance américaine. Au début de la Révolution, il dirigea la garde nationale de Louis XV1, fit peut-être tirer sur la foule au Champ-de-Mars, quitta le pays et mourut longtemps après la fin de la Révolution.
(Transsexuel, il devient la marquise de **Lapayette** dans ce livre.)

Marat (Jean-Paul) Journaliste et député. Il écrivait dans **L'Ami du Peuple** des articles d'une extrême violence. Il appela et applaudit les massacres de septembre (92), le jugement et l'exécution du roi et réclama cent mille têtes ennemies. Il sera tué dans son bain le 13 juillet 1793 par une jeune fille de 25 ans, **Charlotte Corday.**
(Il devient **Marat-Mouchard** dans ce livre.)

Mirabeau (Honoré). Aussi laid qu'intelligent, faux révolutionnaire et au fond défenseur de la royauté, il intriguera sur des questions de droit de veto et la Cour lui paya ses avis et informations. "Il mourut à temps" soit avant les grands événements de la Révolution française.
(Il devient **Mirabeau-Lévesque** dans ce livre et aurait peut-être dû y devenir Mirabeau-Morin-Lévesque.)

Robespierre, la superstar, le Révolutionnaire des Révolutionnaires, il exerça une influence grandissante jusqu'à devenir une sorte de dictateur sanguinaire. Figure centrale du Comité de salut public aux côtés de Couthon et Saint-Just, il finira à l'échafaud le 28 juillet 1794.
(Il devient **Robert-Pierre Bourassa** dans ce livre)

Saint-Just, jeune député d'une extrême violence. Fut le bras droit de Robespierre tandis que Couthon était le gauche. Il mourut avec ses deux compères le 28 juillet 1794.
(Il devient **Saint-Just Lapierre** dans ce livre.)

Paris: ville de France assez bien connue en France et ici. Personnage à sa façon et le plus sanguinaire des Révolutionnaires.
(Devient partie **Montréal, partie Québec** dans ce livre.)

D'autres figures de taille:

Santerre (devient le général Claude Charron)
Le maire de Paris dont on connaîtra le nom dans le livre.
Madame de Lamballe. Princesse et aide de la reine. Elle fut massacrée en septembre 1792.

Quelques autres que le lecteur découvrira et dont il saura le rôle historique par le contexte.

Les Clubs et associations de fait:

Les Girondins (demeurent Girondins ou Brissotins)
Les Jacobins (restent les Jacobins)
Les Sans-Culottes (on verra ce qu'ils deviennent)
Les Enragés (deviennent les Enfargés)
Les Cordeliers (deviennent les Cotonnés)
Les Feuillants (deviennent les Feuilletés)
Les Fayettistes (deviennent les Payettistes)

Et les stars (92) canadiennes et québécoises
(par ordre alphabétique)

Béland, Claude, directeur-général des Caisses Desjardins (une grosse banque nationaliste qui se défend bien d'être une banque). (Personnifie **Couthon** dans ce livre.)

Bombardier, Denise, journaliste et écrivaine. (Personnifie **Charlotte Corday** dans ce roman.)

Bouchard, Lucien, chef du parti Le Bloc Québécois. (Personnifie **Marat**)

Bourassa, Robert, premier ministre du Québec. (Personnifie **Robespierre**)

Chrétien, Jean, chef de l'opposition de sa Majesté à Ottawa.

Johnson, Pierre-Marc, ex-premier ministre, fils d'ex-premier ministre. (Personnifie **Brissot)**

Lapierre, Jean, député fédéral devenu journaliste. (Sera **Saint-Just)**

Lévesque, René, ex-premier ministre québécois. (Sera **Mirabeau)**

Mitsou, star de la chanson québécoise. (Sera **Marie-Antoinette)**

Mulroney, Brian, premier ministre canadien. (Sera **Louis XV1)**

Parizeau, Jacques, chef de l'opposition au Québec. (Sera **Danton)**

Payette, Lise, journaliste, championne du féminisme. (Sera **La Fayette)**

Péladeau, Pierre, homme d'affaires très riche, très puissant et très médiatisé au Québec. (Devient un personnage de fiction)

Note: nul besoin de retenir tout ça! Plutôt de retenir les personnages, laissez-les vous retenir, vous...

Chapitre 1

Québec, Qc. juillet 1989

Deux lieux parviennent encore à dormir parfois dans la tourmente générale qui emporte ce monde fou.

Car la nature est truffée de bruits: souffle du vent, chant des oiseaux, bourdonnements des insectes, sifflements des machines volantes; car la ville attelle les cerveaux à ses fracas incessants et incommensurables: machines roulantes, machines marchantes, machines parlantes, machines sifflantes, machines distributrices, machines dépolluantes, machines savantes et aussi des machines si perfectionnées qu'elle peuvent faire à elles seules absolument tout ce que les autres font.

Celles-là, on les désigne sous le nom générique de machines humaines... que d'aucuns appellent aussi des hommes et des femmes. Mais ces machines-là rotent et pètent, suent et puent, et les gaz émis par elles qui sont les plus nombreuses de toutes, constituent un danger grave pour la survie de la planète. Plusieurs songent à leur élimination graduelle pour laisser la place à toutes les autres machines plus utiles pour faire des sous.

Deux lieux somnolent encore de nos jours dans la canicule québécoise des juillets huileux. Ils sont des

15

temples de tranquillité, vestiges d'un passé perdu dans la préhistoire laurentienne, laquelle, pour un de nos fiers et vaillants citoyens, prit fin en octobre 1970, ce jour d'enlèvement.

Enlèvement de ses deux pieds d'une flaque boueuse par ce brillant et prometteur garçon de Pohénégamook.

Deux vieux lieux silencieux dont l'atmosphère habite longtemps après leur départ leurs visiteurs clairsemés. Deux lieux qui témoignent du passé, de la culture, et de l'agriculture aussi parfois. Les deux seuls lieux de tout l'univers où la machine humaine peut encore fonctionner quelques heures sans psychotropes.

Milieux heureux épargnés par la télévision...

Car la télévision est partout.

Au fin fond du désert avec le Bédouin. Aux quatre coins de l'Amazonie avec le défricheur et l'exploiteur. Sous les océans avec Cousteau. En pleine pyramide avec l'archéologue. Dans l'espace à surveiller les astronautes et régler leur quotidien. Dans l'intersidéral à bord d'une sonde à la recherche de nouvelles clientèles pour nos vendeurs de salade humaine... avec un grand message publicitaire en douze langues dont le français, et par conséquent en joual puisqu'il suffira à l'extra-terrestre de mélanger les sons dits et les sons hachés pour en faire un Big Mac linguistique galactique tout assaisonné d'hiéroglyphes sonores.

La télévision est partout. Dans les maisons, les caves, les greniers. Dans les étables aussi pour y distraire les animaux. Sur le mont Mégantic pour y voir les galaxies et sur bien d'autres montagnes itou. Au-dessus de l'Everest et dans les profondeurs des abysses... Au monastère et à l'église. En vidéo, en magnéto, en vélo, au resto, au boulot, à Chibougamau... Elle nous explique la libido, nous fouette la libido, nous déprime la libido, nous débride la libido, nous embrigade la libido...

La télévision est partout. Au Pôle Nord, dans les salles d'opération, à Tombouctou et Kalamazoo et même au cinéma. Elle va jusqu'à ennuyer les forces de l'ordre qui brutalisent en toute tranquillité tous ces citoyens désordonnés, noirs de préférence. Elle se cache, la cochonne, dans les maisons closes, purge des sentences dans les prisons, elle fourmille dans les centres commerciaux, truffe les Chambres des Parlements et des politiciens, elle zieute les aires de stationnement, elle tient les avions en haleine jusqu'à l'aéroport où elle prend en charge les passagers et les installe dans des taxis médiatisés qui parlent de tout ce qu'elle leur a fait bouffer dans les vingt-quatre dernières heures.

La télévision est partout.

Zeus, dit-on, aurait pris la décision de l'épouser car il sentait le monde lui échapper. Le mariage serait bientôt célébré devant les caméras de télé...

Mais si la télévision est partout, pourquoi diable ne la voyons-nous pas? Nous ne la voyons pas parce que nous la regardons.

Où donc peut-on encore se soustraire à son emprise? Quels sont ces endroits secrets et privilégiés où elle ne va pas chercher, trouver quelqu'un à dépersonnaliser, à décérébrer? Grottes d'ermite? Non. Fond du lac Baïkal ou Pohénégamook? Non plus. Au milieu des varans de Komodo? À la résidence d'été de Pierre Nadeau? Au centre de la foule des badauds? Non, non, non...

Les deux lieux encore épargnés par la télévision sont les cimetières et les bibliothèques.

C'est qu'il ne s'y passe rien.

Généralement, on peut y entrer et en sortir sans déranger âme qui vive, sans y parler à âme qui vive et même sans y rencontrer âme qui vive.

Au cimetière, on trouve surtout des morts. Si on fouille un peu dans une bibliothèque, on trouve parfois des vivants.

Mais la télévision n'a d'affinité ni pour les uns ni pour les autres puisqu'elle n'a d'intérêt que pour les morts-vivants. Il faut bien la comprendre: ce sont ses descendants, ses enfants et petits-enfants, ses produits et sous-produits... tous ces zombis. Elle les fabrique à la chaîne... les enchaîne et les déchaîne.

Fichtre! (Christ!) je devrais fermer ma trappe parce que si la télévision l'apprend, elle va étudier la possibilité d'aller... Au fait, ne filme-t-on pas de plus en plus souvent les convois funèbres et les mises en terre... Elle est donc au cimetière aussi, la venimeuse!... Et ça veut dire qu'il ne resterait plus qu'un dernier sanctuaire encore vierge d'elle... Ahfffff....

Fraîchement débarqué à Québec, le jeune homme de Pohénégamook fit une entrée peu remarquée dans la vaste bibliothèque. Et pour cause, il ne se trouvait là strictement personne.

En fait, ce n'était plus un tout jeune homme puisque François venait d'avoir ses trente ans. Depuis près de vingt ans qu'il avait ôté ses pieds de l'ornière bourbeuse et s'était promis de descendre sur Québec pour changer un jour le cours de l'Histoire à l'instar de son émule parti de New Carlisle de l'autre côté de la vieille guerre pour s'emparer de la radio et surtout de la télévision nationale. Depuis deux décades donc, il réfléchissait.

Et rêvait de ressembler un jour à son modèle, le petit père du Québec décédé depuis un bon deux ans déjà... et vivement béatifié par les 'érecteurs' de statues, gagnants parmi les gagnants...d'un peuple perdu...

Réfléchissait, lisait son Devoir tous les matins, le François Langlois de Pohénégamook.

Comprenait mieux l'existence. De mieux en plus.

De sa naissance jusqu'à onze ans en 1970, il avait pensé avec ses pieds, mais depuis ce jour béni du grand engagement, du grand enlèvement, il s'était mis à marcher en réfléchissant fort. Ses pas s'étaient ajustés d'eux-mêmes sur la piste d'un idéal. Son propre avenir le tracassait moins que celui de son peuple. Politisé, éduqué, professeur. Avait étudié à Rimouski. Enseignait la géographie. Bonne race. Chassait avec une caméra. Défendait les espèces. Respectait les moustiques. Chiait tous les matins à 'a même heure, cinq minutes après le petit déjeuner. Mangeait des muffins au son. Pour les fibres...

Un pure laine, le Québécois Langlois!

Respectable. Et respecté par tout Pohénégamook.

Il embrassa la pièce rectangulaire d'un long regard panoramique où se pouvaient lire appréhension et nostalgie. Tout y était d'une bibliothèque normale. Les rayons parallèles se juxtaposaient à d'autres rayons parallèles... Ainsi que les pensées humaines sont emprisonnées par d'autres pensées humaines, les livres se frottaient les épaules mais chacun restait replié sur lui-même pour mieux garder ses graves secrets. Enserrés les uns par les autres, insérés, indésirés, cirés, comprimés dans leurs imprimés déprimés, ils attendaient, sans craindre ni le vol ni le viol, de se livrer au premier venu pour enlever son âme dans un fol envol.

Quelques pas. S'arrêta. La porte se referma. Sans bruit. La moquette mince mangeait ses semelles molles. Sur la droite, derrière le comptoir du prêt, la porte d'un bureau était béante. Un vivant devait s'y trouver à travailler pour la culture du grand peuple, à remplir des fiches, à entretenir une relation amoureuse avec un ordinateur ou simplement à s'adonner à un exercice vital pour la survie de la nation, un exercice un peu à l'abandon, un exercice impossible tant que tous les pouvoirs du peuple ne seraient pas rapatriés à Québec. Un exercice rare: penser. Et pourtant, la Séparation du Québec permettrait d'en organiser des Olympiques. En attendant, on se contentait du Devoir et de la LNI.

Car qui donc peut penser sans dépenser? Surtout ses propres sous? Et surtout ses propres sous lui-même?.

Quand il avait ôté ses pieds du trou de boue en 1970, François avait juré qu'il deviendrait un phare de la société, un meneur à bien du grand projet collectif, un semeur de bonheur, un laboureur de coeurs et un récolteur d'honneurs.

Des petits pas retenus. Il allonge le cou. Allonge un peu plus. Par la vitre, il voit déjà que le bureau est désert mais n'arrive pas à s'en convaincre; aussi allonge-t-il le cou encore et encore...

Le plancher craque sous son poids. Un grincement qu'il n'aurait entendu nulle part ailleurs mais qui là, ressemble au cri d'un phoque en chaleur. Puis c'est le choc. Un coup au coeur, une violence, une bombe...

Une voix d'une infinie douceur lui parvient à l'oreille par l'arrière. Quoi donc, on veut le tuer de lui parler avec une discrétion aussi abusive, et sans d'abord avertir. Décidément, le monde tourne à l'envers, même en un lieu si rempli de bon sens avec de la sagesse en abondance dans toutes les tablettes. Des mots s'avançant ainsi sur le fin bout des pieds, ça ne peut être que de l'agression cachée, et ça, n'importe quel psychologue en prouverait l'évidence. Un mal intentionné avec les cordes vocales en pantoufles...

–Quoi donc!? éclata François qui en plus d'avoir été frappé n'avait pas compris l'interpellation à l'insidieuse férocité.

–Est-ce que je pourrais vous être utile? Je suis le bibliothécaire. Je ne vous connais pas mais je suis bien heureux de vous voir; il vient si peu de monde ici vous savez...

Chaque mot était prononcé nettement, mesuré, porté par un ton plus moelleux qu'un édredon.

François se ramena le cou dans les épaules et se tourna vivement. Il aperçut un homme très mince de cinquante ans et qui souriait avec une affabilité jugée exagérée par son interlocuteur.

–Je vous ai pris par surprise, je m'en excuse. Je me présente, je m'appelle Gérard Lapierre. Tout le monde dit juste Gérard...

L'homme tendit la main. François hésita. Cette politesse entreprenante lui paraissait suspecte. La main attendit. La main hésitante se tendit.

–François Langlois... Je suis nouveau à Québec. Je viens m'abonner à la bibliothèque...

Gérard se frotta les mains d'aise. De nature serviable et grand ami des livres, rien ne lui plaisait plus que de recruter un nouveau client. Il dit à mi-voix comme pour ne pas déranger les fantômes de la pièce:

—Venez dans mon bureau, je vais vous faire remplir une fiche et vous entrer dans l'ordinateur. Et puis on pourra parler plus à l'aise... Venez...

François suivit. Son impulsivité répulsive se calmait, sa mise en garde baissait lentement la garde, ses ondes s'habituaient à cet étranger qui paraissait bien peu dangereux, même derrière ses masques...

—J'arrive de la cafétéria de la ville à l'autre étage. Vous comprenez, il faut bien s'arrêter de temps en temps. Ça paraît pas, mais dans une bibliothèque, ce n'est pas de tout repos... Achat de livres, classement, contrôle, prêt, fichiers et quoi encore...

Quand la porte fut refermée, la conversation prit un cours normal. François se fit désigner une chaise et Gérard s'installa à son bureau devant son ordinateur. Tout en parlant, il procéda à l'inscription du nouveau-venu.

Habile questionneur, le bibliothécaire obtint de savoir les grandes lignes de la vie de l'arrivant. François était né à Pohénégamook. Il y avait toujours vécu sauf le temps de ses études supérieures à Rimouski. S'y était marié. Commençait tout juste une année sabbatique. Il la passerait à Québec. Appelé, disait-il, par quelque chose...

On parla de politique. François s'enflamma. Grand patriote, fervent nationaliste, le coeur à la révolution. Mais une révolution des coeurs.

—Un homme qui respecte les insectes comme vous ne saurait souhaiter que le sang soit versé, même pour le très louable but de voir le Québec enfin libre...

Gérard avait dit sa phrase avec emphase, à moitié pour sonder, autant pour enjôler... Lui-même un très fier Québécois, il n'aurait quand même pas poussé son sentiment patriotique jusqu'au maquis.

—Je veux aussi finir mon livre...

Ému et mêlé, François hésitait à continuer. L'autre prit grand intérêt:

—Vous me dites pas que j'ai affaire à un écrivain, mais c'est magnifique! Vous avez écrit un livre, mais c'est extraordinaire! Et quel en sera le titre. Quel en est le sujet. Je serai votre premier acheteur... Parlez m'en.

21

À chaque mot François rosissait du visage et du bout des doigts. Fier de son ouvrage mais en même temps terriblement peu sûr de lui, il balbutia:

—Ben, c'est une sorte de roman ben engagé sur la politique au Québec... Des idées pour persuader les gens de militer pour l'indépendance... Mais passées à travers une histoire d'amour...

—Mais c'est intéressant! Je trouve ça fort original surtout! s'exclama Gérard en plissant les paupières.

Enfiévré, encouragé, François se fit plus net:

—Ça fait quinze ans que je réfléchis à ça et un matin, je me suis dit que je devais faire quelque chose de concret, mettre la main à la pâte pour de vrai sans pour autant me lancer en politique... je me verrais pas en député...

—C'est une tâche énorme que vous avez entrepris là. Je vous dis que le Québec a du chemin à faire pour trouver son chemin. Comme ça, vous prônez une sorte de... Révolution...

—Oui, mais sans violence.

—C'est pas souvent que ça se fait, des révolutions tranquilles. Et puis on a eu la nôtre à compter de 1960...

François fut contrarié par ces objections glissantes. Il commençait à croire qu'il s'était fait un allié et voilà que l'autre émettait des doutes.

—Je suis marxiste-souverainiste...

—Comme Chartrand, Charbonneau puis Larose... Mais eux autres, ils ont serré l'idée dans un tiroir. C'est que le marxisme, ça commence à sentir le démodé... Ils sont plus rien que souverainistes...

—C'est sûr que ça pose un problème avec ce qui se passe là-bas en Union Soviétique... C'est pour ça que je voudrais lire sur toutes les révolutions de l'Histoire... pour savoir ce qui s'est passé... pour en tirer les grandes leçons...

On continua de papoter. Les formalités prirent fin. Gérard conduisit son client au rayon de l'Histoire.

—Justement, j'avais l'intention de commencer par la Révolution française...

—Ah! c'est la plus belle! Tiens, voici les deux livres de Michelet. Lisez ça et vous voudrez plus lire autre chose sur la question ensuite... c'est complet...

—Ah!

L'homme souffla sur les deux livres pour leur ôter de la poussière.

—Vous comprenez, les budgets sont coupés; on peut pas dépoussiérer chaque semaine. La tâche est lourde...

—Vous en faites pas, la poussière sur un livre, ça lui ajoute un petit air patrimonial, culturel... ça fait antique et romantique...

François prit les livres. L'autre s'excusa:

—Prenez le temps qu'il vous faut. Installez-vous bien à une table. C'est tranquille de ce temps-là. Comme de raison, en plein été comme ça... Si je peux vous être utile encore, n'hésitez pas à venir me chercher...

En s'asseyant, François crut apercevoir quelque chose bouger le long d'un module... Une souris, qui sait. Puis il se ravisa. Qu'est-ce qu'une souris ferait là? Les rongeurs seraient-ils plus intéressés que les Québécois à bouffer des livres? Une ombre sûrement qui avait changé de place à cause de son propre mouvement.

Avant d'attaquer les mille huit cents pages des bouquins, il se remémora les grandes lignes de la Révolution française comme il les avait apprises à l'école voilà une bonne douzaine d'années déjà.

Louis XV, le bien-aimé, n'avait pas laissé une situation économique bien reluisante à son petit-fils, le gros stupide Louis XVl. Les idées des philosophes plus l'exemple de la Révolution américaine plus les excès de la Cour, surtout ceux de la reine Marie-Antoinette, et quelques saisons de grande misère du peuple voire de famine avaient donné un mélange explosif et la Révolution avait commencé en juillet 1789 par la prise de la Bastille, prison de Paris...

“Tiens, mais ça fait exactement 200 ans aujourd'hui! Tu parles d'un bel adon. J'avais pas pensé à ça avant d'entrer." rumina le lecteur presque tout haut.

Un éclair vagabond de son esprit lui fit se demander s'il n'y avait pas dans cette coïncidence plus qu'une coïncidence, c'est-à-dire un message... Le ciel ne pouvait pas de pas avoir un rôle à jouer dans les destinées du Québec...

En tout cas... François revint aux événements. La Révolution avait ressemblé à un match de hockey. Trois périodes dont la troisième avec beaucoup de frustrations, de colère et de sang versé...

Tiens, mais... peut-être y avait-il un message là itou? Le hockey, la Révolution: quelle coïncidence que ça se ressemble tant!

Et tel un fan du Canadien, François revit en mémoire le résumé de la mémoire des superstars de la grande Sanglante.

Mirabeau, royaliste ou républicain selon ses intérêts, et qui était mort avant le feu de l'action.

Danton, superstar adulée du populo, mais un petit peu corrompu, puissant, écouté...

Marat, le journaliste violent, précurseur de la Terreur, assassiné dans son bain par Charlotte Corday.

Robespierre, le numéro un, la chandelle d'Arras, le dictateur sanguinaire... Ses suppôts Couthon l'infirme et Saint-Just le jeune homme dévoré par l'ambition...

Et les autres...

Louis XV1, Marie-Antoinette, les souverains mal-aimés. Desmoulins, l'ami de Robespierre que son ami fit décapiter. Hébert, massacré. Brissot et les Girondins: zigouillés. Les sans-culottes, les Jacobins...

"Bye, bye, mon cow-boy..."

Une radio bruyante fit son entrée dans la bibliothèque. Elle conduisait un étudiant qui la portait sur son épaule. Et Mitsou lançait partout ses éclats de voix plus pointus que le nez du bibliothécaire.

–Chut, chut encore, dit Gérard à l'adolescent en lui montrant François attablé.

La visite dura peu. L'étudiant repartit et dès la porte franchie, il haussa le volume de son appareil. Mitsou terminait ses bye bye à son cow-boy...

Gérard salua François de la main. Chacun plongea dans sa culture et sa lecture. Une ombre eut l'air de glisser le long d'un module, une ombre pas plus grosse qu'une souris...

Le silence dont on avait huilé les pièces métalliques de la porte, revêtu le plancher et cousu les fenêtres étroites empêchait François d'entendre les arrivants tout comme il ne s'était pas entendu lui-même arriver, excepté ce grincement sous son pied...

Une voix lui parvint. Retenue, mesurée. Gérard lui parlait-il? Il arracha de Michelet ses yeux déjà captifs. C'est que sans trop s'en rendre compte, en feuilletant en gros les bouquins, il s'était arrêté au chapitre le plus fascinant de la Révolution, l'exécution du roi. Chapitre qui, comme le Journal de Montréal, fait rêver à des éclaboussures de sang versé et à la mort... des autres.

Il leva lentement son regard. Une veste à franges parut d'abord. Interminable, comme un demi-manteau. Puis une tresse grise. Enfin, une plume fichée sur la tête complétait l'identité du personnage, laquelle fut confirmée par le dire de Gérard:

—Si c'est pas mon ami Max! Quel bon vent t'amène mon Max?

La voix de Max tournait le dos à François qui ne saisit pas la réponse. Quelle importance, il était si ému d'apercevoir de si près dès son premier jour à Québec une vedette authentique. Une vraie star politique et médiatique. Une tête d'affiche de la télévision.

L'homme n'était pas un vrai Québécois c'est vrai. Que voulez-vous, ses ancêtres n'étaient pas venus au bon moment en Amérique. Des siècles trop tôt! Si bien que leurs descendants s'étaient fondus dans le décor pour former une des nombreuses espèces de la faune du continent. Eux-mêmes l'avaient parfaitement compris; et leur façon de se 'baptiser' l'indiquait bien: Cheval-Fou, Taureau-Assis, Petite-Poule-D'Eau, Coq-Haut, Petite-Chatte-Mouillée, Petit-Poisson-des-Chenaux.

Qu'importe, qu'importe, et qu'importe! Ce manque d'authenticité s'effaçait tout à fait derrière son statut de célébrité.

Un chef, un leader, un meneur, un haut-parleur, un style, une image: le Québec pouvait être fier d'avoir pris si bon soin de ses Indiens! Après l'indépendance, il faudrait nommer Max Gros-Louis ambassadeur du Québec à Paris... si l'ami Claude Béland devait refuser le poste. Des gestes comme ceux-là feraient partie de la grande révolution tranquille québécoise fondée sur la fierté nationale.

François soupira. Il eût voulu être vu. Quel prétexte trouver pour aller au comptoir?

Il faut traiter avec les Indiens pour bien lutter contre l'ennemi anglais.

Y avait-il là un autre signe du ciel? Tout ce qui lui arrivait dépassait le bon sens. Ou en tout cas le sens de la coïncidence...

Pourquoi Max Gros-Louis, huron émérite, là, devant lui et pas le grand roi Arthur de la radio québécoise? Ou Patrick Zabé, ce chanteur très culotté passé au rang des sans-culottes après s'être fait déculotter par son banquier. Pourquoi pas un Nordique? Un politique?

Chevelure mince, visage mince, regard aminci, Gérard écarquilla la voix:

—Max, tu veux que je te présente un bon Québécois... C'est un petit gars venu de Pohénégamook... Un bon écrivain, imagine-toi donc, venu nous visiter...

Et, à voix de coq, à l'adresse de François:

—Monsieur Langlois, approchez que je vous présente un autre bon Québécois... Je vous présenterais de loin mais vu que j'ai pas l'habitude de parler fort dans la bibliothèque...

François n'en aurait jamais attendu autant de circonstances éminemment favorables. Décidément, le ciel parlait. Il s'approcha en retenant ses élans, comme si ses jambes avaient été celles d'un cheval canadien... français, pressé du derrière et lent du devant...

C'est une immense portion de gâteau brun posée sur une assiette de carton blanc qui, avant le regard de l'homme rouge, capta l'attention du jeune homme. Max comprit l'interrogation muette. Le langage gestuel n'a aucun secret pour l'Indien qui pourtant n'en a jamais soufflé mot à personne. À travers les présentations, il donna des explications:

—Comme vous le savez, y'a une super-franco-fête à Québec aujourd'hui. Des festivités aux quatre coins du village. Un pow-wow comme ça se peut pas en l'honneur de nos amis les Français. J'étais invité à un repas à deux pas d'ici. Imaginez qu'ils ont couronné un roi et une reine... Ben étant donné que la Révolution a décapité les souverains de la France, on a décidé de leur donner des têtes couronnées pour une journée...

—Comme diraient les Juifs: "pour que le monde n'oublie pas", glissa François.

Comme s'il n'avait pas entendu cette allusion directe à l'holocauste, qui sentait vaguement le racisme, Max poursuivit:

—C'est le premier invité qui trouvait le pois ou la fève qui était couronné... C'était tout comme la tradition québécoise de la fête des rois... Et j'ai gagné.

C'est comme ça qu'ils m'ont déclaré Max Gros-Louis XV1. Pour la journée... Et ça m'a donné droit à ce qui restait de gâteau. Comme ça se passait ici, à côté, j'ai décidé de venir partager avec mon ami Gérard, un ami de la culture francophone et aussi de la grande culture amérindienne.

—C'est vrai, fit humblement Gérard. Vous savez, je joue au tennis avec des raquettes en babiche... faites au village huron... C'est dire mon attachement profond à tout ce qui s'appelle coutume indienne...

—Mais joignez-vous donc à nous autres, dit Max à François.

—Quelle bonne idée! s'exclama Gérard. Tu sais, Max, monsieur Langlois...

—Appelez-moi François, coupa François.

—J'étais pour le dire depuis tantôt, dit Gérard. Donc François est un écrivain, imagine. De Pohénégamook. Il est en train de préparer un roman très, très engagé sur l'évolution du Québec...

—Faudra pas oublier l'héritage amérindien. Voyez, ça commence par le nom Pohénégamook qui veut dire si je ne me trompe pas:

là où les roseaux penchent

—Je ne connais pas le huron... l'algonquin... je veux dire l'amér...

—Moi oui et c'est ça que ça dit, Pohénégamook.

François répondit, menace sympathique:

—Tout le Québec peut se partager le grand devenir national, collectif, culturel, politique, économique, médiatique, pédagogique... Même les Indiens! La preuve qu'on n'est pas des racistes, vous l'avez pas mal forte aujourd'hui. On fête la fête des Français. Fêter les Français: ça fatike' pas, mais fêter la fête des Français, faut le faire... Et on fête la fête de la France avec des traditions québécoises amérindianisées et médiaméricanisées...

Au faîte de la joie, Gérard lança:

—En fait, on est Québécois ou ben on l'est pas!

—Vive la France! dit Max.

—Vive la Huronie! dit François.

—Et vive Pohénégamook! fit Gérard qui ajouta:

—Moi, vous allez m'excuser un petit instant, je vais aller chercher des assiettes et des ustensiles et du café instantané pour qu'on puisse participer, fraterniser... Durant ce temps-là, parlez-vous... C'est à s'parler qu'on se comprend!

—Y'a rien de plus vrai! dit Max qui s'appuya en biais au comptoir, le poids sur un coude.

—Pohénégamook, vous savez, autrefois, c'était un secteur abénakis, ça.

—Ça l'est toujours! fit le chef avec autorité.

François fronça les sourcils.

—Malgré qu'il ne reste pas beaucoup d'Abénakis par chez nous.

—C'est le même problème qu'ailleurs pour ce qui est des Amérindiens, on les a refoulés dans des mini-territoires, leur accordant des mini-droits en leur disant de dire minimini-manimo, cachiber-géronimo, pour que les miracles se produisent. Fume ton calumet pis attends ton chèque...

François se sentit attaqué. C'était la deuxième flèche lancée par l'Indien. Que ça s'arrête ou alors il serrerait le calumet et sortirait son pistolet. Mais ça ne s'arrêta pas.

—Gérard n'est pas raciste. Vous n'en n'avez pas l'air non plus, mais le racisme québécois existe... Nous en savons quelque chose, nous autres, les autochtones...

—Monsieur Gros-Louis, admettez que vous avez été mieux traités que toutes les minorités du monde...

—Si vous étiez dans nos mocassins, vous danseriez pas la même danse. Racisme québécois? Pire que ça, monsieur, **génocide**...

—Ah! l'inflation verbale! dit François hautement contrarié mais qui muselait les chevaux de bataille de ses lignes de défense.

—Génocide, monsieur, génocide, dit Max en appuyant un doigt accusateur sur la poitrine du petit gars de Pohénégamook comme s'il avait voulu le sonder, le juger et l'exécuter.

—Inflation verbale! Inflation verbale! S'il devait se trouver un raciste dans cette pièce, ce n'est pas celui qu'on pense, voyons! ricana François.

—Ah! ben graisse d'ours! si c'est moi que vous visez, prouvez-le...

—Vous êtes en même temps sur la défensive et à l'attaque...

—Gé no ci de!

—In fla tion ver ba le!

—Génocide que je vous dis!

—Vous voulez une preuve, éclata François qui haussa le ton tout en retenant quand même la voix par respect des livres, eh bien, en voici une. Vous avez dit tantôt et ça ne m'a pas échappé, sachez-le, vous avez dit: "C'est le premier qui trouve le pois ou la fève qui est couronné." Vous avez ben dit ça. Vous avez ben dit *la fève*... Ça, monsieur, c'est du racisme. Depuis trois, quatre cents ans qu'on dit "la binne" nous autres, icitte au Québec, et vous autres, vous vous acharnez à dire quoi? "La fève". Pourquoi c'est faire que vous dites la fève quand tout le monde sait qu'il faut dire la binne? Expliquez-moi ça! C'est de l'entêtement, c'est du refus évident de la culture québécoise. Moi, par exemple, est-ce que je dis que je suis né pis que je vis *là où les roseaux penchent* ou ben si je dis que je reste à Pohénégamook? Hein!? Bon. Y'a des limites à faire de l'inflation verbale: vous exagérez pour le moins un peu avec votre 'génocide'.

—Ah! fâchez-vous pas! J'parle pour parler parce que c'est à s'parler qu'on s'comprend, comme dirait Janette Bertrand.

—Ça, c'est vrai! souffla Gérard qui, heureux, revenait en souriant.

Il déposa les assiettes, les répartit, enleva le papier transparent qui protégeait le gâteau et le découpa en morceaux qu'il mit dans les assiettes. Le café viendrait. L'eau chauffait déjà. On pouvait commencer. Goûter. Placoter. S'aimer.

Emporté par ses sentiments, François ne réfléchit pas avant de manger. Sur le point de refuser de toucher à ce gâteau, il réussit à trouver assez de bon sens pour penser que c'était un gâteau québécois. Qu'il ait été apporté là par un raciste de Huron, et puis après... Brusquement, il tailla un morceau avec sa fourchette. Le crémage foncé s'étira jusqu'à devenir un fil avant de se rompre. La bouchée fut peu mastiquée puis avalée. D'autres suivirent. Max et Gérard échangeaient.

François s'était mis un peu à l'écart des propos anodins dans une retraite un peu boudeuse. Soudain, il se sentit drôle.

Des picotements dans la gorge. Difficulté d'avaler. Sa gorge se serrait. De plus en plus. Il toussa, se pencha en avant...

—Que se passe-t-il donc? demanda Gérard.

—Sais pas... je... j'étouffe...

Max comprit sur-le-champ. Proches de la nature depuis toujours, les Amérindiens savent lire le langage du corps. François était à s'étouffer avec quelque chose de dur et la seule chose dure que pouvait contenir ce gâteau, c'était une fève... Il fallait intervenir et sans attendre. C'est que François devenait bleu. L'homme rouge n'hésita plus. Il contourna le pauvre écrivain et le prit par derrière à bras-le-corps afin de donner un coup qui forcerait la "binne" à sortir de la tuyauterie d'air. Il ne pensa même pas une seconde que cette position lui donnait l'air d'un enculeur de blanc et il pressa à plusieurs reprises par à-coups. Ses gestes paraissaient empirer la situation. François ramollit. Son héros poussa, pressa, en avant, à reculons... La maudite binne finirait bien par sortir de là... Peine perdue!

"Minimini-manimo, cachiber-géronimo" pensa Max. Le ciel n'entendit pas son incantation.

L'expression déjà deux fois dite "c'est à s'parler qu'on s'comprend" lui fit penser que le bouche à bouche serait mieux indiqué peut-être. La théorie de la binne qui bouche la pipe ne le lâchait pas. Peut-être que de lui vider la pipe par un vacuum, c'est-à-dire faire le vide d'air de la bouche au lieu d'y insuffler de l'air, car pousser n'aurait pour résultat que d'enfoncer la binne encore plus creux...

Il étendit le corps par terre en disant:

—J'espère qu'il a pas le sida, avec ces écrivains-là, on sait jamais...

—J'pense pas... Il vient de Pohénégamook... Peut-être un feu sauvage...

—Tu veux rire de moi?!

—Mais non, c'est comme ça qu'on appelle l'herpès buccal en langue québécoise...

—Ouais!...

Max aspira, pompa, souffla, tira, cracha...

Gérard s'était précipité de l'autre côté du comptoir auprès du moribond qui avait les yeux fixes. Il écouta son coeur et le trouva plus silencieux que la bibliothèque. Massage cardiaque! Dernière tentative à bras-le-corps... Terminé! François Langlois avait son compte dès le premier jour de sa Révolution québécoise.

Chacun reprit son souffle. Gérard fouilla dans la poche du mort pour trouver un numéro de téléphone.

—Je devrais peut-être attendre la police... mais tu es témoin de ce que je fais...

Il trouva un porte-cartes. Dès la première, il put lire que le jeune homme souffrait d'une allergie grave aux arachides. Il le dit tout haut...

—Ah! ben graisse d'ours! s'écria Max qui en même temps, ouvrit la bouche du mort.

La gorge présentait des enflures démesurées.

31

—Mais, mais... il a pourtant pas mangé d'arachides? s'étonna Gérard.

—Justement: probablement! Pas pensé à ça mais je le savais, c'est pas des pois ou des... binnes qu'ils ont mis dans le gâteau mais des arachides. Quatre ou cinq à ce qu'ils m'ont dit pour donner plus de chances... comme à la loterie... J'ai raconté ça, moi, pour que ça fasse plus québécois en parlant du pois pis de la fève... Ah! ben graisse... de binne! Si j'avais seulement été raciste et non pas homme de diplomatie, il serait pas mort!

—C'est ben pour dire pareil!

...

Et c'est ainsi qu'un futur grand révolutionnaire québécois perdit la vie à cause d'une peanut et par la faute d'un maudit sauvage pas assez raciste.

Sans compter au fond, que ce fut la faute des maudits Français itou! Hein! Parce que pas de fête de la fête de la France, pas de gâteau avec des patentes à gosse dedans comme à la fête des rois pour faire québécois, et pas de sauvage médiatisé invité pour décorer la fête, et pas de visite du sauvage médiatisé à la bibliothèque où se trouvait un 'facile à impressionner' facile à faire fâcher avec des histoires de binnes et de génocide...

Le ciel a ses raisons que le bon Dieu lui-même ne connaît peut-être pas.

Faute donc de se trouver au grand rendez-vous de l'Histoire québécoise, François Langlois s'était trouvé au rendez-vous de la coïncidence...

Pure coïncidence!

R.I.P.

Chapitre 2

Cette mort fut exceptionnelle non pas par toutes ces coïncidences l'ayant causée comme cela arrive dans tous les cas de morts fortuites, c'est-à-dire accidentelles, mais pour ce qui se passa après. Soit la rapidité avec laquelle François parvint à la porte du paradis.

Un véritable TGV plus vite encore que son ombre le transporta d'un bout à l'autre du tunnel éthéré. En route, l'âme en dépassa bien d'autres, parties longtemps avant. Ayant acquis le don d'emmagasiner toutes les images vues, quelle que soit leur vitesse de passage, le défunt eut loisir de reconnaître de nombreuses célébrités encore en route...

Le roi Dagobert enfargé dans ses culottes.

Les saints Martyrs canadiens qui se voyaient considérablement retardés par une évangélisation à n'en plus finir. Faut dire que les Mohawks étaient fort nombreux et que les minorités ethniques formaient la majorité des marcheurs vers le ciel. Mais il y avait aussi beaucoup de Québécois morts dans les années 20-30-40 qui progressaient à genoux, histoire, disaient-ils, de mieux gagner leur place au ciel.

François eut la surprise de sa mort quand il aperçut Gilles Villeneuve aller pas vite en faisant du pouce;

mais l'illustre pilote automobile avait un avantage certain sur tous: c'est comme s'il avançait à reculons. En fait, son corps fluide allait vers l'avant mais en raison d'une magistrale torsion du cou, sa tête était tournée vers l'arrière de sorte qu'il pouvait à la fois marcher en avant et regarder venir les bolides. S'il avait eu pareille chance à son dernier tour de piste, jamais il ne serait mort, le pauvre! pensa François en le doublant. Mais son TGV allait bien une année-lumière de fois la vitesse de la lumière; pas moyen de s'arrêter pour faire monter le coureur automobile et la formule numéro un consistait à passer droit son chemin... sa course...

En même temps que les stars, les grandes images de sa vie brève, si brève défilaient en vitesse devant les yeux du trépassé

La mort étant la prise de conscience de l'inconscient, il lui fut donné de se voir naître. La venue au monde de son fils, à laquelle il avait assisté en 85, resterait comme un des grands moments de sa vie terrestre; l'événement l'avait bouleversé à ce point que chaque fois par la suite qu'il l'avait raconté, son coeur avait eu la larme à l'oeil. Mais maintenant, se voir lui-même expulsé du ventre de sa mère... ses deux petits bras gauches s'agitant dans la confusion comme ceux d'un politicien haut de gamme qui pousse la subtilité jusqu'à se montrer hésitant –tel un humain avec ses faiblesses– dans ses certitudes, avec sa face en grimace à la recherche du cri primal, avec sa fragile petite peau gaufrée, ses petites paupières pochées, son petit nez de nègre qu'on trouve si beau chez les bébés et si affreux chez les... nègres, eh bien, tout ça fit éclater l'émoi de François qui pleura sur sa propre naissance trente ans plus tard en ce jour même de sa mort...

Puis ce fut le rappel de la découverte de ses pieds au berceau. La redécouverte de ses pieds en apprenant à marcher. Une troisième découverte de ses pieds à onze ans, quand il les avait vivement retirés du trou de boue de Pohénégamook, un soir de grande décision.

La première fois où il avait eu droit de vote, c'était en 1980, au triste jour du référendum perdu. Et il l'avait exercé. Jamais comme ce jour-là il n'avait été aussi fier de posséder des pieds. Car ils lui avaient permis de se rendre au bureau de scrutin.

Puis il y avait eu son mariage avec la belle Manon Perron qu'il appelait la belle Manon du sieur Kanon en mémoire d'un bateau célèbre de l'été du siège de Québec. Une jolie fille grassette, blonde et bonne au lit. Chaque fois qu'ils avaient fait l'amour et cela s'était produit en moyenne trois fois par semaine depuis la noce en 1983, ses mollets avaient frôlé la crampe de la jouissance.

Et le fiston qui s'était présenté en 85... Fiston Simon et Manon qu'il avait décidé de quitter pour une année. Une année sabbatique patriotique... Ne demande pas ce que ton pays peut faire pour toi, demande-toi ce que tu peux faire pour ton pays, disait-il chaque dix ou douze jours, jusqu'à celui très récent où il avait pris la troisième grande décision de sa vie après celles de 70 et 83... répondre à l'appel de la race... pour la sauver...

Ils lui manquaient tous les deux. Pourquoi diable ce raciste de Gros-Louis-là était-il venu à la bibliothèque avec son gâteau bourré de peanuts? Voir si ça se fait, un gâteau aux peanuts... Combien de longs siècles devrait-il attendre pour revoir Manon et Simon?

Imagine, il avait vu des gens comme Washington sur la route du tunnel, Elvis The King Presley retenu par des groupies, Robespierre qui déambulait la tête fanée sous le bras et même douze hommes sur qui tombaient des langues de chat et qui jetaient à pleines poignées à gauche et à droite des mots luisants pris dans un panier ne se vidant jamais et sur lequel étaient écrits les mots: prêchi-prêcha, Jésus est par là...

Cette brutale séparation d'avec les siens lui tripouilla l'âme un peu plus en profondeur que le spectacle de ses premiers vagissements sur la terre du bon Dieu. Il pleura carrément.

Mais le TGV poursuivait son train infernal direction paradis.

François revit ses parents, ses frères, ses soeurs, son village, son lac et même aperçut la tête du monstre de Pohénégamook dans l'eau noire d'un crépuscule noyé du côté de St-Eleuthère...

Son père, toujours du monde des vivants, l'avait aimé au point de le battre par la tête à l'occasion, par souci pédagogique. François se souvenait nettement des leçons reçues ces jours-là...

Sa mère, toujours vivante itou, femme de soixante et quelques années... venait de prendre sa retraite après d'immenses années de labeur quotidien au bureau de poste de Sully, voisin de Pohéné...

Et Yvan, le don Juan du bout qui avait défloré une fille sur trois au cégep de Rivière-du-Loup quand il y étudiait. —Il est vrai qu'il en restait peu car le gros du travail de défrichement floral avait été accompli par d'autres dans les polyvalentes—.

Et Marie-Martine partie à Bangkok pour des motifs obscurs. À la recherche de ses racines, avait-elle dit. Se chercher soi-même en Thaïlande: quelle étrange idée! Peut-être le fait qu'elle se soit mise au tofu trois ans auparavant expliquerait-il sa fuite de la terre natale?... L'appel du tofu est fort sur certaines femmes fortes, c'est connu...

Un autre appel agit sur beaucoup d'humains, tout comme un gigot de ver au bout d'un hameçon attire les poissons, et c'est celui de la musique. François n'y avait pas résisté et au milieu de son adolescence, pour oublier un peu la cage à poules dans laquelle il étudiait, il s'était mis à la guitare. S'accompagnant, il chantait du Félix Leclerc, le pied sur une chaise. Et l'autre pied tapant du pied...

Son air préféré: Moi, mes souliers...

Enfin le train s'arrêta.
Net.
Les âmes se fusionnèrent un bref moment dans une bousculade involontaire. François se rendit compte alors qu'il n'avait côtoyé personne de tout le voyage, occupé qu'il était de revoir sa vie ou bien de repérer des têtes d'affiche dans la foule bigarrée et anonyme... Tiens, il y songeait pour la première fois, mais ces retardataires devaient sûrement être des âmes dites du purgatoire. Elles devaient réparer pour leurs plus ou moins graves péchés véniels... Ce n'était pas bien difficile de deviner

36

quelles fautes avaient pu commettre Elvis et Gilles Villeneuve dans une ou plusieurs courbes de leur vie, mais comment les douze apôtres pouvaient-ils se trouver dans le flot des pas-vite-vite? Cela avait certes un rapport avec l'un des leurs dont ils n'avaient pas su sentir et dénoncer la couardise...

—Le temps de la supputation est terminé, tout le monde descend, annonça une voix plus suave que le parfum d'une rose, vraie voie d'aérogare. Relaxez, tout va s'éclairer à mesure et en son temps. Descendez donc et montez au ciel...

Quand l'âme de François fut hors du train, elle s'étonna de voir l'inimaginable réseau des escaliers menant au paradis. Il y en avait des dizaines montant dans toutes les directions et pourtant, montant toutes dans la même direction. C'est que le ciel est vaste comme un pays, comme une galaxie...

Il y avait l'escalier des retardataires et qui était bondé de Canadiens français d'autrefois qui le gravissaient à genoux.

Et l'escalier des Juifs: roulant.

Celui des Noirs servait également aux prostituées repenties qui, après leur dernière confession n'avaient fauté que par une ou deux sucettes.

Quant aux gagnants, ils empruntaient un couloir particulier où il semblait se passer des choses à grande allure et à grand déploiement... Impossible de savoir quoi!

Un message télépathique et sympathique se répandit sur les âmes et François entendit:

—Tous ceuxlles (ceux et celles) qui sont morts en état de grâce, tout ceuxlles qui ont aimé les autres, ce qui inclut leur peuple, plus qu'eux-mêmes, y compris vous, oui, oui, monsieur Langlois, peuvent aller au télé-escalier qui va les téléguider, les téléporter à destination. Où se trouve cet escalier? Il est en vous-même. Vous n'avez qu'à ajuster votre pensée à: **plein gaz**. Et à tous, bon voyage instantané!

François fut sur le point d'éclater de rire. De n'y point croire, à cette fantaisie style Star Trek (Patrouille-du-cosmos-avec-Spock-les-grandes-oreilles-et-capitaine-

Kirk-qui-a-toujours-raison). Mais sitôt il se ravisa. Car quand on pense fort à quelque chose qu'on désire, ça marche; mais si on doute, ça bloque. Cette idée-là avait guidé sa vie. Les psy ne faisaient-ils pas unanimité sur la question?

Certes, il devait se culpabiliser un peu. S'il avait raté l'occasion de participer à la Révolution fleurdelisée que de son vivant, il croyait inévitable et désirable tout autant que la souveraineté la précédant et l'amenant, c'est sûrement qu'il avait manqué de conviction, de foi en la chose. Quand on veut, on peut!...

Au lieu de retourner enseigner à Pohénégamook après ses études à Rimouski et de marier la belle Manon du sieur Perron, il eût fallu qu'il descende de suite sur Québec, tout comme jadis le héros de New Carlisle était descendu sur Montréal pour changer la face de son pays-province.

Ah! mais le temps n'était pas aux regrets.

La foi pouvait le transporter au bout de ces escaliers que, par intuition, il savait longs comme des pays, des galaxies...

En un éclair, il y fut, sur le dessus de la montagne, transporté par son désir pur et sûr. Alors il eut envie de se mettre à genoux un moment pour demander à Dieu de donner un 'break' à tous ces Canadiens français retardataires qui, agenouillés, progressaient à pas de tortue, si péniblement dans les allées du tunnel et les marches de l'escalier. Peut-être le roi du ciel voudrait-il leur faire une sorte de crédit d'indulgences par exemple, une remise de la peine due au péché, sous forme d'intérêt versé... Ces gens-là en vrais bons Québécois ne pouvaient pas ne pas posséder un ou plusieurs **REER** en capital d'amour... pourquoi ne pas leur permettre de s'en servir pour arriver plus vite au but...

—Je comprends votre immense, votre incommensurable générosité, dit une voix petite et douce juste à côté, en biais.

De son vivant, François, un brin nerveux, aurait sursauté comme une heure plus tôt dans la bibliothèque alors que Gérard l'avait pris par surprise, mais ici, il avait pleine possession de ses neurones. Aussitôt, son âme revint vite en elle-même. Qui donc pouvait ainsi lui chuchoter à l'oreille sur le ton d'une si grande humilité, d'une si grande serviabilité? Il s'était pourtant attendu à trouver au ciel des êtres remplis de haute fierté. Le ciel, songeait-il, mais n'est-ce pas justement ce sentiment de plénitude et d'accomplissement si souvent vanté sur terre et ressenti par les fiers et les forts? La grande fierté individuelle et nationale dispensatrice de bonheur pur à tous les gagnants, mais aussi à tous les malchanceux et ratés du monde entier. Gratification pour les premiers à cause de leurs mérites et consolation compensatoire pour les autres à la vie beige pâle!

Un petit homme gris souris à dos voûté tendait une bouteille ayant l'air de contenir un remontant. Accueil typiquement québécois!

—Reniflez-en les vapeurs!

—Ah! mais qu'est-ce que c'est? Pas de la dope, hein! Pas de la colle Vaporub!

—Mais non, mais non, c'est du gaz de saint Joseph. J'aimerais que ce soit de l'huile, mais au ciel, tout se gazéifie, que voulez-vous.

—Ah! ben, jériboire aratoire!, mes lumières viennent de s'allumer: si c'est pas le bon frère André!

—En âme et en esprit pour vous servir, mon bon ami! Je suis le portier de ce secteur du ciel. Le Conseil des Séraphins m'a donné la 'job' en 49. Mon prédécesseur, un esclave nègre américain qui était en poste depuis un siècle, a eu la folle idée de faire la grève. Ils l'ont expédié dans un coin obscur de la galaxie. Et ensuite, les Séraphins m'ont fait une offre que je ne pouvais pas refuser, c'est-à-dire oindre tous les arrivants avec le gaz de saint Joseph.

L'âme d'André fronça un peu les sourcils et son front s'assombrit entre les plis; elle poursuivit:

—Je vous attendais, François Langlois, mais on ne m'avait pas dit que vous aviez le juron si aisé... Être un peu mal embouché comme tous les Québécois... ça se pardonne, mais de là à juronner en vous servant du nom de mon... bébé...

—Huhau, huhau, bon frère André, j'ai dit 'jériboire aratoire', pas oratoire... C'est mon patois à moi depuis des années. C'est pas jurer, c'est juste que je fais comme tous les personnages de fiction du Québec... Viande à chien, tabarnance, Austin d'beu... Sans ça, tu passes pas à télé... tu manques d'héritage patrimonial... Pis si tu passes pas à télé, tu passes pour un beau cave au Québec...

—J'aime mieux. Et puis scusez, j'sus un peu dur d'oreille... C'était de même déjà en bas... Bon, allons-y... C'est le temps pour vous d'entrer dans le royaume. Venez que je vous prépare votre carte de crédit...

En un mouvement, on fut devant la porte du paradis sur le fronton de laquelle deux inscriptions brillaient en lettres d'argent:

—l'épargne, c'est la liberté!

—bienvenue dans la Floride céleste!

—Mais on croirait arriver au Québec, frère André. Vous qui êtes là pour nous accueillir. Des slogans pour nous enseigner. Des mots qui parlent d'argent, de soleil. J'ai envie de vous poser une petite question...

—Faites, mais faites donc!

—Y a-t-il quelque part des signes... disons des signes de... d'indépendance?

—Beaucoup, beaucoup mieux que ça, vous verrez à l'intérieur. Malgré que des idées d'indépendance trop poussées et affichées, ça pourrait faire baisser notre clientèle dans ce bout-ci du ciel. De l'huile de saint Joseph, j'en vendais pas mal aux Canadiens français mais quasiment autant à des gens qui parlaient rien qu'anglais... On peut être souverainiste, mais faut pas trop le montrer... Autrement, on se tire dans les pieds...

—Sachez que j'ai toujours eu le plus grand respect pour les pieds.

—Sans eux, comment pourrais-je exercer mon métier de portier?

Le frère pitonna sur un clavier suspendu et quelques bip bip plus tard, une petite carte d'une matière imitant le plastique surgit comme par magie d'une glissière invisible.

—Votre numéro d'identification ou NIP, je vous le donne. Approchez pour que le secret soit bien gardé.

C'est 8-3-2-3-2. Si vous l'oubliez, c'est facile de le retracer d'abord que ça correspond à **"uébec"** sur le clavier du téléphone.

—uébec? s'étonna François, vous avez dit 'uébec'?

—Vous aimez beaucoup le Québec n'est-ce pas? Alors j'ai cru bien faire à vous attribuer ce numéro hautement symbolique. Mais comme il n'y a pas de Q sur le clavier d'un téléphone et que d'autre part, un NIP est toujours à 5 chiffres, voilà donc 8-3-2-3-2 pour vous...

Le frère se tourna, se plia en deux et montra son derrière en disant:

—Et pour vous rappeler que "uébec" vient de Québec, fourrez-vous le NIP dans le... puisqu'il n'y en a pas sur le clavier du téléphone... Qui aura l'idée de fouiller là pour vous détrousser, pour vous dépouiller?

François prit la carte, demanda:

—Comment est-ce que je m'en sers?

—Bonne question! Vous l'insérez n'importe où. Toute la cloison du ciel que vous voyez n'est qu'un immense guichet automatique. Vous glissez votre carte en avant, vous faites le NIP et vous entrez... Bonne chance, ami Langlois et pardonne-moi si je te tutoie! Tu t'ennuieras pas au ciel, tu verras...

Sitôt dit, sitôt fait! Et François se retrouva dans un monde incroyable. Mille milliards d'expositions comme celle de Séville constituaient le ciel. Son âme absorba d'un coup d'oeil l'entière galaxie. Mais il se trouvait, lui, dans le secteur d'Expo-67... une expo sanctifiée certes, toute en vapeurs et en les éclats de l'arc-en-ciel...

—Ça, c'est la vraie exposition universelle, dit une voix qui n'avait pas averti.

François se tourna en sa direction mais ne parvint pas à délinéamenter sur-le-champ son interlocuteur dont l'esprit était entouré d'un halo de fumée...

—C'est moi qui accueille les Québécois dans l'éternité.

Cette fois, François reconnut la voix! Il eût voulu mourir si ça n'avait pas déjà été fait.

—Monsieur Lévesque?!?!?! fit son âme questionneuse et respectueuse.

—C'est rien que moi, René le vénéré, jeta humblement l'hôte arrivant.

—Permettez-moi de réaliser un de mes plus grands désirs sur terre: vous donner la main...

—Ou le pied parce qu'ici, y'a pas de différence. Des fois on se donne la main mais souvent itou, on se donne le pied...

—Encore mieux! On se donne le pied!

Il y eut chuintement puis René qui s'était précisé un peu dans ses fumées, étendit la main pour montrer un mur immense bardé de symboles fleurdelisés.

—Ça serait-il le nouveau Colisée?

—On est au ciel, pas à Québec. Mais voilà le pavillon du Québec. C'est là que les élus québécois se retrouvent pour chanter les louanges du souverain. Et mon cher François, votre destin est incomparable. Vous décédez le jour même où on va recevoir ici même une visite rare... rare comme de la marde de pape si je peux dire... celle du bon Dieu lui-même... Je veux dire en personne. Bon, le bon Dieu est partout, c'est bien vrai, mais il est pas en personne partout... Mais aujourd'hui, il va visiter notre pavillon du Québec. Et vous choisissez ce jour-là pour mourir. Décidément, vous êtes le roi des coïncidences comme on nous l'avait bien dit. Allons, entrez...

François voulut allonger sa carte.

—Pas besoin pour entrer dans ce pavillon qui sera le vôtre désormais. On parle la même langue, suffit, c'est le passeport requis.

On avança à travers la cloison bleue; et les beautés vertes du vaste jardin intérieur apparurent. Entre deux arbres, au-dessus de l'allée piétonnière, il y avait d'écrit: *Bienvenue, François Langlois, un bon Québécois!*

Aussitôt que l'arrivant avait absorbé les mots, le néon changeait de texte et on pouvait lire à la place: *Bienvenue à Dieu, notre bon bon Dieu rien qu'à nous autres!*

—Faut changer l'inscription aussitôt que vous en avez pris connaissance et vous nous comprendrez: Dieu nous arrive tout à l'heure. En fait, d'un instant à l'autre. Il vient prendre son repas ici avec nous tous du comité des sages du pavillon. Et vous savez quoi, étant donné que vous êtes le roi de la coïncidence et qu'une fois par siècle, ici ou dans les autres pavillons, on met un simple citoyen à l'honneur, un citoyen qui représente le peuple,

peuple dont il faut bien faire la fête parfois... eh bien, j'ai suggéré au Comité de réception de vous inviter à dîner avec Dieu lui-même... Ce sera la première fois dans les annales du ciel qu'un trépassé du jour rencontre Dieu le jour même de sa mort et c'est à un Québécois que ça va arriver... Un record incroyable! Je peux vous dire que j'aurai jamais été aussi fier qu'aujourd'hui d'avoir été un Québécois!... Et de l'être toujours par l'esprit bien sûr...

—C'est comme moi! Ah! je jouis!...

—Jouissons, mon frère! En même temps, venez que je vous présente le Comité des sages... Ils sont réunis et nous attendent... En fait, nous sommes trois et ils sont donc deux...

On passa une cloison rouge et François fut accueilli par des ah! par des oh! et par des eh!

Attablés, de chaque côté de René qui en moins de temps qu'il faut pour grimacer avait pris sa place, deux personnages familiers siégeaient. Au-dessus de l'un, il y avait l'inscription —le ciel est truffé d'inscriptions— *cardinalum depuratum seculorum* Au-dessus de l'esprit de l'autre se pouvait lire: *poète floral national.* Et au milieu, derrière René, il y avait: *fumiste mystique et mythique, faiseur du boucan terrestre et de boucane céleste.*

—On nous appelle les trois L, avec liaison. Nos armoiries portent d'ailleurs trois ailes, voyez...

—Léger, Lévesque, Leclerc...

—Comme en bas dans le temps, Lesage, Lévesque, Lajoie au début de la Révolution tranquille...

Révolution: le mot était mis dans l'atmosphère. René dit:

—Nous savons à quel point une Révolution au Québec vous tenait à coeur, mon très très cher Langlois. Et nous aimerions que vous plaidiez cette cause devant Dieu.

—Vous savez, Dieu écoute souvent les sans-nom, fit le cardinal avec un sourire paternel.

—Je ne sais pas, je ne suis pas le meilleur en mots...

—Je vais les écrire, dit René.

—Je vais donner la note, dit Félix.

—Je vais bénir le tout, dit le cardinal.

—Mais si Dieu est sur le point d'arriver, nous allons manquer de temps...

Comme pour répondre à François, une voix aussi suave que celle de la gare annonça:

—Nous devons vous informer que le cortège du saint Père, le dieu du ciel, vient juste de partir de la galaxie d'Andromède et qu'il aura donc un retard considérable. Pour le moins cinq minutes, mais cela pourrait aller jusqu'à sept. Prenez note, vous, du pavillon Québécois... qui avez l'incomparable honneur de recevoir le Créateur et **souverain** Maître...

Les trois L s'échangèrent des poignées de mains pour se féliciter d'avoir réussi ce coup de maître: obtenir la visite de Dieu qui apporterait sa bénédiction particulière. Le cardinal surtout en était ému profondément et en avait la larme à l'âme...

—Avant d'écrire l'apologie du Québec, je vous invite à vous agenouiller pour offrir à notre Sauveur un fervent Credo...

On se recueillit tandis que dans ses R fortement frisés, le cardinal Léger entamait:

—Je crois en Dieu, le Père tout-puissant, créateur du ciel et de la terre...

—Et du Québec, glissèrent en choeur les âmes de René, Félix et François...

—Et en Jésus-Christ, son Fils unique notre Seigneur qui a souffert sous Ponce-Pilate...

—Et Ottawa, glissèrent en choeur François, René, Félix...

—A été crucifié, est mort et a été enseveli. Est descendu aux enfers, le troisième jour est ressuscité des morts, est monté aux cieux, est assis à la droite de Dieu, le Père tout-puissant d'où il viendra juger les vivants et les morts. Je crois au Saint-Esprit. La sainte église catholique...

—Et francophone, glissèrent les deux L et le F...

—La communion des saints. La rémission de tous les péchés. La résurrection de la chair. La vie éternelle...

—Amen...

Chacun se redressa à la verticale. René dit:

—Pendant que je vais composer le panégyrique, vous feriez bien, vos éminences, d'endimancher monsieur François...

—Choisissons l'élégance paysanne! suggéra Félix.

—Pourquoi pas les apparences de l'humilité, souffla le cardinal.

—Puisque l'objectif, c'est de convaincre Dieu de la haute vertu de son peuple, qu'on le revête du sentiment d'appartenance, non? déclara René dans une question démontrant l'évidence de la réponse.

—Mais quoi, on porte donc des habits au ciel? s'étonna François.

—Certain! dit Félix. Le tissu en est un de reflets.

—Ce qui m'irait le mieux ne serait-il pas ma propre apparence?

—Vous êtes dérangé ou quoi? se scandalisa le poète floral national C'est vrai, vous êtes nouveau! Non, non pas...

—Dieu étant infiniment intelligent, intervint le cardinal avec bonté, n'a que faire des réalités évidentes. Il lui faut du deuxième, du troisième degré voire même du centième degré... pour satisfaire sa compréhension ou si vous voulez, sa préhension spirituelle...

—Dieu, monsieur, dit René, est un intellectuel, pas un esprit superficiel. Il aime les choses cachées pour pouvoir les découvrir. S'il a mis en l'âme humaine la capacité de camouflage, c'est pour qu'on s'en serve. Il lui faut de l'art moderne, du symbolisme, du pas déjà-vu. Il n'aime guère les figuratifs... On ne dit pas les choses à Dieu, on les voile; et Dieu peut alors se donner l'illusion de l'imperfection... Il fouille, il suppute et il lui arrive même de raisonner...

—En ce cas, faites donc de moi selon votre parole! dit François, soulagé.

Et pendant que le sérieux cardinal jouait avec des combinaisons de reflets dans les tons de pourpre, Félix mûrissait quelque chose dans la gamme du vert alors que René, d'une main, modulait dans des agencements bleus, et qu'il préparait le panégyrique de l'autre.

Après s'être gratouillé les ondes semi-chauves, il réfléchit tout haut:

—Que je me rappelle... Seigneur... Dieu du ciel et de la terre... du Québec...

—Quel génie! s'exclama Félix.

—Un futur guide de la galaxie! approuva le cardinal.

Et François s'émerveillait autant de ses nouveaux reflets que des trouvailles du petit père du Québec, fidèle à lui-même et à son peuple jusque dans les très hautes sphères du paradis éternel...

N.I.P.

Chapitre 3

On pouvait voir venir de fort loin le cortège céleste entouré de fumées blanches. Sublime, la voie royale présentait des brillances incomparables, toute bordée de ces immenses pavillons d'or constellés de diamants, de sucre d'orge et de 'clapboard' d'aluminium. Devant les bâtisses, des arbres graves en rangs serrés s'inclinaient pieusement quand passait le convoi sacré.

François vibrait.

On avait ouvert toute grande la porte principale du pavillon. Des odeurs d'érable flottaient dans l'éther. Et des feuilles d'érables serties de pierres précieuses voltigeaient aussi malgré leur poids apparent.

Au ciel, même si on peut tout voir d'un coup, il ne faut pas s'y fier toujours; car le suspense a ses heures de gloire bien à lui et quand il paraît, l'attente le précède toujours. En conséquence, on ne pouvait pas encore distinguer nettement les détails du premier char.

—Pas sûr qu'il soit allégorique, en dit René Lévesque qui s'alluma un mégot tout croche en le collant sur un bouton de la porte.

Alors une musique incomparable s'éleva de par toutes les nuances du tableau: une musique divine et qui accompagnait une voix si familière et si sublime...

C'était, venue de partout, la voix de Félix, riche, paysanne, citoyenne, et qui entama un chant de labour, la vieille complainte d'un laboureur en train de tracer le sillon dans la terre fertile et nourricière...

> *"Je vais, je vais et je viens...*
> *Entre tes reins*
> *Et je me requens...*

Puis la voix du Québec, lente, languissante:
> *Je suis la terre... de chez nous.*

Et Félix:
> *Et moi, la charrue, mon minou.*

La voix:
> *Tu es le soc.*

Félix:
> *Tu es le Bloc.*

> *—Je t'aime, Québec, oh! oui, je t'aime...*
> *—Moi bien plus!*
> *—Tu es ma belle... souveraine...*
> *—Tu es la vague et l'absolu*
> *—Ah! ah! je me souviens, je me souviens...*
> *—Ahhhhhhh! je viens et je me souviens...*
> *—Je vais, je vais et je viens entre tes reins et je me*
> *souviens....*
> *—Je t'aime, je t'aime*
> *—Moi bien plus...*
> *—Viens, viens, viens, ahhhhhhh! viens...*

Élevé, transporté haut par l'amour, François ne reprit conscience qu'après la chanson. Alors, surprise! Miracle! Prodige! Tiens, mais il devait se frotter les ampoules... Non, ce n'était pas Mongrain, ce n'était pas Superman, là, dans la décapotable qui s'avançait, c'était lui, le grand, le seul, l'unique bon Dieu qui, à grands bras élargis et en soulevant quelque chose, saluait la foule des reflets et des arbres inclinés...

Sa voix parvint aux gens du Comité des notables québécois groupés devant la porte et accompagnés d'un représentant du peuple, ce François de la meilleure espèce de la meilleure race...

—Je vous ai compris... je vous ai compris...

Le costume militaire, le képi, la voix, le nez, la grandeur: tout était là, tout! Dieu avait-il décidé de prendre l'apparence du second héros de François, celui-là tout juste classé au grand étage de ses fiertés une fraction de poil derrière René Lévesque?

—Vive le Québec! Vive le Québec! Et vive encore le Québec! répétait sans cesse le personnage debout dans l'auto que conduisait, semblait-il, une femme pas trop habillée de mini-mirages mais que des vapeurs légères voilaient pudiquement au besoin.

Qu'il ajoute le mot libre au slogan et tout doute se dissiperait à jamais dans l'esprit de François. Cela voudrait dire que Dieu lui-même —mais qui donc s'en surprendrait?— prônait la souveraineté. Après ça, qui dans l'univers oserait encore questionner la valeur de l'idée? Quelques Anglais, pas plus, et Jean Chrétien, ce faux prêtre noir.

—Vive le Québec... libre!

François éclata. Les arbres ployèrent sous les vivats des reflets et eux-mêmes perdirent la moitié de leurs feuilles précieuses.

Enfin, l'auto s'arrêta. François pleurait. René riait. Paul-Émile bénissait. Félix agitait un rameau. Et le frère André avait collé son oeil excité sur un trou de noeud dans la porte du ciel faite en imitation de bois de grange de ce côté-là.

—Dieu est divin! dit François à l'oreille des autres.

On se rendit compte alors de sa terrible méprise. Le pauvre prenait le grand général pour Dieu en personne. On avait oublié de lui dire que de Gaulle n'était que le bras droit du Seigneur. C'est le cardinal qui, en se croisant les doigts, se donna la mission d'éclairer ce pauvre ignorant.

—Vous savez, François, Dieu n'est peut-être pas tout à fait celui que vous attendiez. Disons qu'il diffère un peu de l'image que nous en avions en bas. C'est que... la

49

rédemption du monde se prolonge, ce qui prouve à quel point le mal est grand sur terre... Ce n'est pas le général qui est le roi du ciel et de la terre, c'est lui, Dieu...

Et le cardinal montra du doigt un personnage tombé sur la banquette arrière. De Gaulle dit à ses hôtes en secouant Dieu quelque peu:

—C'est la troisième fois qu'il tombe ainsi...

—Ah! le chemin de la croix! dit le cardinal.

—Plutôt celui de la chute, dit Félix.

—Ou le chemin de Damas qui le conduit vers nous, suggéra René qui éteignit son bougon de mégot en le projetant d'une chiquenaude vers la porte du ciel.

Le malheureux frère André reçut la chose en plein oeil et il en conçut beaucoup de mécontentement. À telle enseigne qu'il se retourna et plia les reins pour montrer sa nippe et non NIP.

Dieu ouvrit un peu les yeux.

François osa faire un petit pas vers la voiture. La conductrice était entièrement enveloppée de gazes vaporeuses... mais il ne l'aurait pas vue de toute façon puisque son attention allait toute à l'Être suprême.

Dieu était vêtu de reflets démodés et effrangés, semblables à des hardes de vieux quêteux du temps du Survenant. Son visage anguleux montrait une barbe hirsute d'au moins trois jours. Et ce nez en forme de catastrophe, comment pouvait-il le supporter au milieu de son visage?

François fut pris de pitié. Dieu était-il donc malade? S'était-il donc incarné psychologiquement dans l'âme d'un gueux, d'un malheureux, afin de porter beaucoup plus longtemps les fautes du monde dans une humilité suprême?

—La rédemption du monde se poursuit, répéta le cardinal en soupirant.

Avec l'aide du général, Dieu put se rasseoir. Il fermait les yeux et les rouvrait dans une hébétude terrible. Il parvint à marmonner:

—J'ai cru... j'ai cru entendre... chanter...

—C'était pour accompagner votre arrivée, dit Félix.

—J'aurais... préféré... du Vigneault!... Sais pas... Gens du pays... quelq' chose comme ça...

50

—Mais c'est vous même, Seigneur Dieu, qui fûtes la grande inspiration du chant de labour *Je t'aime, moi non plus...*

—Pour ça que... que...

Il hoqueta...

—... que je veux... la chanter moi-même...

Un garde vint ouvrir la portière et le grand de Gaulle descendit le premier. On échangea des poignées de mains. René présenta François...

Le général y alla d'une confidence à mi-voix:

—Dieu est encore soûl raide! Ce matin, il a bu une planète entière d'alcool à friction...

Puis à l'adresse de gardes:

—Aidez-le à descendre de voiture!

—Je... suis moins soûl que... que...

Dieu hoqueta...

—... que vous dites, général...

—Il fait semblant de pas comprendre mais il entend tout dès qu'il a l'oeil ouvert, murmura le général au cardinal.

Quand il fut debout sur ses jambes flageolantes, Dieu balbutia en ricanant un peu:

—On aime les laids sans délai.

D'estomaqué à la bouche béante, François devint vite désespéré. Dieu aurait pu prendre l'apparence d'à peu près n'importe qui au monde, mais surtout pas celle de Gainsbourg... Pourquoi cela? Ces paupières rouge vif inversées, ce regard piqué d'alcool, de nicotine et peut-être de cocaïne... et ce nez, ce nez qui semblait contenir toute la pensée, l'énergie, le son et la lumière, le péché...

Ah! c'était donc cela, Dieu digérait les péchés de l'univers comme un anticorps brise et détruit une cellule mauvaise... Gainsbourg se donnait l'apparence du mal et Dieu se donnait l'apparence de Gainsbourg...

—Vous ne comprenez pas, cher François, dit Dieu à l'éberlué.

—N... non... dit François, fort inquiet qu'on lise ainsi en lui.

Si Dieu pouvait cela, qu'est ce que ce serait quand il serait sobre?

—Ben... laissez-moi vous expliquer... vous expliquer...

Voyez-vous, ça faisait une... éter... éternité que j'étais...
bon... Vous avez entendu parler, vous aussi... Qu'est-ce
que c'est long... de tout le temps être **bon**... Pouvez pas
savoir... Tout le temps beau, et brillant, et propre: la
perfection ad nauseam... Vous comprenez... Un matin,
j'étais écoeuré... écoeuré. Je me suis dit: tiens, mon
mec, tu vas changer de peau pour changer un peu... Et
là, bon, je suis allé voir mon meilleur ennemi... vous
connaissez Satan... Peut-être pas, il n'va plus beaucoup
sur terre, il paraît... Plus besoin d'y aller, son ouvrage
est faite par là... Incidemment, j'ai pas de nouvelles de
la Terre depuis un bail... Paraît que ça s'améliore un
peu... Y'a la Vierge Marie qu'est allée récemment... Elle
est revenue avec des idées... des idées bizarres... Depuis
ce temps-là, elle prétend que je fais du harcèlement... du
harcèlement spirituel qu'elle dit... Elle veut me faire
traduire en justice... aller jusqu'au juge suprême...
imaginez... Qu'est-ce que vous voulez que j'en aie à
cirer, du juge suprême... puisque c'est moi. Donc je suis
allé voir mon vieil ennemi Lucifer. Il tient dans son
enfer une quincaillerie qu'il a appelée New York, ça,
j'vois pas pourquoi et j'm'en balance... Et pis là, je lui ai
acheté... cheté... scusez si je hoquette un peu... Lui ai
acheté un sac... un plein sac de vices... Ah! des petits
vices, pas des gros. Ivrognerie... tabac... orgueil... Et
puis rien que comme ça de luxure... C'est rien du tout...
Pourquoi la vierge s'en plaint... ben sais pas trop! Les
femmes... savez! Ah! et puis bon!...

François et Dieu marchaient côte à côte derrière le
groupe des hôtes. On franchit les barrières de l'entrée et
on se retrouva bientôt dans le jardin intérieur où une
table dressée attendait tout le monde.

Dieu allait un peu plus droit et sa voix, quoique
toujours nasale, se nettoyait. Mais il empestait l'alcool.
Il fit travailler son pouvoir au moment de prendre place
et ses habits changèrent de reflet. Il se retrouva dans
une robe blanche qui paraissait lourde, de celles dont des
cinéastes des années 50 se servaient sur terre pour
habiller le personnage de Jésus à l'écran.

François allait s'asseoir à la droite du Père quand de
Gaulle s'interposa vivement. Le général était le second

en importance dans tout le paradis et personne ne prendrait sa place à table, même à cette petite table du pavillon québécois. Le cardinal fut à gauche, flanqué de Félix. Et Lévesque pour sa part se hâta de se mettre à côté du général. Il sortit aussitôt ses cigarettes et en offrit une à Dieu qui l'alluma d'un claquement de doigts en disant:

—Ça, voyez-vous, le toubib me le déconseille... mais je peux pas, je peux pas...

Le général agita son képi afin de ne pas être trop incommodé par toute cette boucane agressive de ces deux invétérés invertébrés...

François finit par se bûcher une place au bout de la table et René, n'y tenant plus, annonça à Dieu que le jeune Québécois avait un message à livrer.

—Qu'il essaie surtout pas de me convertir! dit Dieu avec un sourire malin de bisc-en-coin.

—Ça ne vous concerne pas, Seigneur, fit Félix. Ça concerne notre bonne terre de chez nous, les petits oiseaux des îles, les grands caribous, nos bois parfumés, nos moissons à pleines clôtures de perches, et puis un peu, je vous le cacherai pas, nos outils volés pis nos échelles empruntées ad vitam aeternam... nos héritages pis nos chantiers... de liberté... Écoutez, Seigneur Dieu, c'est notre nature de Québécois en colère qui voudrait ne plus être une voix qui crie dans le désert...

—C'est pas un mauvais discours, coupa Dieu, mais laisse donc parler, le petit gars, là... Je le sens de bonne volonté...

François se leva et il déplia un rouleau bourré de phrases écrites à la main. Il lut en apportant son ton, sa touche, sa bouche...

—La Mère de la Révolution, c'est la séparation. Un enfant qui tète sa mère n'est pas libre et ne peut pas se faire, se fabriquer lui-même, surtout s'il a passé l'âge de s'allaiter au sein... Dépendant, sans fierté, sans échine, il s'étiole, dépérit, meurt à petit feu d'un siècle à l'autre... Mais comme le peuple québécois est rudement costaud, il a survécu et il est plus fort que jamais. Et pourtant, son indépendance lui fait cruellement défaut. Il n'a pas les pouvoirs nécessaires pour être fort. S'il est fort, c'est grâce à Dieu, pas à la Confédération. Bien évidemment, c'est un grand peuple dans sa petitesse. Petitesse ne veut pas dire petitesse, là, par exemple, mais faiblesse. Comment voulez-vous, tout son sang passe par Ottawa qui en absorbe le meilleur. On se fait avoir, on se fait avoir, Seigneur qu'on se fait avoir. Grâce à Dieu, grâce à vous, Dieu, le Québec s'en est fort bien sorti: nous sommes dans les meilleurs niveaux de vie sur terre. Mais à quoi ça sert si l'inégalité règne en maître. On est bourré de pauvres, Montréal surtout. Et surtout depuis que le maire Doré se fait aller... Mais on a Céline Dion. Connue dans le monde entier. Les Québécois sont pas des tout-nus dans-rue... Sauf que si on avait l'indépendance, on se ferait plus déshabiller comme depuis trois siècles. On a Péladeau, on a Pierre Nadeau, on a Béland, on a de l'élan, on a la Floride, on a le bon père Aristide... de temps en temps... on a Larose, on a tout. Parce que si on a Larose, on a tout. La terre, Seigneur. Les sillons qui sentent la ville. La ville qui sent l'amour. L'amour qui sent le souillon... le sillon... Qui a dit qu'on tourne en rond et qu'on sait pas ce qu'on veut?

La lecture du panégyrique dura dix minutes, ce qui aurait demandé un quart de siècle sur terre. Étoffé, rationnel, sentimental, vibrant, le texte exhortait Dieu d'accorder au Québec sa souveraineté... Le Créateur s'endormit une ou deux fois mais de Gaulle le battit à coups de képi et le tint éveillé.

–Qu'est-ce que vous voulez... peux pas donner ma souveraineté au Québec, c'est moi, le Souverain de la souveraineté, blagua Dieu sans pourtant réussir à faire rire personne.

Un vrai nationaliste ne rit pas aux farces plates qu'on se permet sur le dos de sa patrie, qu'on soit qui qu'on voudra, a fortiori le Maître de l'univers. Un grand qui rit d'un petit, c'est petit!

Les hôtes se montrèrent sérieux comme des papes et cela impressionna Dieu un peu. Chacun conçut une pensée solennelle qu'il ne prononça pas à haute voix mais qui se répandit par télépathie. Alors Dieu dit:

–Mes amis, j'ai une idée... D'abord, c'est où, ça, le Québec?

—Sur la Terre, dit le cardinal avec sécheresse.

—La Terre, ah bon! Ben oui, hostie, la vierge revient justement de par là... Elle a aimé ça, il paraît... J'ai une bonne idée... Je voudrais en parler à mon bras droit en premier...

Et le Créateur souffla quelque chose à l'entité à sa droite. L'entité s'agita, se tordit, devint blanche comme du lait. De Gaulle ôta son képi et le projeta à bout de bras.

—Non, non, non! Il ne faut pas. La France ne mérite pas ça.

Voyant dans les regards des Québécois un immense désir de savoir son idée, Dieu dit:

—Au moins, discutons-en avec nos amis. François, allez attendre... dehors... Il sera question de vous... Chacun sera plus libre de parler...

—Je ne veux même pas commencer à en discuter, trancha le général.

—Vous n'avez pas le choix, monsieur mon bras droit, j'impose la démocratie... Mais je respecterai vos vues... à condition bien sûr de les entendre...

De Gaulle se plia de mauvaise grâce. François quitta la salle. Il se rendit dans un grand vestibule vide et blanc et attendit, l'âme bien croisée sur elle-même... Il s'assoupit dans un silence céleste, pas le moindre son étant susceptible de lui parvenir à travers la cloison parfaitement étanche. Car il se sentait un peu las. Il s'en était pas mal passé dans sa journée: sa mort, son voyage à travers l'univers, cette formidable découverte du paradis, la rencontre avec Dieu le Père en personne et pour finir, cette lecture qui lui avait donné beaucoup de fierté avait aussi aspiré de son énergie.

On se riva à l'écoute de Dieu. S'ils avaient été assis, tous seraient tombés en bas de leur chaise. Pour les Québécois, c'était l'idée la plus extraordinaire qui soit: qui donc aurait pu songer à cela sinon Dieu lui-même. Mais de Gaulle fulminait... Dieu annonça:

—Messieurs, je propose de renvoyer ce François Langlois sur la terre. Et qu'il participe à la Révolution de son pays comme il le souhaitait tant de son vivant! Il pourra témoigner, dire à tous que la prière à Dieu donne des résultats.

—Oui, mais mon Dieu, dites-leur le fond de votre pensée; même les Québécois s'opposeront et pourtant, il s'agit de leur pays... C'est que vous feriez d'une pierre deux fort mauvais coups...

—Mais quelle est donc cette idée si particulière? s'enquit respectueusement le cardinal à la curiosité fort aiguisée.

—Dites-leur, de Gaulle, dit Dieu.

—Imaginez que le bon Dieu voudrait que la Révolution française soit effacée des livres d'histoire et de l'Histoire du monde afin que ce jeune exalté de François Langlois puisse participer à une Révolution, de petite envergure il va sans dire, qui se passerait au Québec... D'une pierre, deux mauvais coups, je le répète. D'une part, vous priveriez la France, la grande France de sa plus grande assise historique. Que serait la France d'aujourd'hui sans sa Révolution de 1789? Et puis, d'autre part, ce serait ensanglanter le Québec tout entier.

—Dieu, vous êtes le meilleur! s'écria Félix au comble de l'enchantement. Une Révolution au Québec avec pour chant de ralliement l'Alouette en colère, ce serait une sorte de consécration de tous les vrais Québécois, disparus ou non. Le cri de la terre serait enfin entendu et le vibrant appel de la race trouverait écho jusque dans les îles de Sorel, les forêts de Péribonka, les berges de Trois-Pistoles, les montagnes du nord... Le petit train du nord pourrait être remis en voie et transporter du Mont Royal au Mont Tremblant ou vice versa, nos vaillants soldats. Ah! mon Dieu, mon Dieu, cette idée est celle d'un grand rassembleur et d'un vrai patriote... Votre exemple est grand, Seigneur. Vous continuez de traiter avec Lucifer, je le sais, mais chacun de vous a son pays bien délimité et chacun est maître chez lui. Je vais vous écrire quelque chose pour chanter votre louange que ça prendra pas goût de tinette.

Dieu qui adore se faire aimer se montra sensible.

—Que ce soit un sonnet, une ballade ou une mélopée, tout ce que vous direz sera hautement... apprécié...

Dieu savait que le discours québécois et son attitude favorable mettaient de Gaulle hors de lui, et il faisait exprès de le provoquer de plus en plus, histoire de varloper un peu sa fierté par trop vive.

René Lévesque parla à son tour:

—Quand on sait comme nous tous que mourir est souhaitable et apporte un grand bonheur et beaucoup d'honneurs, comment ne pas être d'accord pour que la gloire inonde notre peuple à travers le sang versé. Quel pays, quel historien, quel politicien, quel évêque, irai-je jusqu'à dire, n'échangerait pas quelques milliers de vies terrestres pour être capable d'inscrire dans l'Histoire de son peuple un événement aussi prestigieux et connu que la Révolution française? Adaptée, il va sans dire!

—Mais monsieur, coupa de Gaulle qui ne put finir.

—Mais cher monsieur, il vous restera Astérix, Clovis, Charlemagne, les bons Louis, la belle Jeanne, il vous restera Richelieu, le roi-soleil, le bien-aimé et Napoléon, il vous restera Boulanger, Pétain, Laval sans compter le plus grand de tous, vous-même... Et Bernard Tapie...

Le général vit venir l'orateur avec ses gros sabots et au milieu de la tirade, il fit signe à son képi qui lui revint en voletant. Coiffé d'une plus grande autorité, il dit:

—Nous ne pouvons pas déposséder Louis XVl, Marie-Antoinette, Robespierre, Marat, Danton, Desmoulins, Hébert, Charlotte Corday, Couthon, Brissot, Saint-Just et combien d'autres de leur vie de patriotes et de leur fin glorieuse... Plusieurs ne sont même pas encore rendus au ciel. Ce jeune Langlois disait justement qu'il avait dépassé ce pauvre Robespierre qui marchait à tâtons, obligé de tenir devant lui par les cheveux sa pauvre tête pour y voir un peu clair.

—Mais Danton, lui, est là depuis un bon siècle, objecta Lévesque.

—Et Marat passe ses journées à se baigner dans les sources thermales de l'Olympe au pays des Titans et des Géants... enchérit le cardinal. Et la vaillante Charlotte a pour tâche de lui frotter le dos à longueur de journée...

—Quant à Couthon, dit Lévesque, qui donc ignore encore le chemin qu'il a suivi?

—Il est chez le diable et c'est bien fait pour lui, dit Dieu.

—Louis Capet et Marie-Antoinette s'en viennent dans leur voiture royale et s'ils ne dévient pas de leur route pour fuir quelque part, on sait jamais, ils seront ici dans deux ou trois siècles tout au plus.

—Et vous, cardinal Léger, qu'en pensez-vous donc? demanda Dieu.

—De quoi?

—D'effacer la Révolution française et de la donner au Québec.

—Il est vrai, oui, que notre pauvre histoire du Québec manque de vedettes.

—Vous avez Frontenac, dit de Gaulle.

—Il bégayait et devait faire parler la bouche de ses canons au lieu de le faire lui-même... Un bien piètre diplomate! dit le cardinal.

—Vous avez eu Montcalm.

—Un perdant! lança Lévesque.

—Vous avez eu Papineau, un grand révolutionnaire en puissance.

—Mais sans puissance! dit Félix.

—Vous avez eu Laurier, Trudeau, Béliveau...

—Huhau, Charles, parlez-nous de héros québécois et à caractère historique... Jean Béliveau, pas d'affaire là-dedans, cassa Lévesque.

—Pas Jean, Marcel. J'écoute son émission quand je synthonise la France... Il m'fait rire presque autant que Mitterrand... Et puis, Seigneur Dieu, comment voulez-vous que ces Québécois puissent faire une Révolution alors qu'ils n'ont même pas été capables de faire une Séparation comme je le leur ai conseillé voilà plus d'un quart de siècle?

Pendant cette discussion interminable, François continuait à somnoler. Soudain, une voix fluette souffla légèrement dans son oreille:

—Bonjour mon beau François!

Le jeune homme ouvrit les yeux et son regard tomba entre deux seins aux formes incomparables relevées par un soutien-gorge plongeant et pigeonnant.

—Je suis la Sainte Vierge Marie et je voudrais bien te parler.

François se déplia et se redressa du même coup. Elle poursuivit, la voix chatte:

—La plupart des reflets existentiels m'appellent Marie-Mitsou: c'est un surnom que j'aime bien... Tu veux que je te parle, mon beau grand?

—J'ai tout mon temps, je suis ici pour l'éternité.

—Justement, peut-être pas, serina la Vierge. J'ai entendu Dieu proposer de te renvoyer sur la Terre.

—Hein!? Pourquoi?

—Pour participer à la Révolution fleurdelisée...

—Quelle formidable idée!

—Dieu est un vieil ivrogne coureur de jupons mais il lui arrive de penser...

—Mais je suis un pacifiste et un pacifique. Une Révolution, oui, mais tranquille...

—Ça, c'est Dieu qui décide... avec les conseils de ses assistants... De Gaulle le mène par le bout du nez...

La Vierge se frôla à François, promena son haleine sur sa poitrine, minoucha.

—Tu aimerais ça, vibrer dans l'union... Appelle ça... faire l'amour... si tu veux...

—Mais, Vierge Marie, n'êtes-vous pas... vierge pour l'éternité?

Elle répondit tout en léchant la substance masculine:

—La virginité me revient après chaque union... par une opération du Saint-Esprit... Il sait tout opérer, celui-là. Un grand chirurgien...

—Votre union avec Dieu n'est-elle pas... satisfaisante?

—Je veux la fusion avec une âme jeune, pas la confusion avec un vieux qui n'a ni commencement ni fin. L'amour, faut que ça commence tout comme faut que ça finisse... Autrement, ça n'a ni queue ni tête! Et puis Dieu sent la tonne le plus souvent. Il rote, il pète: son lit, c'est l'enfer! En plus qu'il faut que je le serve, que je lui charrie son café, que je conduise son char d'un bout à l'autre de l'univers. Je voudrais m'occuper de moi un peu mais je dois être constamment au service de monsieur...

—Je ne veux pas risquer de perdre ma place au paradis et surtout je ne veux pas m'attirer les foudres du ciel.

—On ne fera pas ça ici... Non, si tu retournes sur la terre, tu vas me préparer un lieu spécial... un lieu d'apparition... Une bonne grotte. Chauffée. Avec un bain tourbillon pour faire tournoyer toutes mes ondes. Pas loin d'une famille où il y aura deux ou trois petits boqués niaiseux qui pourront répéter comme des perroquets tout ce que je dirai...

—Vierge Marie, dans le Québec d'aujourd'hui, les apparitions, c'est pas populaire comme c'était... Vous seriez mieux en Yougoslavie ou en Pologne ou au Brésil. Même au Mexique, pas trop trop près de la frontière américaine. Au Portugal...

—Parle-moi pas du Portugal. C'est pieux à mourir... Moi, ce que je veux, c'est prendre mon pied à mourir!

Hautement excité par les douces caresses de la Sainte Vierge, François sentit son érection augmenter encore quand elle ajouta un petit brin de vulgarité et ce mot magique, *pied*, à son discours. Par contre, il craignait l'arrivée inopinée d'un intrus et la naissance de ragots incontrôlables.

Il fallait rentrer dans le jardin du pavillon, mais comment? La langue, avait dit Lévesque. Alors François se leva, se détacha de la Vierge en disant:

—Je ferai du mieux que je pourrai...

Elle le poursuivit, se frôla sensuellement, susurra:

—J'espère bien, mon grand, j'espère bien.

Et, agressive:

—Sinon, je t'accuse de harcèlement... d'agression... de viol... Et Dieu t'enverra au diable!

—Promis! frémit-il.

Puis il s'écria:

—Au nom de la langue française, ouvre-toi, pavillon.

Rien ne se produisit.

—Au nom du joual, ouvre-toi, pavillon.

Une fissure se fit dans la cloison et François put pénétrer et retourner dans la salle des débats.

—Nous achevions justement nos hautes délibérations, dit Dieu. Approchez... Il fut proposé de vous renvoyer sur terre où vous pourrez prendre part à la Révolution fleurdelisée...

Mais de Gaulle empêcha Dieu de poursuivre et il déclara avec lenteur et hauteur:

—Je vous donne ma démission... Ou bien vous laissez à la France sa Révolution ou bien je laisse ma place en tant que votre bras droit... Choisissez!

—Bon, bon, faut pas s'énerver, je vous la laisse, votre Révolution mais cela ne saurait empêcher le Québec de connaître la sienne, que diable!

Satisfait, le général se retira, écoeuré par un gaz émis par Dieu, et il se rendit à un balcon où il salua la foule des reflets qui l'acclamait de toutes les couleurs.

Pendant ce temps, Dieu dit aux Québécois à voix basse en leur faisant des clins d'oeil de la plus pure complicité:

—C'est encore moi le grand boss de l'ordinateur. Je vas le régler à ma manière, vous inquiétez pas...

François se pinça le nez tant la puanteur était grande. Dieu s'en rendit compte.

—Vous savez, Satan, dans le sac de vices que je lui ai acheté, m'a fourré des tempêtes. La première fois, ce fut si terrible que je pensais éclater en morceaux.

—La bible a appelé ça le souffle de Dieu sur la bonne terre de l'univers, chantonna Félix.

—La première fois, dit avec respect le cardinal, ce fut le divin pet.

—D'autres ont appelé ça le big bang, ajouta Lévesque.

—C'est comme ça, enchérit Félix, qu'est née toute la chibagne: galaxies, planètes, pays et même notre beau Québec à nous autres.

—Tout fut! dit Lévesque.

—À part le tofu! dit Dieu. Mais je savais trop bien qu'une espèce de nonoune trouverait la recette un jour ou l'autre...

Depuis l'éloignement du général, et sans qu'il n'y paraisse du tout, Dieu s'était éclipsé à deux ou trois vives reprises et, l'espace d'un éclair, il s'était rapidement insufflé quelques kilos de cocaïne. De la pure comme tout ce qui pousse au ciel et est raffiné sur place.

De sorte qu'il eut bientôt le regard bigleux. Et ses doigts devenus trop fluides travaillèrent de façon un peu molle sur le clavier de l'ordinateur céleste.

Tant bien que mal à travers des rires marmonnés, des sourires aux Québécois rivés à ses gestes et des oeillades vengeresses en direction du général qui, lui, se trouvait toujours au balcon à crier des slogans et à ramasser des vivats, il reprogramma la vie de François Langlois tout en y laissant quelques espaces blancs qui permettraient au jeune homme de laisser jouer quelque peu son libre-arbitre.

Il avertit ensuite François de ce qui l'attendait.

Sa jeune âme retrouverait bientôt son corps dans la bibliothèque. Il reprendrait vie un jour plus tard soit le 15 juillet 1989. N'aurait aucun souvenir de sa mort et de son séjour au paradis. Ses connaissances d'auparavant demeureraient intactes sauf en des éléments pouvant concerner de près ou de plus loin la Révolution française et l'évolution récente du Québec.

Mais Dieu, hélas! commit de multiples impairs dans cette reprogrammation.

Et quand les Québécois reconduisirent François au TGV de retour, le grand patron s'endormit; et alors la Vierge Marie frôla de ses doigts graciles le clavier de l'ordinateur laissé ouvert à cause d'une négligence spirituelle du pauvre Créateur à moitié gelé.

Avant de monter dans le TGV de retour, un train utilisé une fois par millénaire pas plus et dans lequel il serait bien entendu l'unique passager, François fut copieusement abreuvé d'importantes recommandations par le comité des trois célébrités québécoises disparues. Même si on savait que tout cela s'effacerait tout à fait de sa conscience: il en resterait bien quelque chose dans l'inconscient et cela, qui sait, pourrait peut-être porter à conséquence au moment opportun...

Dès que le train fut en marche, François s'endormit.

V.I.P.

Chapitre 4

François perçut d'abord ses pieds.

Quelque chose les gratouillait près des chevilles. Des picotements, crut-il un moment. Puis il lui sembla qu'on le touchait... C'était comme si des dizaines de fins doigts minuscules s'affairaient à tirer sur ses chaussettes avec parfois une chatouillerie causée par un petit museau qui farfouille...

Dès qu'il bougea les pieds, il entendit vaguement des couic couic et les sensations disparurent. Il ouvrit un oeil et crut voir deux ombres grosses comme des souris glisser le long d'un module...

Une voix se fit entendre près de son oreille et le jeune homme se redressa dans un immense sursaut.

—Citoyen Langlois, je pense que tu t'es endormi un petit peu...

C'était Gérard Lapierre, le bibliothécaire. François eut un deuxième sursaut quand il tourna la tête et qu'il l'aperçut. L'homme était si drôlement habillé. Il portait une tuque de patriote et une ceinture fléchée sur des culottes d'étoffe du pays d'autrefois. Quel était donc cet accoutrement de carnaval?

François secoua la tête. Brassa sa mémoire. Tout lui revint jusqu'au moment où il s'étouffait avec le maudit gâteau à Gros-Louis. Puis il se rendit compte qu'il était attablé devant deux bouquins de Michelet...

—Je pense que j'ai dormi, oui... Dites-moi, monsieur Lapierre, quelle heure est-il donc?

Le front de Gérard se rembrunit.

—Citoyen, ce n'est pas obligatoire, non, d'utiliser le mot citoyen quand tu t'adresses à un autre citoyen, mais c'est très recommandable. Surtout si tu vis dans la capitale nationale de la grande République du Québec. Autrement, tu pourrais aisément être pris pour un royaliste fasciste... à la botte d'Ottawa...

—Quel est ce discours? Quelle est cette comédie? Allez-vous jouer au théâtre en l'honneur de la France pour souligner le deux centième anniversaire du début de la grande Révolution?

Gérard tira sur les extrémités de sa ceinture pour la resserrer sur lui. Il questionna du regard en disant:

—Je te comprends d'être un peu mélangé... Quand on débarque de Pohénégamook, on peut pas tout savoir... Mais ici à Québec, faut se tenir en alerte et à la mode du jour, sinon...

L'homme avait dit Pohénégamook. François pensa qu'il ne rêvait pas et que tout s'éclaircirait dans quelques secondes quand il aurait repris tout à fait ses esprits.

—Monsieur Gros-Louis est-il parti?

Gérard eut un mouvement de recul. Il regarda tout autour et parut soulagé de n'apercevoir personne... Il prononça distinctement les mots suivants mais en retenant le son de la voix:

—De qui parles-tu, citoyen Langlois?

—Du chef Max Gros-Louis...

Gérard hocha la tête en grimaçant.

—Tes farces ne sont guère drôles, citoyen. Que Gros-Louis sèche sur sa réserve!

—Mais il est votre ami!

—Mais tu es complètement fou, citoyen! Si tu devais jamais répéter une chose pareille, je te dénoncerais sans hésiter...

François réagit, calma l'autre de mains ouvertes qui repoussent et disent qu'il faut mettre les choses au point.

—D'abord, quelle heure est-il?

–Quatre heures.

–Et quelle date sommes-nous?

–Le 15 juillet.

–Non, pas le 15, le 14.

–Non, pas le 14, le 15...

–Pas le 15, le 14.. C'est aujourd'hui la fête nationale de la France. C'est l'anniversaire du jour du début de la Révolution...

–Quelle Révolution?

–Mais la Révolution française, jériboire aratoire! Un bibliothécaire sait pas ça?... Je comprends pourquoi les Québécois lisent pas... Vous m'avez même prêté les livres de Michelet tout à l'heure...

–C'est exact!

–Bon!

–Et après?

–Les livres sur la Révolution française...

–Qu'est-ce qui est écrit sur tes livres, citoyen?

–Histoire de la... Restauration française...

–Révolution française, où donc as-tu pêché ça? Dans le lac de Pohénégamook ou quoi?

François éclata de rire et frappa la table du poing. Gérard commença à croire qu'il n'avait pas affaire du tout à un citoyen écrivain encore moins un enseignant venu de Pohénégamook mais, sans doute, à un échappé de l'institut psychiatrique de Beauport. Il recula au comptoir, s'empara du journal du jour et vint le jeter sous les yeux de son interlocuteur, espérant qu'il s'y plongerait un temps assez long pour lui permettre, à lui, de se renseigner par téléphone auprès des citoyens responsables de l'hôpital... Il en profiterait pour cacher tous les ustensiles de cuisine qui se trouvaient dans un tiroir de son bureau... au cas où...

François verdit quand il lut à la une en énormes lettres sur une photo de foule en pagaille:

prise d'Orsainville

–Qu'est-ce que c'est que cette connerie?...

Il regarda la date. 15 juillet 1989.

–Lisons la farce tant qu'à faire...

"Une foule déchaînée s'est emparé hier de la prison d'Orsainville, un lieu détesté symbolisant la mainmise d'Ottawa sur les affaires québécoises. On sait que cet établissement d'Orsainville gardait à l'intérieur de ses murs plusieurs prisonniers politiques que l'on cherchait à réhabiliter par le contact avec les criminels de droit commun, ces épaves fédéralistes et royalistes..."

–Ah! ça, c'est du Boréal Express que j'en gagerais ma chemise!

Il tourna la page et aperçut un article coiffé du titre:

FOULE APPLAUDIE

"Rejoint à sa suite du Château Frontenac, le chef de la République du Québec, **Robert-Pierre** Bourassa, notre premier citoyen éminent et vertueux, déclarait qu'il applaudit la foule qui a osé prendre d'assaut ce symbole effrayant des pleins pouvoirs d'Ottawa, de l'absolutisme du Canada au Québec..."

–Pouah! c'est même pas drôle! réfléchit François tout haut.

Dans la colonne suivante:

"Le citoyen **Parizeau-Dalton** soutient qu'il faudrait dévaliser toutes les banques sauf les caisses populaires qu'on gardera par souci humanitaire et utilitaire... pour y faire les dépôts de ce qu'on aura trouvé dans les banques..."

François devenait nerveux. Il devait en finir avec ces histoires à dormir debout... Les articles se multiplièrent sous sa frénétique et vaine recherche de bon sens...

"Le citoyen **Marat-Mouchard** se déclare hautement fier d'avoir démissionné de son poste de ministre auprès du roi **Louis Capeté Mulroney** afin de servir les intérêts supérieurs du Québec..."

"Le citoyen **Croûton-Béland** a vu et il approuve ce qui s'est passé hier. De plus, il abonde dans le même sens que Parizeau-Dalton et dit que dévaliser les banques ne serait pas du pillage mais simplement la reprise de notre butin depuis trop longtemps aux mains des étrangers..."

"Le citoyen **Pierre-Marc Brissot** fut de l'unanimité générale après les événements d'hier à Orsainville. Selon lui, le processus de la grande Séparation totale et définitive est bel et bien enclenché..."

"À son émission de télévision *Les dessous de la couverte,* la citoyenne **Charlotte Bombardier** a avoué son regret d'avoir déclaré regretter d'avoir couché avec le citoyen Marat-Mouchard. Quoique plutôt favorable à la Séparation, la star-animée, croit que le divorce entre Québec et Ottawa devra être tranquille..."

—Tranquille!? Tranquille!? s'écria François à voix bourrée de retenue impatiente. Mais c'est de la folie furieuse. Elle va assassiner Marat... Bouchard... Marat-Mouchard. On va la tuer pour ça. Brissot sera décapité. Dalton, Robert-Pierre passeront sous le couperet de la guillotine. Tant qu'à en faire une histoire, qu'on la fasse juste au moins et non pas une mascarade de la vraie histoire...

Gérard s'approcha doucement en arborant un large sourire. Il ne s'obstinerait plus avec son visiteur quoi que l'autre dise... Les gens de l'hôpital avaient refusé de venir. Ils ne connaissaient aucun François Langlois...

Le mieux était de ruser, de dire comme ce dérangé, de l'entraîner hors de la bibliothèque... Qui sait, peut-être avait-il affaire à un envoyé du caporal Lortie, le responsable de la défense des réserves indiennes en révolte qui se livraient à une totale guerre froide avec le peuple québécois.

—Bon, si on parlait de Max Gros-Louis, suggéra-t-il à Gérard.

—Mais certainement! Nos chers Amérindiens ont décidé de ne plus déranger les Québécois. Ils se sont tous réunis...dans leurs salons si on peut dire: à Maliotenan, à Pointe-Bleue, à Oka, à Kahnawake, à Odanak...

François joua le jeu en riant:

—Ça serait certes une lapalissade de dire qu'ils se sont entourés de palissades...

—Je ne te le fais pas dire, citoyen... Et sur toutes les palissades, il y a une foule de caméras de télévision qui envoient les images de la réserve et des abords via satellite à toutes les capitales du monde... Le caporal

Lortie venu d'Ottawa a déclaré que c'était là le meilleur moyen d'assurer la défense des Amérindiens et de faire durer le cessez-le-feu avec les Blancs...

—Et Max Gros-Louis?

—C'est lui le grand manitou du Village-Huron, une réserve qui est aussi fort bien entourée et protégée...

—Et vous ne lui avez jamais parlé?

—Mais que veux-tu, citoyen, même avec un immense sourire, un sauvage reste toujours un sauvage... Qu'est-ce que tu dirais si on allait prendre un peu d'air frais?...

François ironisa:

—Les rues de Québec sont-elles sécuritaires? Avec ce qui s'est passé à Orsainville...

—Ah! si tu t'achètes une tuque et une ceinture fléchée et que tu les portes, si tu appelles les citoyens *citoyen* et si tu n'oublies pas le salut au drapeau fleurdelisé, y'a pas un bas-fond qui ne t'accueillera pas en héros... Alors tu viens... Même au Colisée...

—Je ne suis pas prêt à partir, opposa carrément François qui commençait à en avoir assez.

Gérard tressaillit un peu. Comment parviendrait-il à se débarrasser de ce danger public? Appeler la garde citoyenne? La police citoyenne? Ou de simples citoyens? Mais ce Langlois n'avait rien fait de menaçant... Il était juste craqué... Tiens, il le douilletterait...

—Pour fêter la prise d'Orsainville, je te propose un cadeau, citoyen. J'appelle un taxi fleurdelisé et je te paye un tour de ville...

François le dévisagea, le fusilla d'incrédulité. Gérard crut bon en remettre un peu:

—Et aussi une tuque et une ceinture fléchée... Le taxi va s'en occuper en venant.

—Écoutez, grand chef, laissez-moi à ma recherche sur la Révolution française...

Gérard n'osa le contredire avec le mot Restauration et il retourna téléphoner.

Alors François Langlois entra dans une dure période souffrante. Il fouilla de bout en bout ces deux briques de Michelet. Rien, pas un traître mot sur la Révolution française. Robespierre: absent. Danton: pas là. Brissot:

inconnu. Marat: effacé. Mirabeau: jamais vu. Couthon: inexistant. Charlotte Corday: un mythe.

Ah! mais l'espoir renaquit en lui quand il retraça les noms de Louis XV, Louis XV1, Napoléon Bonaparte, Louis XV111... Son enthousiasme reçut un coup de marteau en apprenant qu'on désignait Marie-Antoinette sous le nom de Marie-Anne... une Française et non pas une Autrichienne...

À partir de la table des matières et de lignes glanées çà et là dans des pages, il s'imagina alors une histoire inventée puis il demanda à Gérard de l'écouter:

—Si j'ai bien lu, bien compris, ceci relate l'histoire de Louis XV1 et de son épouse Marie-Anne qui ont régné puis abdiqué aimablement en faveur de Napoléon...

—En faveur, c'est une façon de dire. Napoléon est devenu président de la première République et ensuite, la Monarchie fut restaurée avec Louis XV111... C'est bien ce que contiennent les livres de Michelet...

—Parlez-moi de la guillotine.

—Elle fut inventée à cette époque justement et elle a longtemps servi à exécuter les meurtriers.

—Et la Bastille?

—Ah! une prison qui est devenue monastère durant la première République...

—Ah bon! Et...Mirabeau?

—Mirabeau? Connais pas!

—Et Robespierre?

—Robert-Pierre Bourassa? Notre premier citoyen, le président de la grande république du Québec?...

—Et Danton?

—Tu veux dire Dalton, le citoyen Parizeau-Dalton?

—Et Marat, et Charlotte Corday, et Couthon...

—Quelle imagination furibonde! Je comprends que tu sois professeur et auteur, mon cher François. Charlotte Bombardier, Croûton-Béland, Marat-Mouchard... Bien sûr, bien sûr, des bons citoyens québécois à nous autres. Comme toi, François de Pohénégamook.

Alors François eut grande envie de sortir de cet antre de la folie pure qu'il avait pourtant cru être un lieu de bonne culture. Voilà qu'on en était venu à parodier tout! Les bibliothèques tâchaient-elles de se faire abstraites?

Des lieux au troisième degré où la vérité est emballée dans des contenus hermétiques afin d'augmenter chez la clientèle les plaisirs de la découverte et la fierté de comprendre mieux le monde que les profanes de la rue?

—Je quitte, annonça-t-il.

—Le taxi promis arrive dans une minute. Attends-le devant la porte. Il aura la tuque et la ceinture...

François fut sur le point de traiter l'autre de beau cave mais il se retint et tendit la main.

Gérard fut sur le point de traiter l'autre de beau cave mais il se retint et tendit la main.

On se sépara après la poignée de mains hypocrite, semblable à bien des poignées de mains.

François respira un bon coup quand l'air extérieur chaud et vicié lui sauta au visage. Au moins entrait-il dans un monde à l'endroit. Ce Lapierre poussait trop loin le spectacle...

Au bout de quelques secondes, il aperçut des gens qui déambulaient. La plupart portaient soit une tuque, soit une ceinture fléchée, soit les deux, soit, et ceux-là étaient de loin les plus nombreux, un vêtement ordinaire orné d'une fleur de lys.

Il put lire des slogans sur des poitrines fortes, des fesses enveloppées serré, près de tatouages frais, sur des bandeaux serre-tête et même en travers sur cette région du corps qui est mise en vedette surtout quand on va aux toilettes.

Québec: ma seule patrie!
Québec: mon vrai pays!
Québec: mon seul pays!
Québec: ma Floride!
Québec, je t'aime!
Québec, je m'aime!
Québec: mon pays, mes amours!
Ah! Québec! Québec! Québec!
Québec: fier!
Québec: super!
Québec: génial!
Québec: ma passion!
Québec: mon sucre à la crème!
Québec: mon gâteau!

La dernière devise lui fit froncer les sourcils un court moment, puis le jeune homme pensa qu'il n'avait pas remarqué à son arrivée de Pohénégamook, que la ville de Québec était si québécisée. Mais c'était le soir. La veille au soir... Le treize juillet... Était-ce bien la veille? Avait-il été victime d'un accident et vivait-il un long cauchemar?

Enfin parut le taxi.

Fleurdelisé en effet tout le long du bas des portes comme le chandail des Nordiques.

Il ouvrit la portière, pénétra.

Le chauffeur, petit bonhomme à la voix enrouée, sèche et dure l'accueillit:

—Salut citoyen!

—Bonjour grand chef!

—Excuse-moi, citoyen, j'ai pas compris? demanda le chauffeur en foudroyant son passager du regard.

—J'ai dit salut grand citoyen!

—Ouais!!!

—Prêt pour le tour de ville aux frais de la ville?

—Le culturel, c'est important!

—Ouais!!!

Le véhicule démarra en trombe.

—Tu ferais sûrement mieux de porter quelque chose de québécois, avertit le taxi qui lui-même arborait une tuque fleurdelisée.

—J'ai pas grand-chose...

—Fouille dans le sac sur la banquette...

Ce que fit François. Et il trouva une tuque jaune et longue qu'il enfila. Le pompon lui retomba sur l'oreille. Puis il s'entoura de la ceinture fléchée.

—Là, t'as l'air d'un Québécois, citoyen!

—Ça coûte combien?

—Quelle importance d'abord que c'est même pas toi qui payes, citoyen!

Le voyageur regardait partout, et partout, il voyait un symbole Québec: sur les vêtements des passants, sur les voitures, comme sur les devantures des maisons et des commerces. Il se réjouissait en même temps qu'il plongeait plus profondément dans l'inquiétude. Éternel duel entre le coeur et la tête. Il aimait voir tout ça mais en même temps, il détestait ne pas comprendre.

Soudain, le chauffeur s'arrêta net et descendit en disant qu'il y avait salut au drapeau. François attendit, regarda, vit l'homme saluer quelque chose de la main tendue à quarante-cinq degrés devant lui et qu'il ramena en poing sur son coeur. Pour savoir, François sortit sa tête. Il vit une banderole fleurdelisée... et des gens qui saluaient de la même façon.

—Qu'est-ce qui se passe là? demanda-t-il quand le conducteur eut réintégré son espace vital.

—Il se passe ami citoyen que tu n'es pas trop un vrai Québécois. Et quand un citoyen n'est pas trop un vrai Québécois, on est en droit de se demander s'il ne serait pas un traître à la nation...

—Mais je suis un vrai Québécois!

—Un vrai Québécois, citoyen, n'hésite pas à saluer son drapeau national comme je le fais toujours...

—Mais il y en a partout: c'est une mer de drapeaux fleurdelisés!

—Quoi donc, citoyen, tu ignorerais qu'un décret du gouvernement Robert-Pierre recommande fortement à tous les citoyens de saluer leur drapeau quand il est sous forme de banderole au-dessus des rues? D'où viens-tu donc, citoyen?

—De Pohénégamook.

—Et comment donc ne dis-tu jamais le mot citoyen? Y'a que les gens d'Ottawa et du Canada pour dire monsieur au lieu de citoyen. Facile de reconnaître les patriotes d'entre les autres, d'entre les faux. Un pure laine, citoyen, dit citoyen quand il parle au citoyen. Et il salue son drapeau quand il le voit en banderole... Je pourrais te dénoncer, citoyen et tu es chanceux que je ne le fasse pas parce que pareille attitude serait notée, enregistrée sur informatique et pourrait servir contre toi un jour, mais je te laisse une chance... Vu que t'es de saint par là-bas, reculé par le tonnerre... où ça, t'as dit?

—Po-hé-né-ga-mook...

—C'est où, ça, citoyen?

—Au Québec... citoyen.

—Je garde la cassette de nos conversations...

—Ça libère, hein?

—Si ça libère!

—Souvent ça suffit pour guérir un malade. Le dialogue, c'est la morphine du pauvre.

—Je me sens assez mieux pour m'en aller ce matin.

Le docteur dit sans y croire et pour gagner du temps:

—Peut-être que ça serait plus prudent d'attendre à demain. Je vous ai fait prescrire un petit médicament. Vous avez dû avoir un choc quelconque et ça va vous remettre d'aplomb, vous verrez.

—L'important, c'est d'avoir remis les pieds dans la réalité. Un peu plus hier et je me serais jeté en bas du pont Laporte ou du pont de Québec pour échapper à cet univers débile qui m'environnait...

—Le pont Laporte?

—Oui, le pont Laporte.

—Ah! le pont à côté du pont Québécois?

—Ben oui, le pont Laporte.

—C'est le pont Lévesque, pas le pont Laporte.

—Voyons docteur, mais c'est le pont Laporte à côté du vieux pont de Québec.

—On a rebaptisé le vieux pont de Québec le pont Québécois, mais l'autre, son voisin, s'appelle, lui, le pont Lévesque.

—Depuis quand?

—Depuis qu'on l'a baptisé. On l'a construit au début des années 70, mais on l'a toujours appelé le pont Neuf... comme à Paris. On aime ça, ici, imiter Paris, la France... Je comprends ton rêve, citoyen Langlois. C'est sûr que s'il y avait eu une vraie Révolution sanglante en France comme celle de ton rêve, quelqu'un de par ici tâcherait de lancer l'idée... C'est comme pour le pont Lévesque, ils ont dit qu'on faisait d'une pierre deux bons coups avec ce nom-là: honorer la mémoire de notre ami **Mirabeau-Lévesque**, le père de la première République et en même temps rappeler aux Québécois le nom et le goût d'un délicieux fromage français...

Chaque mot avait assommé François. Loin d'être terminé, le cauchemar s'alourdissait. Il n'en sortirait donc jamais? Ou bien quelqu'un s'acharnait-il à le prolonger? Ou alors se trouvait-il dans le coma suite à l'ingurgitation de ce maudit gâteau, sans doute aux peanuts comme il l'avait brillamment déduit... C'était ça sans aucun doute: de l'acharnement thérapeutique.

On lui fit avaler des médicaments.

Le patient sombra dans la mélancolie.

À la prochaine visite du docteur Bananier, une semaine plus tard, il renia tout ce qu'il avait dit quant à sa vie antérieure à Pohénégamook.

—Je savais que c'était du rêve, dit le docteur. Tout comme cette obsession que vous nourrissez quant à la venue d'une Révolution sanglante au Québec. C'est votre double personnalité qui vous joue des tours. Votre double, celui qui rêve, a complètement transformé le réel. Au fond, ce n'est pas vous le romancier puisque vous avez écrit un livre, avez-vous dit, c'est votre double. C'est lui qu'il faudra battre, vaincre, trucider en vous, celui-là qui s'est emparé de notre citoyen Robert-Pierre Bourassa pour en faire un Robespierre sanguinaire du temps du roi Louis XV1 et de la magnifique reine Marie-Anne. C'est votre double agressif qui s'est emparé du nom de notre Parizeau-Dalton pour en faire un autre révolutionnaire. Pour mieux vous tromper, votre double, lui, a changé l'orthographe du mot et Dalton est devenu Danton. Ainsi de suite. Notre Charlotte Bombardier est devenue Charlotte Corday... Corday, c'est sans doute un diminutif de Cordélia Viau qui fut pendue... Probable que votre double hait Charlotte Bombardier et qu'il l'a pendue en effigie dans son esprit...

—Mais docteur, Louis Capeté Mulroney, ce n'est pas un rêve...

—Bien sûr que non! Louis règne là-bas, à Ottawa après le long règne de Pierre Trudeau, le bien-aimé... Et sa femme s'appelle Mitsou-Antoinette...

—Docteur, le vrai nom de Marie-Anne, c'était Marie-Antoinette et elle fut guillotinée en octobre 1793...

—Avec son mari Louis XV1?...

—Non... Louis XV1 avait été exécuté en janvier de la même année.

—Guillotiné lui aussi?

—Exactement.

—Je vous explique votre problème, dit le docteur qui avait croisé les jambes, les bras et les doigts. C'est de la confusion mentale. C'est un mal très très répandu au Québec, surtout chez les intellectuels. Il suffit de lire le Devoir pour s'en rendre bien compte. Mais chez vous, la chose est sévère et elle accentue votre dédoublement de personnalité...

—Encore.

—Sûrement! Voyez-vous, le pays du Canada est une monarchie constitutionnelle. Et le Québec s'est proclamé république. Unilatéralement. C'est donc un fait à moitié accompli. Beaucoup de gens en furent choqués. Bien que le premier citoyen, Robert-Pierre, trouvât cette solution bien moins choquante que la Séparation et bien que nos autres politiciens-vedettes comme Marat-Mouchard, Parizeau-Dalton, Berneur Landru et notre Pierre-Marc Brissot réclamassent à corps et à cris la proclamation de l'indépendance absolue, pure et dure avec les pleins pouvoirs entre les mains de nos représentants républicains au Parlement de Québec.

François cessa d'écouter. Il venait de trouver une faille, la fissure qui lui permettrait de retraverser le miroir et d'atterrir sur terre... Il interrompit le docteur Bananier:

—La clef du puzzle, c'est Mitsou.

—Un psy est toujours à l'écoute des éclairs de génie: dis, citoyen...

—Entre parenthèses, pourquoi passez-vous sans arrêt du tutoiement au vouvoiement, docteur?

—Avec les malades mentaux, on ne peut se passer de vouvoyer... Avec le monde ordinaire, faut être plus politisé... Entre les deux, mon dire balance...

—D'accord! Bon, la clef, comme je disais donc, c'est Mitsou. Peut-il y avoir deux Mitsou?

—Y'a pas rien qu'un chien qui s'appelle Fido; y'a pas rien qu'un chat qui s'appelle Minou...

—Oui, mais... disons deux stars qui s'appelleraient Mitsou... Disons la femme du roi Louis et une chanteuse célèbre...

—Venez-en au fait.

—Mitsou-Antoinette, c'est bien la femme de Louis Capeté Mulroney?

—Oui, bien entendu.

—La chanson Bye bye mon cow-boy, connaissez?

—Ben oui... c'est la petite chanteuse Mila qui chante ça... La blondinette qui a des belles grosses joues... Et surtout qui aime les montrer...

François eut l'air hébété. Il hésita un moment puis il se leva et s'élança vers le docteur. Mais ce n'était pas lui qu'il voulait attaquer, il se ruait plutôt sur le mur où il commença à se frapper la tête.

Par bonheur, la cloison possédait un capitonnage très épais...

De retour à son bureau, le psychiatre écrivit sur le dossier de son patient:

Névrose obsessionnelle.

Durée du traitement: deux à trois ans.

Puis, comme si des doigts fins de femme fée avaient guidé sa main, il remplit la fiche au nom de François Langlois d'origine inconnue, âgé d'approximativement 30 ans... Dangereux pour les Amérindiens, pour les politiciens et pour les murs. Pourrait sombrer dans une longue période de neurasthénie...

À son départ de Pohénégamook pour réaliser son grand idéal révolutionnaire, François avait laissé sa voiture à la belle Manon, arguant que les villes n'avaient pas besoin des automobiles ainsi que le prêchait avec ardeur et force une de ses idoles, l'agronome français René Dumont.

Sans nouvelles de lui, on le fit rechercher par la police citoyenne de Québec. On remonta jusqu'au taxi qui le confondit avec un autre passager déposé, celui-là, aux abords du pont Lévesque, un lieu de prédilection pour les suicidés de la grande cause patriotique.

Il fut établi que selon toute vraisemblance, le citoyen Langlois avait sombré dans la folie pure et dans le fleuve impur.

À cause de sa psychose révolutionnaire ignorée et ignorante, le Québec ignorerait peut-être toujours qu'il avait enfanté un Nelligan no 2. (Il faut dire Nelli Gant et non Nelly Guenn tout comme on dit Brillant pour Brian, Riant pour Raie Enn ou Jonc Son pour Johnson...).

Et un bon jour, dans vingt, trente, quarante ans, le corps d'un misérable inconnu serait incinéré dans un crématoire anonyme tandis que son âme rejoindrait le Seigneur dans les vignes ou les champs de coca de la céleste demeure...

Chapitre 5

François reçut un médicament pour lutter contre la neurasthénie. On lui donna du lithium pour combattre sa psychose maniaque dépressive.

À l'aide de son ordinateur, le docteur Bananier se pencha sur le problème structurel de la personnalité du patient mais aussi, en concomitance, sur la structure de l'ensemble de la médication et sur ses effets négatifs secondaires éventuels.

Psychiatre généraliste, il traitait tout l'individu et pas rien qu'une branche de folie. Mais pour y parvenir, pour rajuster plusieurs éléments interactifs détraqués, il fallait un groupe de pilules aux interactions mesurées, vérifiées, contrôlées... Sans l'ordinateur, entreprise très difficile; sans l'ordinateur, beaucoup de gens seraient internés dans une petite pièce à fixer une lumière en tapotant des doigts à journée longue.

L'homme n'est pas une patente à tiroirs, répétait-il à souhait à tous. Pour guérir du complexe, du compliqué s'impose.

Tout un défi! Mais il était homme à relever les défis. Un fier, un fort, un gagnant, un Louis Cyr, un vrai Québécois: la fine fleur de la nation! Pourtant, humble, populiste, il traitait ses malades avec le plus grand respect et c'est pourquoi il y mettait le paquet.

Injection hebdomadaire pour venir à bout des lubies et visions à caractère sanguinaire, surtout l'obsession de François quant à la décapitation des politiciens connus.

Nixoral pour soigner un vilain fongus des orteils que le patient avait attrapé durant son adolescence à cause de sa manie de se mettre les pieds dans les trous de boue. Qu'importe cette présumée origine du mal, se dit Bananier qui n'y croyait pas plus qu'il ne croyait en tout ce passé inventé de toutes pièces, la première et grande preuve étant l'inexistence de ce Pohénégamook dont il n'avait jamais entendu parler de tout son demi-siècle, lui qui pourtant connaissait aussi bien Falardeau que Val-Racine ou Palmarolle.

Mais puisque chaque problème physique ajoute son poids, son dérangement à l'ensemble des problèmes de l'esprit, il fallait à tout prix soigner ce pied d'athlète, lequel se trouvait peut-être à la base de cette fixation de François pour les pieds et que via une investigation particulièrement perspicace, le bon docteur avait cernée.

Le Nixoral donnant des nausées et vomissements, on administra quotidiennement au patient des Gravol. Tout simplement! Après tout, un hôpital psychiatrique, c'est un peu comme un bateau qui vous ramène à bon port en vous faisant traverser une immense tempête: qui aurait à redire que le passager souffre un peu du mal de mer?

En raison de sa légère tendance au diabète, on lui prescrivit un test de glycémie aux sept jours et pour son inclinaison vers la haute tension, on lui servait des diurétiques.

Ce n'est pas tous les jours qu'on met la main sur un patient aussi costaud et donc capable de supporter les effets secondaires des médicaments...

Au bout d'un mois, François Langlois devenait un légume ambulant.

"Il faut aller au fond du puits, monsieur citoyen Langlois, pour en remonter," lui répétait chaque jour une infirmière qui croyait fermement en l'amour.

La seule pilule que le malade refusa fut celle qui fait aller à selle chaque jour à la même heure, à la bonne heure.

"Depuis l'enfance que je vais chier tous les matins après déjeuner, j'ai pas besoin," marmonna-t-il.

Son infirmière qui soignait avec beaucoup, beaucoup d'amour lui dit:

—Très bien, monsieur citoyen Langlois, mais faudrait pas chier en retard, là, vous, parce qu'on va être obligé de vous la redonner, votre 'tite' pilule pour vous aider à chier à la bonne heure... Parce que c'est rien que le jour où vous serez réglé comme une horloge que vous pourrez réintégrer la grande société civilisée, respecter les drapeaux, parader quand on vous le dit, écouter la télé, du Lévy-Beaulieu à huit heures, du Lise Payette à 9 heures... La petite horloge psycho-somatique à monsieur citoyen est déréglée parce que la petite horloge biologique est détraquée... Oui, oui, oui... Beaucoup, beaucoup d'amour, c'est ça qui compte! Mais aux bonnes heures, autrement, c'est la catastrophe! Et comment voulez-vous vous occuper d'amour quand c'est le temps si vous êtes occupé à chier? Tu comprenez-vous, monsieur citoyen Langlois?

—Réinsertion sociale? s'enquit François la bouche et le regard à demi-hébétés.

—En plein ça!

—Comme pour un prisonnier...

—En plein ça! Sauf qu'ici, ça dure moins longtemps qu'en prison et ça réussit plus souvent.

—Ah?

—Le problème en prison, c'est la liberté.

—Ah bon!

—Le jour où on va donner à tous les prisonniers un comprimé journalier pour les régler à aller chier cinq minutes après déjeuner, la criminalité va diminuer de moitié, leur réalité étant ordonnée et leur régularité arrangée...

—Manquera pus rien que la Souveraineté!

—En plein ça! Un citoyen, plutôt que de trôner va se libérer.

François trouva une parcelle de raison pour dire:

—On peut être... régulier et avoir une idée de l'avenir?

L'infirmière qui connaissait fort bien le dossier du malade ajouta ses vues à celles de Bananier:

—Votre problème, ce n'est pas de prédire l'avenir, c'est d'y croire.

—Ah!

—Surtout, c'est de pas avoir fait d'argent en jouant sur la naïveté des gens. Si vous aviez fait des sous avec votre délire mental... comme par exemple beaucoup d'artistes aux oeuvres abstraites, vous auriez jamais passé pour...

—Fou? coupa François.

—Ce mot-là est banni de mon lexique psychiatrique.

—Dérangé?

—Un peu mieux...

—Peanut!

—Ben...

—Nono?

—Non,voyons! Un nono est respectable: voyez tous ces citoyens qui écoutent encore Jean-Cul Migraine.

Un espace blanc de libre-arbitre programmé par Dieu et introduit entre une centaine d'effets secondaires de médicaments permit alors à François de glisser une trouvaille brillante:

—Handicapé sentimental souffrant d'une carence émotionnelle de type amour protecteur et protectionniste, et, extensivement, d'amour vrai c'est-à-dire tout court sans pour autant être court...

—En plein ça!

—Fou, non? Malade mental, non? Peanut, non? Nono, non?

—Non, non, non, non....

—Je me souviendrai.

—Le jour, monsieur citoyen, où, spontanément, plutôt de dire je me souviendrai, vous direz *je me souviens,* ce jour-là, vous pourrez voleter de vos propres petites baluches...

Et l'infirmière enveloppa de ses mains d'amour les mains malades de François. Elle lança dans un élan enthousiaste:

—Ah! que je vous aime, François!

Elle se redressa, se mit bien droite et, de sa voix de soprano chanta:

—Mon cher François, c'est à ton tourrrrr, de te laisser parler d'amourrrrr, mon cher François, c'est à ton tourrrr de te laisser parler d'amourrrrr...

Les années passèrent.

On s'occupa du patient. Un rang de pilules, un rang d'amour... François lisait Le Soleil. Si au moins tous les événements à survenir au Québec avaient correspondu avec ceux dont il pouvait se souvenir quant à la Révolution française effacée des livres, mais il y avait mélange, perpétuelle discordance dans la concordance.

"Comme si tout ça avait été programmé par un cerveau à moitié gelé," se disait-il souvent en soupirant. Ou comme si un virus s'était attaqué au programme pour détruire une partie seulement des similarités.

Ainsi, par exemple, Mirabeau-Lévesque était mort depuis septembre 1987 déjà et c'est pourquoi on avait baptisé le pont neuf en son honneur; mais le vrai Mirabeau, il le savait, était mort au moins après la prise de la Bastille, probablement en 1790 ou 1791... Il y avait bien une bibliothèque à l'hôpital, mais à quoi bon les livres puisque la Révolution française n'existait plus que dans sa mémoire.

Un jour, il proposa au docteur Bananier un examen complet de son cerveau, arguant que l'imagination et la mémoire ne se trouvaient pas dans la même région exactement. Qu'on stimule donc la mémoire et qu'on endorme les cellules de l'imagination et alors qu'on le fasse parler sous hypnose ou en toute conscience: on verrait bien l'authenticité de ce qu'il avançait!

Mais le docteur glissa comme un politicien québécois à qui on parle de vrais budgets de culture.

François dut donc se rabattre seulement à établir un réseau de preuves, à se préparer à rencontrer un jour Robert-Pierre Bourassa, Parizeau-Dalton et peut-être même Marat-Mouchard...

Il les impressionnerait. Et puisque l'histoire ne correspondait pas en tous points et loin de là avec les événements de la Révolution française, c'est donc qu'on pouvait les prévenir ces faits-là, surtout les plus sanglants, agir de façon à les modifier voire les éviter. Car comment envisager de guillotiner Louis Capeté et Mitsou-Antoinette, Marat-Mouchard, et même Charlotte Bombardier, Parizeau-Dalton et Robert-Pierre lui-même sans compter Berneur Landru, Croûton-Béland et combien d'autres y compris, peut-être, qui eût pu savoir, Jean-Cul Migraine?

Ronald Reagan, Hitler, Mackenzie King, Ceaucescu et combien d'autres politiciens super haut de gamme ont consulté toute leur vie des voyants qui voyaient pas clair, qui sait, ceux du Québec le feraient-ils avec d'autant de fierté qu'ils pourraient se vanter du fait que leur voyant à eux voyait quelque chose, lui, au moins...

Mais il y avait problème. S'il ne leur demandait pas d'argent pour son éclairage sur le futur, il passerait pour fou et incompétent. Et s'il en demandait sans pouvoir fournir de bon dossier de crédit quant à des prédictions antérieures, on le traiterait comme un menteur et un profiteur...

—Je ne suis qu'une espèce de Cassandre! s'écriait-il parfois en rejetant son Soleil à la poubelle, ce qui était noté défavorablement puisque les vieux Soleil étaient utilisés comme papier de toilette depuis la mode du recyclage tout comme dans les années 40 selon ce que lui avait raconté son père.

La belle Manon et le petit Simon revenaient parfois dans ses idées mais il les enfouissait sous des tonnes d'amour. Comment paraître ainsi dérangé, ainsi fixé dans des obsessions incontrôlables, devant des êtres si chers. Mieux valait l'enterrement psychiatrique. Le temps viendrait sûrement à son secours. Mais surtout Dieu qu'il apprit à prier lui tendrait la main. Et il acquit une dévotion particulière envers la Vierge Marie dont il se sentait plus proche et que parfois, malgré lui et donc sans pécher, il imaginait ressembler à une belle jeune chanteuse à la poitrine rebondissante.

Vint 1992. Il reprit peu à peu ses esprits, son seuil de tolérance aux médicaments s'étant élevé petit à petit. Il devait sortir.

C'est que les folies sanglantes s'en venaient à grands pas. Ce procès public de Louis Capeté Mulroney auquel on se livrait dans tous les médias depuis les désaccords complets du lac Meech annonçait le procès réel et la condamnation à mort suivie de la décapitation sur la place publique... Mitsou-Antoinette perdrait la boule aussi de même que tous les autres. Il devait arrêter ça! Son vieil idéal révolutionnaire s'était donc transformé en idéal contre-révolutionnaire, histoire de ménager les têtes...

Qui ignorait, même à l'asile, que Louis Capeté avait cherché à s'enfuir avec toute sa famille à New York pour y devenir secrétaire-général de l'O.N.U. et sans doute en profiter pour envoyer ensuite les casques bleus restaurer la royauté au Québec... Il savait, lui, que la fuite du roi Louis XV1 avait signifié en bout de ligne la condamnation à mort de la royauté en France en 1791.

Depuis que l'on avait proclamé unilatéralement l'avènement de la première république du Québec, ils se faisaient de plus en plus nombreux, les gens de prestige à vouloir rompre le lien qui restait avec la Couronne canadienne. Et pas rien que des politiciens comme Parizeau-Dalton ou Marat-Mouchard, il y avait aussi des chefs d'entreprise comme Croûton-Béland et même des chefs d'orchestre comme Jacob Péladeau qui, avec ses Jacobins, formait un groupe qui donnait le ton à toute la culture populaire québécoise.

Un événement se produisit à la fin juin et qui décida François à user de stratégie pour obtenir son congé; et ce fut la déclaration de Céline Dion quant aux épouvantes à prévoir advenant une césure totale du lien rattachant le Québec à la Couronne fédérale.

Cela agit sur lui comme un bouton de panique. Il fallait sortir de là, rencontrer Robert-Pierre et les autres, révéler ce qu'il savait... Comment faire? Ce que font tous les gens qui veulent s'en sortir: mentir.

Sa grande astuce fut d'organiser dans l'asile pour le lendemain, jour de la fête de la royauté canadienne, une parade de la Saint-Jean. Au premier degré, cela pouvait sembler dérangé, mais les soignants étaient tous capables d'aller au deuxième voire au troisième degré comme les gens de la bande des six de la télévision; on comprendrait via son nationalisme profond qu'il avait repris le dessus et qu'il s'appartenait désormais, qu'il était devenu un vrai québécois pure laine, donc lui-même.

Parmi tous les slogans populaires, il choisit Québec, mon gâteau! qu'il fit imprimer sur un tee-shirt par un malade de la buanderie qui se spécialisait dans cet art. Ce fut son emblème ce jour de la fête du Canada.

—Vous fûtes mon meilleur patient, dit Bananier en signant le papier. Un vrai champion! Mais dites-moi avant de partir, d'où venez-vous en réalité?

François fut sur le point d'échapper Pohénégamook mais il rattrapa le mot à temps pour éviter de se faire rejeter pour trois ans dans une chambre capitonnée.

—Je suis né à Val-Racine, à ce qu'on m'a dit. Mais je fus abandonné à l'orphelinat. J'ai grandi et je suis passé d'un foyer d'adoption à un autre, à Falardeau, à Palma-rolle... Quand j'ai eu douze, treize ans, la famille où je vivais est partie pour le... pour la Louisiane... à La Fayette...

—La Fayette?...

—La Fayette, qu'est-c'est je dis là... Nouvelle...

—Orléans....

—Nouvelle-Orléans, c'est ça...

Le docteur secoua ses mains ouvertes devant lui.

—La Fayette, une toute petite rechute, là... Une petite association dans votre esprit avec madame de Lapayette, la petite mère des femmes patriotes du Québec... Mais c'est pas grave, continuez...

—C'est vrai que dans mon délire, je vous ai parlé d'un certain La Fayette qui aurait aidé le général Washington dans sa Révolution...

—Mais dans ce cas, votre vision est bien moins mala-dive disons, puisqu'il y a bel et bien eu la Révolution américaine... Comme on dit, c'est un demi-mal...

La société québécoise avait fait beaucoup de progrès depuis trois ans. Sur tous les fronts. On avait libéré le peuple du gros oeil en ce qui concernait l'usage du mot citoyen et le salut au drapeau. Attitude pragmatique puisque l'omniprésence du mot citoyen allongeait trop les conversations tout comme la féminisation des substantifs, et parce que le salut au drapeau à tout propos causait des bouchons de circulation voire des accidents. Un camionneur avait été acquitté de justesse d'une accusation d'onanisme à la hampe du drapeau ayant provoqué un accident causant la mort de quatre personnes. Par chance que les morts avaient été des Haïtiens sinon le bonhomme eût passé dix ans de sa vie derrière les barreaux.

Cependant, une attitude négative envers le drapeau constituait un crime de lèse-nation passible d'une solide punition.

Déambulant dans Beauport avec sa petite valise rouge par un trois juillet tout frais mais ensoleillé, François se demandait comment faire pour rencontrer Robert-Pierre. Il songea à son éditeur.

Car à l'intérieur des murs, il avait concocté un manuscrit valable sur les méthodes extraordinairement efficaces de ses soignants, à telle enseigne que beaucoup de lecteurs rêvaient de se faire interner pour sortir de leur enfer familial. Chez l'éditeur Stocké, on en avait fait un livre et les maigres revenus que François avait tirés de la publication lui permettraient de survivre par la peau des dents pendant quelques mois... Entre-temps, il en pondrait un autre. Une sorte de Nostradamus peut-être, basé sur tout son réseau de coïncidences, lequel montrait les étonnantes similitudes entre le contenu de sa mémoire pourtant rayé des livres et cette Révolution québécoise en devenir...

(Il faut dire qu'il se redonna une identité via de multiples cartes dont, la plus importante, celle de Desjardins...)

Il appela chez Stocké mais y fut mal reçu. On y détestait Robert-Pierre et on le mit en demeure de produire un autre livre pour octobre au plus tard, pour le salon du livre de Montréal, sinon ou pourrait couper dans ses droits actuels.

Perdu, François se rendit à la bibliothèque où avait commencé sa folie. Il n'y parlerait ni de gâteau ni de Gros-Louis. C'est qu'il acceptait la réalité des réserves en révolte froide. Tous les journaux avaient parlé de leurs exactions verbales à commencer par les dires de Gros-Louis à Paris quant à un génocide des premières nations accompli prétendument par les Québécois... Et cet Ovide Mercredi qui, chaque mardi, volait d'une réserve à l'autre dans un hydravion super-blindé pour ajuster les angles des caméras de l'O.N.U.

Gérard Lapierre eut d'abord un mouvement de recul puis, au bout de quelques phrases, comprit. François dit qu'il avait passé trois ans à l'hôpital et qu'il était guéri. Il fut invité à s'asseoir dans le bureau du bibliothécaire.

Son esprit était à nouveau réglé comme une horloge. Il aimait la nation, haïssait les sauvages sans le dire et ne nourrissait plus qu'un seul grand rêve à part écrire: rencontrer le premier citoyen Robert-Pierre.

Gérard s'écria:

—Mais c'est un confrère de classe à moi! On l'avait surnommé la chandelle de Sorel. Attends, attends que je l'appelle... Attends que je me rappelle son numéro... C'est... je l'ai là, sur le bout de la langue... Ah! je le sais, 8-3-2-3-2... C'est drôle, hein, mais sur le clavier, ça fait **"uébec"**... Il manque rien que le Q pour faire Québec... Mais c'est qu'il n'y a pas de Q sur le clavier du téléphone...

François avait une sensation de déjà-entendu. Il secoua la tête pour secouer sa mémoire, mais c'est sa libido qui fut secouée et aussitôt, une pensée érotique s'empara de son cerveau et le projeta devant l'image des seins de la belle chanteuse en train de chanter Bye, bye, mon cow-boy...

Chapitre 6

François eut le numéro cinq. Il attendit patiemment dans le couloir du citoyen, chemise cartonnée verte près de lui, bourrée de notes, dessins, croquis et chiffres. Tout un dossier qu'il possédait du reste en mémoire.

Plus loin, au bout d'un banc interminable, étroit et fort usé, où trois de ses devanciers attendaient aussi, une porte s'ouvrait parfois et le grand citoyen Robert-Pierre traversait le couloir pour entrer autre part et ensuite revenir dans ce qui avait l'air d'être son bureau. Se rendait-il aux toilettes? Allait-il voir quelqu'un?

Encore une distorsion-piège! réfléchit François. Le citoyen Robert-Pierre n'est pas originaire de Sorel et il n'a pas du tout l'air d'une chandelle avec son dos voûté, son nez longuet, ses cheveux écourtés et ses lunettes énormes. Et pourtant, on l'a surnommé la chandelle de Sorel tout comme le vrai Robespierre était désigné sous le sobriquet de la chandelle d'Arras.

Robespierre se tenait droit comme un I, portait de minuscules verres teintés, possédait un nez court et simple et s'enfouissait bien les idées sous une perruque hautement poudrée.

Il faudrait éviter cette comparaison donc; d'autant que le citoyen Robert-Pierre affichait une minutie de moine dans tout ce qu'il entreprenait et construisait, particulièrement ses propos réversibles et fourre-tout, méticuleusement tissés et tournés.

Les numéros deux, trois et quatre eurent droit à chacun trente secondes. Chaque fois que l'un quittait avec la mine déconfite, François hochait la tête. Il se ferait bien expédier en quinze secondes. Comment livrer un message de deux heures en moins d'une minute? Il n'eut pas le temps de se trouver une réponse qu'on criait déjà son nom:

—Citoyen Langlois, prière d'entrer, le premier citoyen Robert-Pierre vous attend.

François se hâta et entra, tenant sa chemise contre lui, dos vers Robert-Pierre qui, assis, fit pivoter sa chaise pour répondre au nouvel interlocuteur.

—Asseyez-vous! fit le premier citoyen qui ne quittait pas la chemise verte des yeux.

François ne comprit pas que c'était parce qu'elle contenait deux signes au pouvoir magnétique pour un esprit comme celui du premier citoyen, celui de l'argent mais surtout celui de l'électricité, un long Z étiré que son auteur avait tracé un jour de ce qu'il appelait sa haute tension là-bas, à l'hôpital psychiatrique.

—Ainsi donc, vous êtes un ami de mon ami Gérard Lapierre?

—Disons une connaissance.

Le premier citoyen détacha son regard de la chemise puisque François la couchait sur ses genoux. Il dit:

—Nous avons fréquenté le Séminaire de Sherbrooke autrefois. Le cours classique... Et je peux vous dire que c'est le banc classique qui a permis à notre Québec de s'asseoir solidement. Manquait rien que des kilowatts; on lui en donne...

—Il manque plus rien que la Souveraineté, osa dire François.

—Ça, il faut réfléchir! On a tous les pouvoirs de la République. En finir avec la royauté fédérale, peut-être, mais chaque chose en son temps... Ils vont nous faire des offres que nous ne saurions accepter... Enfin... Quel est le but de votre visite, Gérard ne m'en a pas informé.

—Parler d'avenir.

—Voilà pourquoi votre chemise cartonnée porte les signes symboliques de l'avenir du Québec?

François ne comprit pas trop et se lança dans un exposé pressé avant de se faire balancer. Tout y passa mais en résumé comme il se l'était fourré dans la mémoire à l'asile. L'absolutisme royal. Crise nationale. Réunion des États généraux. Révolte de Paris, des villes, des campagnes. Prise de la Bastille. Puis les personnes: Mirabeau, La Fayette, Louis XV1 et Marie-Antoinette, Danton, Marat, Brissot, Hébert, Couthon, Saint-Just, les Girondins, les Jacobins, les Sans-Culottes et puis bien entendu et surtout, Robespierre...

—Que d'imagination! coupa le premier citoyen quand l'autre eut dépassé la fuite du roi. Vous avez pris tout le Québec politicien et vous l'avez transporté en France au beau temps de Louis XV1 avant qu'il n'abdique en faveur de Napoléon et que la royauté cède ses pouvoirs à la république... Mais vous êtes un excellent romancier. Quelle école québécoise vous a donc formé et permis de concocter tout cela?

—Une école... de Beauport, jeta François qui voulut poursuivre... mais fut interrompu.

—Ce que j'aime, c'est votre Mirabeau de la Révolution imaginée qui se vend au roi: quelle similitude avec notre Mirabeau-Lévesque et son beau risque! Et notre Lise de Lapayette que tous appellent la marquise des anges ou si vous voulez, la marquise de Lapayette qui a tiré sur le peuple pendant des années à coups d'images télévisées; vous l'avez transformée en marquis de La Fayette qui fait tirer sur la foule de Paris au Champ-de-Mars... Une féministe politicienne qui devient un soldat politicien... Et le gouvernement par les notables de l'argent. Et la fuite du roi. Et l'inflation. Et... vous ferez publier votre roman bientôt? Vous voulez sans aucun doute un mot d'introduction de ma part?... Parlez, vous paraissez timide. Un citoyen québécois ne manque pas de bagout que je sache!

—C'est l'avenir qui me turlupine.

—Vous êtes B.S.? Y'a sûrement des programmes de subventions pour vous. Nos éditeurs en mangent, du gros B.S., pourquoi pas un auteur pour une fois? Un petit cinq, dix mille dans un fond de tiroir de la culture, ça se trouve toujours. Je vais demander à cette conne de Frulla-Hébert qui passe son temps à m'envoyer des fleurs...

—Hébert, Hébert, réfléchit François, voilà ce qu'il est devenu ici. Je cherchais du côté des hommes... C'est à cause de lui que la sans-culotterie est née. Il est devenu ensuite un enragé.

—La sans-culotterie?

—Ça va venir en 1993, je veux dire en 1793... Hébert deviendra un sans-culottes, plutôt une sans-culottes... enragée... Mais difficile d'être sûr: ici, au Québec, ça sera peut-être les sans-tuque... Au fond, c'est à cause du citoyen Hébert qu'on a eu la peau de Robespierre.

—Tant que Frulla-Hébert me donnera pas de la peau, elle aura pas ma peau.

—Mais, premier citoyen, vous êtes censé être la vertu en personne.

—Se prendre le cul, c'est pas manquer de vertu, c'est ça, justement, de la vertu. Écoute la citoyenne Claire Lamarche ou la citoyenne Janette Bertrand, tu vas bien comprendre.

—Premier citoyen, je connais votre futur et celui des citoyens Danton, Marat, Couthon... je veux dire Parizeau-Dalton, Marat-Mouchard et Croûton-Béland... Et je sais même l'avenir de Charlotte-Cordélia... Charlotte Bombardier... Et celui de Louis Capeté et de sa femme Marie-Antoinette...

—Mitsou-Antoinette... Mitsou mon minou comme dit Louis... C'est quoi l'avenir de chacun de nous?

François émit une onomatopée style "chouishhhh" et imita le couteau qui égorge.

—Vous avez vu évoluer les Merdiques et surtout leur instructeur, le citoyen Bergeron, à ce que je vois.

—Ce n'est pas un couteau, citoyen, c'est un couperet de guillotine.

Robert-Pierre s'esclaffa. Il recula si fort sur sa chaise à bascule qu'il faillit tomber sur le dos, n'étant retenu que par les genoux sous son bureau.

—C'est une bonne idée, de se débarrasser de toute la chibagne en les zigouillant tous sur la guillotine. Au

96

Parlement, quand on veut zigouiller l'opposition de sa Majesté... pardon, l'opposition républicaine, on sort la guillotine... Ça 'fitte', ça 'fitte' comme un gant dans votre Révolution imaginaire.

—C'est la vérité, s'écria François. Je sais tout ce qui va arriver. Ça fait trois ans que je le répète...

—Allez-vous m'envoyer une facture si je vous fais dire l'avenir du Québec?

—Du sang, du sang et encore du sang!

—La première tête à tomber sera la mienne?

—Non, ce sera celle de Louis Capeté...

—Ah bon! dit le premier citoyen qui se pinçait les lèvres pour ne pas éclater encore de rire.

Il se disait qu'il enverrait ce romancier comique faire perdre son temps au citoyen Parizeau-Dalton, encore que Dalton ne manquait pas de couleur non plus même s'il ne différenciait pas le rouge du vert ou du bleu.

Soudain François aperçut un rébus sur le mur derrière le premier citoyen. Le premier citoyen vit qu'il avait vu et, malicieux, dit, le ton au défi:

—Solutionnez ce rébus et je vous crois.

En première ligne, il y avait le signe du dollar, celui du moins, celui du plus, celui de l'égalité et enfin une tête de mort. En seconde ligne, il y avait le signe plus, celui du moins, celui du dollar, celui de l'égalité et celui de la nullité soit un zéro.

$$\$ \ - \ + \ = \ \text{crâne (mort)}$$

$$+ \ - \ \$ \ = \ 0$$

—Donnez-moi seulement 5 minutes, premier citoyen et je trouverai.

—Je t'en donne dix. Attention, ce n'est pas un rébus authentique, c'est bien plutôt une énigme. Il n'y a pas d'homophones là-dedans comme dans un vrai rébus...

François réfléchit. Robert-Pierre fit pivoter sa chaise et tourna le dos pour rire, les épaules sans cesse agitées de soubresauts... Il s'arrêta net quand les mots tombèrent comme des couperets et en cascade:

–L'argent sans la vertu est funeste. La vertu sans l'argent est impuissante.

Tournant sur lui-même à l'aide de sa chaise, le premier citoyen avait le rictus figé, la bouche tordue, le regard ramassé. Il dit, bas, dur:

–Jamais personne n'a pu trouver la signification de ces signes. Jamais personne n'a su ce qu'ils voulaient dire. Tous ceux qui sont entrés dans ce bureau ont essayé en vain. Ni ma femme, ni ma secrétaire, ni même la Frulla-Hébert n'ont obtenu ma confidence. Comment savez-vous, vous? Gérard Lapierre quand on était au Séminaire... Non, non, pas possible, j'avais pas encore pensé à ça dans ce temps-là...

–Je connais l'avenir, premier citoyen. Le vrai Robespierre disait, lui: "la vertu sans laquelle la terreur est funeste, la terreur sans laquelle la vertu est impuissante."

Blême plus encore que de coutume, la lèvre frémissante, Robert-Pierre déclara solennellement:

–Citoyen, on a le droit et le privilège de prédire l'avenir seulement si on ne le connaît pas; et alors, on peut et on doit se faire payer pour ça par les cons de citoyens qui croient n'importe quoi; mais on n'a ni ce droit ni ce privilège si on connaît l'avenir pour de vrai. Partez, j'ai trop perdu de temps... Attendez un moment que je vous donne une recommandation qui vous permettra de rencontrer Parizeau-Dalton, le chef de l'opposition républicaine... Il a du temps à perdre plus que moi, lui... Un gros ennuyant qui répète la même toune à trois notes depuis trente ans.

François prit le papier tendu et quitta à regret.

Le premier citoyen se leva, tourna les talons, se croisa les bras devant l'inscription indéchiffrable et hocha la tête. Il murmura:

–Peuh! la guillotine, c'est même pas drôle, toute son histoire... Il a deviné par chance sans doute!

Et il rajusta sa cravate de même que son col de chemise trop empesé à son goût et dont il suivit le tracé intérieur avec son doigt long, fin et sec...

Chapitre 7

François fit le tour du Parlement. Personne n'avait aperçu Parizeau-Dalton dans les heures précédentes. Ni à son bureau ni ailleurs. Les représentants du peuple ne siégeaient pas ce jour-là ni les jours d'après puisqu'on était encore en plein coeur d'été.

Robert-Pierre l'avait garanti: l'homme se trouvait bien à Québec. De plus, une secrétaire de son personnel de bureau confirma les dires du premier citoyen.

Cherchons dans les bars des environs, se dit le jeune homme. On sait, même là-bas, à Pohénégamook, que les députés ont des lieux de prédilection dans le secteur de Grande-Allée, rue Saint-Jean, et du vieux Québec. Veuf, le politicien faisait peut-être la bombe avec une donzelle quelque part dans une chambre du Château Frontenac ainsi que se le permettait une fois par mois son maître à faire de la politique, le vieux rat Duplessis mort peu de temps après la naissance de François.

Gildor Roy chantait ce soir-là dans un restaurant-bar western québécois *Le banc du quêteux*. Tant qu'à niaiser, pas pire d'aller là prendre une broue, pensa le citoyen Langlois en passant devant la porte et le bruit invitant.

Il poussa les portes battantes et se retrouva dans la grosse boucane. Une danseuse de cancan à froufrous rouge vif et profond décolleté l'accueillit et le conduisit à une table où il prit place sur un chaise-tonneau devant un tonneau haut. Beaucoup de monde, beaucoup de bruit, beaucoup de rires, beaucoup de broue itou!

Gildor monta sur scène dans de longues enjambées, guitare à bout de bras. Au même moment, une serveuse se présentait au tonneau de François alors que la foule acclamait copieusement, sifflait vigoureusement ses vivats, entrechoquait ses bravos... Du délire alcoolisé!

Vedette western —et aussi de la comédie légère— fort médiatisée, le chanteur répondit à l'assistance par des demi-sourires, son attention étant toute à quelque chose, —plus probablement quelqu'un— au loin là-bas, derrière François.

La serveuse, un personnage à longs cheveux blonds, charpentée à la Dolly Parton, se pencha en avant et mis sa descente de poitrine sous le nez de son client neuf. Lui en fut ému tout en étant envahi par une forte impression de déjà-vu. Sans doute un relent du temps-bébé, songea-t-il en criant:

—Une broue!

Cependant, aussitôt, il détourna la tête pour ne pas risquer une accusation d'agression sexuelle car grâce à de nouvelles lois républicaines marrainées de loin par la marquise de Lapayette, les gars du Québec devaient désormais y regarder à deux fois avant de laisser traîner leurs yeux n'importe où sur le corps féminin.

C'est alors que François comprit l'agitation explosive des gens. Ce n'était pas Gildor qui causait tout cet émoi mais une superstar ambulante, ce politicien populiste et populaire, bien mieux coté dans tous les sondages que le premier citoyen Robert-Pierre lui-même.

Accompagné d'un garde-du-corps qui le suivait, le grand et unique Parizeau-Dalton avançait à la suite de l'hôtesse qui les conduisait visiblement vers la seule table-tonneau encore vide de toute l'immense salle, celle voisine de François.

—Ah! ben, jériboire aratoire! lança le jeune homme en pure perte puisque la rumeur générale enterrait tout, y compris sa mince voix de citoyen fraîchement débarqué de l'hôpital psychiatrique, et plutôt déprimé par sa visite à Robert-Pierre.

Ce juron qu'il lançait seulement dans les moments de haute tension jaillissait tout droit d'un grand étonnement devant l'image que livrait avec ostentation le grand politicien, le plus québécois de tous les Québécois, deuxième père de la petite patrie après le petit père Mirabeau-Lévesque, bien plus 'symbole-national' que le premier citoyen lui-même.

Parizeau-Dalton était lui-même, c'est-à-dire cravaté et 'vestonné' jusqu'à la taille alors que pour le reste, il était habité en s'en habillant, de la touche western.

Une touche toute des éléments les plus typiques du genre. Homme à pieds, François vit d'abord les bottes à pitons diamants traçant des lignes-lassos sur cuir fauve souple. Puis il y avait les culottes en cuir d'été festonné de tissu synthétique léger imitant bien l'alpaga. Et une immense ceinture bedonnante retenant de chaque côté un étui à revolver...

Mais les gaines étaient vides. C'est que le célèbre Québécois saluait la foule à l'aide de ses pistolets qu'il montrait, l'un à l'aide du canon de l'autre. Geste que comprit François à demi en apercevant des mots en lettres blanches inscrits sur toute la longueur de chaque arme, mots que l'épaisseur de la boucane et de la demi-obscurité ne permettait pas de lire encore...

Mi-bourgeois, mi cow-boy, l'homme politique apparut à François comme une sorte de géant dans son style, un sphynx de l'ouest québécois, un personnage hybride en noir et blanc qui, par ailleurs, selon le premier citoyen, souffrait de daltonisme.

Encore un impensable capharnaüm, se dit François. Ce Dalton ajouté au nom d'un politicien de sa mémoire lui avait-il été ajouté dans un rapprochement avec Danton le grand révolutionnaire français ou avec ce manichéisme de type daltonien à l'opposition bien vs mal ou avec cette inclinaison western rappelant les célèbres frères Dalton, maganeurs et maganés, surtout un après-midi peu tranquille à Coffeyville...

Rendu plus près, le gris politicien daltonien tira au plafond. De ses deux armes. Coup sur coup. François se rapetissa tant qu'il put dans son siège-tonneau-ouvert. Le grand Parizeau-Dalton s'esclaffa en le voyant agir et lui dit de sa voix grosse et grasse:

—Voyons, mon bon citoyen, faut pas paniquer pour si peu: c'est rien que des balles à blanc... C'est Mirabeau qui m'a montré à tirer...

François rouvrit son esprit. Il put lire alors les mots écrits sur les pistolets. Sur l'un: **souveraineté**. Et sur l'autre: **indépendance**.

—Es-tu du boutte, citoyen, au moins? Me semble que t'as l'air un brin étrange au pays du Québec? Serais-tu pas un royalisse-fédéralisse au pays de la fleur-de-lisse? Sûr que non sinon tu prendrais pas une broue au *Banc du quêteux*. Même un gars de la GRN pourrait pas se déguiser aussi efficacement!

Le politicien mit le canon d'un pistolet sous le nez de François en disant:

—Regarde comme ça sent fort!

Puis l'autre, ajoutant:

—Pis lui, sent encore plus fort.

—Vous préférez souveraineté à indépendance?

—Pas de différence d'abord que c'est moi le "ou"...

—Le... quoi?

—Le **"ou"**... Lis... Souveraineté... indépendance... Souveraineté... **OU**... indépendance. Le **"ou"** est pas écrit parce que le **"ou"**, ben, c'est moi, Parizeau-Dalton...

—C'est comme le "égalité ou indépendance" du père Brissot? osa François.

Parizeau-Dalton devint sérieux, souffla sur le bout des canons et rengaina ses armes en disant:

—Sauf que le père Brissot, c'était pas lui, le **"ou"**... Parce qu'il n'a jamais réussi à faire NI l'égalité, NI l'indépendance... Ben loin d'être le "ou", il fut le **"NI"**... Quant au fils Brissot, successeur de son père et mon prédécesseur, il a pas fait mieux... Celui-là, on lui a fourré le **"NI"** **"où"** tu penses, citoyen... Ha, ha, ha...

François avait manqué des morceaux d'information durant son séjour à l'asile. Jamais il n'avait pu voir la télévision et donc il ignorait absolument tout de la double personnalité de Parizeau-Dalton. Ça l'aurait pourtant encouragé quant à la sienne...

Le docteur Bananier soutenait que pour soigner les cas de dédoublement de personnalité, la dernière chose à faire eût été de montrer aux patients à longueur de journée des personnalités dédoublées de la télé. Des gens d'image. Des "noir-et-blanc" colorés!

C'est ainsi que jusque là, François ignorait tout de la touche western du citoyen P.-D. que l'on ne voyait jamais qu'en haut de la ceinture dans les journaux.

Par contre, il avait lu sur les déchirements et luttes de pouvoir entre le fils Brissot, Pierre-Marc, et le fier chef québécois P.-D. avec, en arrière-coulisse, l'ombre de Marat-Mouchard, un proche du roi d'Ottawa, devenu transfuge et concurrent inavoué –et inavouable– du populaire et populiste Parizeau-Dalton.

Parfois, François avait eu du mal à démêler cette réalité aux allures de fiction, des données de la vraie réalité, celle bouillonnant sans arrêt dans toutes ses mémoires. Et ruant dans ses menoires mentales... Mais ça finissait toujours par se tenir debout. La Révolution québécoise naissante restait une copie diminuée de la Révolution française et le degré de sa pâleur était sans doute dû à la différence dans les chiffres de population, aux époques différentes et aux différences culturelles.

Par exemple, imaginer Frulla-Hébert en sans-culotte au pays du Québec où le féminisme s'était installé plus en force que partout ailleurs dans le monde, était difficilement pensable. Par simple déduction et compte tenu de l'héritage culturel québécois, François supputait sur des portions du futur et à ce petit chapitre de l'hébertisme, il prévoyait la naissance prochaine de la **sans-tuquerie** et non, comme à Paris en 1792, de la sans-culotterie...

Mais pour ce qui était de la présence féminine, la Révolution québécoise semblait devoir battre la grande Sanglante, laquelle n'avait compté que trois superstars du beau sexe: Marie-Antoinette, Charlotte Corday et Lucile Desmoulins. Bon, oui, un peu madame Roland... (Ah! ces Français!) Tandis qu'en la terre d'Amérique, en plus de Mitsou-Antoinette, Charlotte-Bombardier et la Desmoulins connue de François par ses souvenirs et ses lectures d'articles de son époux Camille-Ryan, se dessinaient des personnages imprévus comme cette marquise de Lapayette et Frulla-Hébert, future enragée, toutes deux pourtant des hommes dans le Paris du vieux temps.

—Une broue! commanda le citoyen P.–D. à la jeune serveuse qui venait de servir François.

—Peut-être que t'es de Montréal comme moi, citoyen, lui dit le politicien tandis que la rumeur s'amenuisait et que Gildor se lançait dans un air intitulé *L'ami de la nature*...

—De Pohénégamook...

—Pour ça que t'as l'air un brin étrange...

—J'ai l'air étrange, c'est parce que je connais votre avenir et que votre inconscient perçoit que je peux lire dans votre futur.

—Ah! ben fer à cheval à O.K. corral! Viens t'asseoir à mon tonneau, citoyen, et raconte-moi tout ça, par le long, par le large et par le travers.

François fut sur le point de montrer sa lettre de recommandation du premier citoyen puis il se ravisa. Quel besoin puisqu'il plongeait déjà en plein vif du sujet. Droit au but sans taponner, c'était ça, la touche western. Et ça lui plaisait. Il changea de tonneau et s'installa avec Parizeau-D. Le garde resta dans l'ombre, engoncé dans son siège-petit-tonneau-ouvert...

—Tout est en marche depuis la prise de la Bastille...

—La Bastille? Qu'est-ce que c'est?

—Écoutez, la Révolution est commencée au Québec... Mais en réalité, c'est pas ici que ça devrait se passer...

—La Révolution au Québec? T'es un homme de beaucoup d'imagination, citoyen... Il ne se passe jamais rien au Québec, voyons donc. Une mini-bougeotte au début des années 60 après le règne du grand-père Duplessis: on a appelé ça révolution tranquille... Même avec cette expression-là, c'était péter plus haut que le trou... C'était plutôt la tranquillité tranquille... Faudrait que ça bouge au Québec, que ça bouge...

Et le politicien sortit le pistolet indépendance et tira un coup blanc dans le plafond bourré de petits trous dans les tuiles acoustiques. Le public s'excita, cria.

Plusieurs sortirent un petit drapeau fleurdelisé qu'ils agitèrent au-dessus de leur broue. Gildor en était venu aux mots: *J'ai pas de chemise mais je mets des manches...*

—J'espère que tu vas me dire que l'avenir est plus bruyant que le passé...

—Pour ça, il va y avoir beaucoup de bruit, beaucoup... Et surtout beaucoup de sang versé...

—Ah ben, fer à cheval à O.K. corral! Là, tu parles une parlure que j'aime... Conte-moi l'avenir...

—En réalité, ce qui va se passer et qui est en marche, c'est une Révolution française miniature...

—Quoi, citoyen? Miniature? Y'a rien de miniature au Québec, huhau, huhau... Tout ce qu'il y a au Québec, c'est gros... gros comme moi... Provigo, Péladeau, Pomerleau... Provigo en alimentation, Pomerleau en construction, Péladeau en orchestration...

—Péladeau, c'est plutôt en médiatisation... pour ainsi dire...

—Comment ça? D'une manière si on veut... Un chef d'orchestre, ça médiatise... Faut dire qu'il est très bien appuyé par son groupe des Jacobins...

—Laissez-moi tout vous dire... En France, en 1789, il y eut la prise de la Bastille, Tout a commencé là...

Parizeau-Dalton écouta religieusement tout en calant de temps en temps un coup de broue et en s'esclaffant chaque fois que quelqu'un se faisait guillotiner dans le récit sanglant.

François tut le sort de Danton. Au bout du récit, son interlocuteur lui en fit répéter des bribes.

—Comme ça, Robert-Pierre, couishhhh...

—Robespierre, oui, après s'être tiré une balle dans la mâchoire.

—Dans le mâche-patate, ah ben fer à cheval! Ça me surprend pas, maudite grande gueule... C'est ben fait pour lui...

—Mais c'est un des derniers qui va se la faire couper.

—Louis Capeté en premier, y'a rien de plus normal. La Mitsou mon minou va y passer itou? Je lève mon verre à son exécution: ça vaut ben un bon coup de broue.

François refusa de trinquer à la mort des souverains.

—Là, là, y'a de quoi qui marche pas, dit P.-D. qui sortit un pistolet et le braqua sur le front de son vis-à-vis. Serais-tu pas du bord à Ottawa? Malgré que tu me dirais pas que le roi va se faire décapiter. Attends, c'est le gueulard à Chrétien qui t'envoie... Ou peut-être que t'es un espion à la solde du 'triumverrat' Marat-Mouchard, Pierre-Marc Brissot et Saint-Just-Lapierre...

—Puisque je vous dis qu'il vont tous se faire zigouiller, répliqua François en louchant sur le canon de l'arme.

P.-D. rengaina.

—Ouais... Comme ça, Marat-Mouchard va se faire poignarder par la Charlotte-Bombardier? Je pensais que c'était déjà fait... C'est bon pour lui, y'est assez laid! Trinquons à ça! J'aime ça!

—Je ne peux pas, moi. C'est des humains qui vont perdre la tête, songez-y, citoyen.

—Ça se peut pas...

—Quoi?

—Des humains qui vont perdre la tête. On perd pas ce qu'on n'a pas... Ha, ha, ha, ha... Je vois Chrétien, la tête sur un plat comme celle à Jean-Baptiste...

—Chrétien, il n'a rien à voir dans tout ça. Il ne fait pas partie de mes   "visions"... Dans la vraie Révolution, la française, y'a personne qui ressemble à Chrétien.

—Ha, ha, ha, ha, qui c'est, tu penses, citoyen, qui voudrait ressembler à Chrétien, même voilà deux cents ans passés...

François but mais sans lever son verre plus haut que la normale. Il ne pouvait souhaiter la mort de quiconque mais comprenait le manque de conviction profonde de son interlocuteur.

—Bon, et notre ami Croûton-Béland? Guillotiné en même temps que Robert-Pierre et Saint-Just-Lapierre? Ah! là, citoyen, tu me fais de la peine à plein. Parce que Croûton, c'est un grand, très grand Québécois.

—Je ne suis ni le juge ni le bourreau, c'est l'histoire que le veut comme ça.

—Mais Croûton est un pauvre infirme incapable de marcher par lui-même et qui se fait transporter par un gros tocson appelé Desjardins. Un est les jambes et l'autre est la bouche pour ainsi dire. Croûton parle pour les deux et Desjardins marche pour les deux. Qui donc oserait guillotiner un pauvre handicapé obligé de voyager à dos d'âne pour ainsi dire?

—On peut fuir le passé, se dérober au présent mais on n'échappe pas à l'avenir, même si on tient un pays par les couilles...en contrôlant son épargne...

—En tout cas... la broue est bonne. Et tu t'appelles comment, citoyen?

—Langlois?

—A-t-on idée de porter un nom comme ça. Langlois qui?

—François Langlois.

—Ah! c'est mieux. Malgré que c'est un nom assis entre deux chaises pour ainsi dire.

—Je l'ai pas choisi.

—Ça, c'est discutable, citoyen!. Dans la vie, on est maître de sa destinée. Quand on veut vraiment quelque chose, on finit par l'obtenir. Quand le Québec voudra sa pleine souveraineté, il l'aura...

—Mais mon nom...

—Mêle pas les cartes! Quand on veut, non seulement on peut, mais on a.

François se démontait. Parizeau-Dalton ne le croyait pas. Il prêtait oreille mais seulement pour rire de lui et s'amuser. Pourquoi insister?

—Citoyen Langlois, il manque une tête dans ta grosse histoire. Qu'est-il arrivé au citoyen Danton? Parce que j'imagine que lui et moi, on se ressemble un peu? À cause du nom: c'est pas fort fort, mais en tout cas...

—Il y est resté aussi.

—Décapité, comme ça!

—Eh!...

—L'histoire finit là.

—Non... C'est Robespierre qui a eu la tête de Danton...

P.–D. se lissa les deux coins de la moustache et dit en ricanant gros et gras:

—Je commence à te trouver un peu pas mal moins sympathique, citoyen Langlois.

—Qu'importe! Danton sera guillotiné dans moins de deux ans... je veux dire qu'il l'a été en 1794, en avril... Moins de quatre mois avant Robespierre... Même qu'il a demandé au bourreau de montrer sa tête au peuple, disant qu'**elle en valait la peine**...

P.–D. se rajusta droit sur sa chaise. Il raplomba sa cravate, repoussa sa broue puis dit avec hauteur et compétence en vouvoyant:

—Voilà que vous vous introduisez à ma table, que vous parlez de l'avenir et je vous accueille et vous écoute. Puis vous me parlez de la fin de Robert-Pierre, et je prête bonne oreille à vos propos et à leur symbolisme. Vous me dites ensuite que Marat-Mouchard sera assassiné par Charlotte-Bombardier, ce qui n'est pas un vilain augure et ce que l'on peut croire en substance. Puis vous prédisez la disparition de mon ami Croûton, de mes prétendus amis Saint-Just et Brissot; allons-y donc pour trois autres têtes, surtout celle de Brissot, ce... frère de l'autre... Je vous porte attention et vous prête intérêt et voilà que vous massacrez Danton et poussez l'audace jusqu'à rêver que le bourreau a montré son vrai visage au peuple? Monsieur, mais, mais vous n'êtes qu'un faux prophète... Comment voulez-vous que Robert-Pierre puisse avoir ma tête? Lisez les sondages...

—Monsieur, je ne suis pas Dieu sinon j'arrangerais les choses en votre faveur...

Parizeau-Dalton se pencha à l'oreille de son garde et souffla:

—Un autre Québécois sur le 'crack', allons-nous en.

En même temps, il se dit qu'il ferait bien d'envoyer ce drôle à Montréal à Marat-Mouchard. Marat qui écrivait dans le journal L'Ami du Québec lisait son horoscope chaque matin. Qu'on lui serve donc des lendemains qui saignent, il songerait moins à jouer du long couteau par derrière!

—Là-dessus, mon cher ami, citoyen Langlois, nous allons devoir vous quitter, appelés que nous sommes par le devoir justement... Ah! vous savez, quand on a, à toutes fins pratiques, l'avenir de la nation entre les mains, on n'a guère le temps de prendre plus d'une broue, même dans une atmosphère aussi particulière que celle du *Banc du quêteux*... Amusez-vous... Tiens, je vous donne l'adresse de Marat-Mouchard. Vous feriez bien de le rencontrer pour le mettre en garde contre cette Charlotte-Bombardier au long poignard...

Et à son garde:

—Viens, mon chien-chien... Tu sais très bien qu'on a rendez-vous...

—Où ça? demanda l'hébété.

—Mais... à Caféville voyons, à Caféville!

Chapitre 8

François prit le train et il quitta la vieille capitale. Déçu! Perdu! Les milles monotones succédèrent aux milles monotones sous les roues bruyantes. Pour tuer le temps, il se prit à fredonner un air entendu la veille au *Banc du quêteux*.

> *J'ai toujours aimé voyager*
> *J'ai parcouru le monde entier*
> *Et lorsque j'entends un sifflet siffler*
> *Je sens que je dois m'embarquer...*
> *N'entends-tu pas le train qui siffle*
> *N'entends-tu pas le train qui s'en vient*

Il irait tout droit au journal L'Ami du Québec et tâcherait de rencontrer le jour même Marat-Mouchard. Mais comment obtenir tout de suite un rendez-vous? La recommandation de Parizeau-Dalton ne vaudrait pas un clou. Car si Marat et Danton n'étaient pas à couteaux tirés à la même époque deux cents ans plus tôt, ces deux-là du Québec d'aujourd'hui ne se souriaient que par obligation, par stratégie forcée.

Le mieux serait d'avouer qu'il avait rencontré les deux autres politiciens, de souligner le piètre accueil reçu de chacun, de faire voir qu'il avait de l'information psychologique à livrer sur Robert-Pierre et P.–D. Après tout, Charlotte Corday avait obtenu de voir Marat en disant qu'elle apportait des renseignements d'intérêt.

Ce train paraissait lent, trop lent. Parfois le passager fermait les yeux et il avait alors cette drôle d'impression de sentir le train prendre une allure folle, devenir une sorte de TGV voyageant à la vitesse de la lumière en traversant un tunnel rempli de gens qui allaient tous à divers rythmes via divers moyens de locomotion.

Ce fut particulièrement aigu aux approches de Saint-Bruno. On passa près de la montagne. François rouvrit les yeux. Il aperçut une grotte peu profonde contenant une statue de la Vierge Marie, vestige vétuste du temps glorieux des Bérets Blancs qui avaient entraîné à leur suite beaucoup de Québécois prier là où, semblait-il, la reine du ciel était apparue à des enfants.

Quelque chose d'étrange bougea au fond du coeur de François. Un sentiment profond et mystérieux. L'appel de Dieu, songea-t-il. Un appel à la prière et au respect. Ou peut-être s'agissait-il d'une intervention mariale au coeur de son coeur! Un Avé ne saurait nuire. Il en récita un. Et tant qu'à faire deux. Puis trois. Quatre. Cinq. Une dizaine y passa.

Alors il se sentit dans une grande sérénité, comme si sa tête reposait sur... une poitrine de femme...

À la gare centrale, il s'enfourna dans un taxi et fut conduit tout droit à L'Ami du Québec. En aucun moment, il ne regarda autour de lui. Il s'en privait pour ne pas déprimer davantage. C'est que chaque fois qu'il apercevait un fleurdelisé, quelque chose de négatif s'emparait de lui, une crainte noire moins du futur que de l'esprit qui triomphait en arrière-plan, cette espèce de goût de la souffrance morbide qui pousse certains individus à s'emparer de la misère des autres et de leurs espoirs désabusés pour les exploiter contre eux avec leur assentiment. Il verrait plus tard ce qu'était devenue Montréal par-delà cette multitude de drapeaux qui en constituait la fausse façade...

L'Ami du Québec se logeait dans une très large bâtisse de briques rouges d'une architecture sobre et traditionnelle, en harmonie avec les rues avoisinantes aux constructions datant des années 40 et 50. Pourtant le journal n'avait fait construire sa nouvelle résidence que quelques années auparavant.

En y pénétrant, François secouait la tête comme pour y repérer un élément-souvenir... Quelque chose n'allait pas dans ce nom L'Ami du Québec... Comme si ce n'était pas vrai, pas authentique, comme si le journal devait porter un autre nom, il ne savait trop... Journal du Québec, peut-être... ou de Montréal... Il bouscula ce non-sens comme il avait appris à le faire grâce à l'aide du docteur Bananier et choisit de téléphoner directement au bureau de Marat-Mouchard plutôt de se présenter au bureau de la réception où on l'aurait sans doute éconduit puisqu'il n'avait pas de rendez-vous...

Il dit ce qu'il avait prévu de dire et cela lui réussit. Quelques minutes plus tard, une secrétaire, grosse, butineuse et mielleuse, l'introduisit.

Marat-Mouchard parlait au téléphone. Sans doute une conversation qui achevait.

—Comprenez que je suis dans le bain tous les jours...

François tressaillit. Dans le bain, c'était le dernier endroit où l'homme devait se trouver. C'est là que la Charlotte-Bombardier viendrait l'assassiner avec son long poignard aiguisé spécialement pour la chose. Autre distorsion de l'histoire réinventée: la Corday n'avait que vingt-cinq ans quand elle perpétra son forfait alors que la Bombardier faisait deux fois cet âge au moins. Et puis la Corday était vierge... ce qui n'était peut-être plus le cas de la Bombardier...

Ce qui chicota François au plus haut point, c'était ce turban que M.–M. portait autour de la tête. Un turban blanc comme ceux des Sikhs à turbans blancs. C'est ainsi enturbanné que Marat avait rendu l'âme. Présage de sa fin prochaine? Non puisque Marat était mort en juillet 1793 seulement, donc plusieurs mois après la dé-capitation du trône.

La pièce était petite, basse et brune. On aurait pu s'attendre à de la vastitude chez une telle superstar de la politique canadienne puis québécoise. Cela traduisait sans doute une fausse humilité, une grande prétention cachée, songea François qui n'aimait pas le personnage en raison de l'association qu'il faisait avec le vrai Marat, un dur de dur de la Révolution française.

—Prends place, monsieur le citoyen Langlois, dit poliment M.–M. après avoir déposé le combiné et désignant une chaise métal et vinyle vert de celles qu'on trouve dans la plupart des bureaux de service.

L'arrivant prit place à quelque distance du bureau. Il n'avait rien apporté. Que sa tête et surtout sa mémoire!

—Ainsi, tu apportes des renseignements de Québec. Ah! Québec, Québec, l'âme de la patrie est là, même si ses pieds, ses membres, son coeur aussi pas mal, se trouvent ici, à Montréal, capitale mondiale du cidre de pomme. Quand j'y serai, c'est là-bas que les visiteurs de marque du monde entier seront reçus, pas ici, à Montréal comme le fait le premier citoyen Robert-Pierre. Je suis un fan de la métropole, des Canadieux. Je ne manque jamais une partie de base-ball au stade Québec. Mais Montréal est en train d'imploser et nous n'y pouvons pas grand-chose, hélas! Bon...

François n'écoutait pas très attentivement; il ne parvenait pas à quitter le turban des yeux.

—Ah! tu te demandes pourquoi je porte ça? Y'en a qui ont dit que c'était pour camoufler mes cheveux à la coupe hitlérienne. D'autres ont dit que j'y cachais un couteau pour me défendre en quelque sorte des intrigues du citoyen Parizeau-Dalton avec qui, soit dit en passant, je m'entends à merveille sous l'enseigne **La patrie d'abord.** Mais c'est rien de tout ça; c'est tout bonnement par superstition. Ce turban est mon fétiche, mon porte-bonheur...

—Débarrassez-vous en! s'écria François.

—Comment?

—C'est le malheur qu'il porte en lui. Ne l'ayez jamais et vous traverserez la Révolution avec tous vos cheveux...

—Révolution?

—Celle qui a commencé il y a trois ans par la prise d'Orsainville...

M.–M. sourit et dit, un peu bègue:

—Une petite révolte contre le royalisme d'Ottawa, rien d'autre. Hélas! rien d'autre!

114

—Autre chose arrive et de très grave, dit le visiteur sur un ton funèbre.

—Le citoyen Robert-Pierre aurait-il inventé un autre délai-stratagème pour retarder encore l'avènement de la pleine république du Québec?

—Je parle du futur du Québec. Le sang va couler comme c'est impensable...

—Hé, hé, hé, les Québécois ont bien trop peur du sang: ils en voient trois gouttes et ils s'évanouissent. La crise d'octobre, la crise d'Oka... Ah! du bon monde, mais la couenne molle...

—Il pourrait y avoir jusqu'à plus de cent mille morts. Et parmi eux, vous, citoyen Marat-Mouchard.

—Quand on fait des prédictions, citoyen Langlois, si on veut être cru, il faut toujours prédire du bonheur. Écoutez Anne-Marie Chalifoux et Jojo la Mitraille...

—Justement, en prévoyant votre mort, on peut la prévenir et ça, c'est une bonne nouvelle.

—Si on l'empêche, comment prouver que la prédiction valait quelque chose?

—Parce que je sais... Parce qu'il y a un scénario d'écrit pour le Québec, une Révolution comme celle de France mais qui, celle-là, fut effacée des livres et de la mémoire des hommes pour une raison que j'ignore...

L'air très étrange de son interlocuteur, marié à sa conviction inébranlable et à quelque chose d'impalpable en lui mais d'une force certaine, gardèrent l'attention du politicien. Il croyait en l'existence de visionnaires fous et pensait que leurs perceptions extra-sensorielles pouvaient posséder parfois une acuité et une exactitude étonnantes.

Il percevait beaucoup mieux les incommensurables possibilités du cerveau humain ainsi que l'incroyable complexité de l'âme que Robert-Pierre qui lui, expliquait tout à l'aide de trois mots: vertu, argent, électricité. Des moteurs, certes, mais pas des explications larges aux mouvements des masses et des individus. Quant à Parizeau-Dalton, il le jugeait sévèrement, ce cow-boy cravaté, avec sa souveraineté primaire fondée presque à cent pour cent sur des chiffres bêtes et des projections économiques.

Le Québec, pensait-il, chaque jour comptait beaucoup plus d'ennemis intérieurs qu'extérieurs. Ceux-là du dedans, il faudrait les mettre hors d'état de nuire à la nation souveraine.

Il songeait à de l'extrémisme.

Il nous faut plus, beaucoup plus que des petites révoltes d'une journée. Il nous faut la tête du roi. Il nous faut la tête des ennemis du Québec, de tous les ennemis du Québec, du dehors comme du dedans.

Ces pensées toutefois n'incluaient pas encore des exécutions capitales mais simplement la neutralisation des citoyens nuisibles par des lois qui saperaient leur pouvoir économique, politique ou social.

—Et racontez-moi comment tout ça va arriver?

François fit son exposé échevelé. Il voulait tout dire, trop en dire.

—Ainsi donc, cette chère Charlotte-Bombardier va me poignarder dans mon bain: intéressant!

—Dans un an d'ici, en juillet 1993.

Marat-Mouchard venait de comprendre. Ce faux devin lui avait été envoyé ou bedon par Robert-Pierre ou plus probablement par Parizeau-Dalton. Le cas échéant, il ne parviendrait sans doute pas à le démasquer. Et pour y arriver, il l'enverrait à son ami Jacob Péladeau...

Mais choqué, il ne put s'empêcher de se livrer à une sortie en règle contre ses ennemis. Il se leva et marcha de long en large derrière son bureau en gesticulant.

—Ils sont légion à vouloir ma peau. Depuis que je suis haut comme ça qu'on veut me détruire, citoyen. Tout ce que la vie m'a donné, j'ai dû le gagner pouce à pouce. Par exemple, j'étais pas intelligent: a donc fallu que je me bûche des diplômes. Par exemple, j'étais pas beau: a donc fallu que je me bûche de la peau. Pis pas chanceux avec ça. Rencontrer des faux amis comme Louis Capeté. Ce traître est allé jusqu'à me faire perdre mon job à Paris pour me condamner à le servir et à vivre dans sa prison 'royalisse'...

L'orateur arracha son bandeau et le jeta plus loin, au grand soulagement de son interlocuteur. Il poursuivit, illico et staccato:

116

—Tout m'est pas arrivé rôti dans le bec, moi. Comme aux citoyens Robert-Pierre ou Parizeau-Dalton... Tous les politiciens sont devenus des petits gars proches du peuple, mais y'a rien que moi qui le suis pour de vrai... C'est pour ça qu'il faudra cent mille têtes... On aura la tête de tous les ennemis du peuple: ça, c'est être proche du peuple, monsieur citoyen Langlois! On va prélever leurs organes pour que d'autres fonctionnent mieux c'est-à-dire selon la meilleure pensée québécoise. Fini l'absolutisme royal: tous ceux qui ne s'adapteront pas à la pensée républicaine seront éliminés, éliminés, **é-li-mi-nés...**

La voix se perdit comme en écho dans l'esprit de François. Ce Marat-là ressemblait de plus en plus au vrai Marat. Autant le laisser à son triste sort. Qui sait, peut-être qu'une distorsion de l'histoire viendrait le récupérer, par exemple si l'homme prenait une douche le 13 juillet 1993 plutôt de prendre son bain. Cette distorsion existait peut-être déjà puisque le 13 juillet de l'année prochaine tomberait un mardi tandis que Marat avait été assassiné le vendredi, 13 juillet 1793, à 13 heures de l'après-midi...

Tandis que Marat-Mouchard écrivait un mot de passe permettant à François de se faire recevoir par Jacob Péladeau, le prophète de malheur se dit que seule une personne capable de lire l'avenir pourrait comprendre une personne qui connaît l'avenir. Dès son départ, il téléphonerait à Jojo la Mitraille ou Anne-Marie Chalifoux... Puis il se ravisa. Il y avait sûrement un syndicat des usagers de boules de cristal et on pourrait le dénoncer pour excès de zèle...

Enfin, il quitta les lieux.

D'une pièce attenante, un personnage entra chez Marat-Mouchard. C'était Pierre-Marc Brissot, un allié du moment.

—Tu l'as entendu, citoyen, il me dit que je vais me faire assassiner dans mon bain par la Charlotte. Ce qu'il sait pas, le pauvre, c'est ce que j'ai pu prendre comme bain à Paris avec la Charlotte... Quand elle revenait de prier à Notre-Dame, elle était trois fois plus cochonne... Ah! la chenapane de petite bougresse, elle

117

s'y connaît dans le bain, tu peux miser ta chemise là-dessus...

—Un homme à Parizeau-Dalton... ce Langlois...

—Ça crève les yeux!

—Jacob va trouver son identité et ses motifs que ça prendra pas goût de tinette...

Chapitre 9

L'orchestre syphonneux du Québec avait été confié à l'habile direction de Jacob Péladeau et ses Jacobins. On avait élargi le groupe et établi des petits frères et des petites soeurs du grand orchestre de Montréal partout au Québec. Jusqu'à Pohénégamook.

Et le chef Jacob se promenait d'une ville à l'autre pour enseigner à ses nombreux bras-droits l'art subtil de la baguette.

Marat-Mouchard comptait beaucoup sur les Jacobins pour se gagner la faveur populaire et c'était grâce à l'appui de Jacob s'il avait enfin réussi à se libérer du joug royaliste et de Louis Capeté...

Grâce au mot de passe, Jacob recevrait ce drôle de poète prophète fou ou comédien, et il trouverait moyen de lui tirer les vers du nez...

François fit du pouce jusque dans les Laurentides et, en plein dimanche tel que recommandé par Marat-Mouchard, il se présenta à la vaste résidence du grand chef d'orchestre, un musicien compositeur dont le dernière symphonie s'intitulait *La complainte du géant Maxwell.*, un air que maints artistes de la chanson dont Gildor Roy, avaient ajouté à leur répertoire.

119

François sonna un coup. Quand la porte s'ouvrit, il mit devant son visage vers celui de Jacob, le papier de Marat-Mouchard, et qui contenait le mot de passe.

En fait, c'était un idéogramme, celui que le plus de Québécois comprenaient et que les faiseurs de sous, hommes d'argent tous azimuts affectionnaient tout particulièrement: une fleur de lys contenant le signe du dollar... Car le peuple comprenait encore bien mieux le signe du dollar que celui –un doigt levé à l'adresse des Anglais– de la nouvelle monnaie québécoise appelée le *lévécu*, un mot qui honorait les trois plus grandes valeurs québécoises, Lévesque, le cul et puis l'argent que suggérait la partie *écu*...

–Lé pétit méssié... dit une voix fluette avec un fort accent yiddish.

François abaissa doucement le bras. Son introduction en avait été une de personne timide; en effet, le jeune homme voyait bien trop son complexe de culpabilité qui augmentait à chaque rebuffade essuyée dans sa quête d'une oreille attentive. Sa fierté avait le caquet bas et il la cachait de plus en plus derrière des paravents...

Il aperçut un boudin blond. Un seul et qui pendait sur le nez de Jacob en "springant" comme un ressort...

–Lé pétit méssié...

C'était le bébé-fils Péladeau porté par les bras de sa mère et qui battait des mains devant le joli dessin. Plus loin, une voix pointue, rauque et puissante s'exclama:

–Ah! ben christ, si on a de la belle grande visite icitte aujourd'hui! Entre donc citoyen Langlois, on t'attendait. Mon cher ami le directeur de L'Ami du Québec m'a téléphoné... Toué, la mère, emmène donc Jacob junior de l'autre bord. Pis on va se parler entre hommes, nous autres... Viens, mon citoyen...

–François Langlois...

–Suis-moi Langlois et ta vie sera meilleure icitte-bas et pis itou dans l'au-delà... J'ai pris une tonne de polices d'assurance pour le ciel... Pis ça va me permette d'en faire rentrer une gang avec moi, surtout des Jacobins. Deux millions par année que je donne aux pas forts de ce pays-là... Sais-tu ce que j'ai fait pas plus tard qu'hier? Ben j'ai acheté tous les sapins du bas de la ville pis des parcs de Montréal. Pis l'hiver prochain, je vas les louer aux sans-abri. Comme ça, ils vont avoir une adresse fixe, un numéro de porte qu'on va sculpter dans l'écorce pis la gomme d'épinette, ils vont avoir droit au B.S., ils vont pouvoir me payer, pis tout le monde va être ben heureux. C'est ça, mon jeune citoyen, de l'orchestration! Mieux que ça encore, on va donner des concerts dans tous les parcs de la ville. Pis gratis christ! Y'a personne qui va me traiter de juif, moi, Jacob Péladeau, fils de personne pis père de Jacob junior...

L'homme entraînait son invité vers un grand salon. Il enveloppait ses reins et, sans en avoir l'air, palpait les fesses pour peut-être en tirer quelque chose aux fins de l'enquête que lui avait confiée Marat-Mouchard...

—Comme ça, t'es un ami de Parizeau-Dalton?...

—Non.

—Dis pas ça, tu me fais de la peine. Parizeau-Dalton, c'est mon meilleur ami. Pis les amis de mes meilleurs amis deviennent vite mes amis...

—Je l'ai vu mais il m'a pas cru lui non plus.

—Cru quoi?

—Que je sais l'avenir du Québec jusqu'à la mort de Robert-Pierre...

—Robert-Pierre? Y'est pas tuable. On lui coupe la tête pis la première nouvelle qu'on sait, ben elle repousse... Quens, assis-toi là... Je gage que tu prendrais quelque chose de bon à boire. J'ai de l'eau... Du choix... De l'eau de Sainte-Marguerite, de l'eau de Saint-Jovite, de l'eau de Saint-Hippolyte, de l'eau de par icitte pis de l'eau qui donne le va-vite. Celle-là, elle déconstipe quand tu viens d'entendre parler le maire Doré...

Le maire Doré: voilà qui éveillait quelque chose en François mais il dut se reprendre d'attention pour le petit personnage en bermudas qui gesticulait comme un singe capucin.

—Ça me prend toutes sortes d'eau pour mon arthrite. Parce que je fais de l'arthrite dans la 'bitte'... Quand je suis sur le bord de venir, ça se met à chauffer pis ça chauffe en christ! Moi, sur le 'high' ça me prend de la peau trois fois par semaine, le matin, cinq minutes après déjeuner. Réglé comme une horloge! Pour faire de l'orchestration, c'est ça qu'il faut. Pis pour trouver que la vie a du bon sens, ça prend ça! Toué, t'es-tu réglé pour fonctionner en société? Comme ça, c'est Robert-Pierre qui t'a envoyé à Marat-Mouchard pour lui tirer les vers du nez?!...

—Non, non, non, non, fit François, impatient. Je veux empêcher du sang, du sang et encore du sang de couler dans les rues du Québec.

—Ah! c'est pas sans mérite!

—La Révolution va coûter des vies, des vies et encore des vies.

—Ma tête sera coupée?

—Non, non, pas la vôtre. Ben, je le sais pas. Y'a eu des Jacobins dans la vraie Révolution mais pas de Jacob Péladeau. D'abord, vous êtes même pas Jacob Péladeau, vous êtes Pierre Péladeau. Et votre bébé, c'est L'Ami du Québec... non, pas votre bébé, oui votre bébé mais pas le vrai, là, votre bébé, c'est donc pas L'Ami du Québec, mais le Journal du Québec... ou peut-être de Montréal... Vous êtes même pas un chef d'orchestre, vous êtes un homme d'affaires...

—Toué, je te vois venir avec tes gros sabots: tu veux me faire le tour de la tête pour obtenir un concert gratis, pis c'est pour ça que tu me chantes une chanson...

—Et votre entreprise, c'est Quebecor...

Jacob mit son bras en travers devant ses yeux et fit un geste de répulsion de sa main gauche ouverte en disant:

—Tais-toi, malheureux! Arrière! Et pis arrié! Tu sais donc pas que Quebecor, c'est un lutteur de la WWF qui est mort noyé l'année passée? Il a voulu assassiner le géant Maxwell en le jetant par-dessus bord de son yacht où il s'était fait inviter mais c'est lui qui a basculé. Le bon géant Maxwell en a été si bouleversé qu'il est venu s'établir au Québec grâce à l'aide du premier citoyen Robert-Pierre. Il s'est même donné un nouveau nom pour que personne soye capable de le reconnaître...

—Lequel?

—Approche... c'est un secret.

François se leva et s'approcha. Tendit l'oreille.

—J'écoute.

—Ma-len-fant!

François accusa le coup sans moufter. Aucune de ses rencontres n'avait été aussi bric-à-brac que celle-là avec pourtant un chef d'orchestre réglé comme du papier à musique. Les distorsions de l'histoire se multipliaient et tout ça lui donnait le vertige, et il s'enfonçait chaque minute plus profondément dans l'abîme insondable de l'incongruité.

Mieux valait s'éloigner de ce Jacobin tourbillonnant s'il ne voulait pas sombrer à nouveau dans la folie la plus totale et devoir se faire interner à nouveau...

—Tant qu'à pouvoir te parler à l'oreille, fit Péladeau, j'aurais un conseil secret à te donner.

—J'écoute, soupira François.

—Va donc voir un psychiatre!

François secoua la tête. L'autre reprit:

—Y'a pas de honte à ça! Moi, je vois le mien à chaque semaine. Je vas te donner une lettre signée pour une consultation. Gratis christ! Tu pourras pas me traiter de juif... En attendant, je vas te donner du lithium avec ton eau de St-Hippolyte...

—Je voulais de la Saint-Jovite...

—Parle-moi de ça, quelqu'un qui sait ce qu'il veut!

Chapitre 10

Cette visite en laquelle il avait misé le plus d'espoir depuis le début de sa tournée du désespoir, s'avérait hélas! la plus décevante.

Las, François reprit la route. Il eut un 'pouce' pour Montréal en ligne. Un couple en perpétuelle engueulade et qui l'ignora tout à fait. Ou bien voulait-on se livrer à un quelconque exhibitionnisme sentimental, chacun voulant s'assurer d'avoir de son côté un témoin étranger donc impartial par définition.

Ça lui donna le temps de réfléchir. Tout n'avait pas été abracadabrant chez Péladeau. Mais qu'est-ce donc qui ne l'avait pas été?

La réponse lui sauta en pleine face quand pour la première fois, sur les hauteurs des Basses-Laurentides, il lui fut donné d'apercevoir le mât du stade olympique...

La clef de toute cette énigme, de ces énigmes à vrai dire, la porte lui permettant de s'échapper enfin de ce labyrinthe impossible, ce n'était pas Mitsou comme il l'avait déjà cru à l'asile, ce n'était pas Gros-Louis ou Lapierre, Péladeau ou Robert-Pierre, la clef, c'était tout simplement le maire Doré de Montréal.

Quand Péladeau avait mentionné ce nom plus tôt, une lumière s'était allumée dans l'esprit du chercheur de passé et prédicateur de l'avenir. Mais à cause de toute cette excitation brassée par l'homme-orchestre... ou chef d'affaires... enfin du bonhomme de musique et de sous, il avait alors été rejeté dans l'obscurité.

Doré, en effet, apparaissait comme le seul homme public québécois pas tout croche... Le seul qui porte son vrai nom comme dans ses souvenirs historiques. Le seul donc qu'on ne puisse pas associer à un personnage de la Révolution française.

Pour en être sûr, il repassa trois fois en revue la liste des stars de la grande Sanglante sans jamais trouver quiconque qui 'fitte' avec Doré.

C'est en rencontrant la vérité qu'il pourrait réintégrer la réalité. Une seule vérité serait la porte dans le mur du rêve. Et Doré était cette vérité. Doré était sa première vérité rencontrée depuis son réveil dans cette maudite bibliothèque trois ans auparavant.

Alors, l'espace de deux milles, il multiplia les questions sur le maire de Montréal. Des réponses avaient de quoi jeter à terre tous ses espoirs, mais grâce au lithium de Péladeau, il tint bon et haut, et une structure mentale, solide comme le stade, s'échafauda en sa pauvre tête.

Doré avait installé ses bureaux tout en haut du mât. Rien d'absurde en ça au fond puisque, avait-il expliqué publiquement, c'est de là qu'il pouvait le mieux suivre l'évolution de tous les problèmes de sa ville. Et puis, mégalomane tout comme son prédécesseur-bâtisseur, il pouvait rêver tout à loisir de faire une mégalopole de ce mégalo-trou de beigne... D'autre part, étant le maire touchant le salaire le plus élevé au pays, quoi de plus normal qu'il occupât aussi le bureau le plus élevé?

Mais surtout, le maire et ses adjoints-fonctionnaires pouvaient tout à loisir assister aux parties de base-ball depuis leur bureau sans avoir à se déplacer. Aussi aux parties de hockey quand les Canadieux n'étaient pas en grève comme en ce moment même. Car le forum avait été transformé en HLTB (habitations à loyer très bas) et l'équipe avait pris logement au stade.

Une firme québécoise avait résolu tous les problèmes du stade grâce à un procédé fort ingénieux appelé à se répandre dans le monde entier, et démontrant une fois de plus qu'on avait raison de célébrer en gloire le know-how québécois dans de ces pow-wow de Tombouctou à Kalamazoo.

Plutôt d'essayer en vain de réparer la chose en cousant la toile et en 'patchant' le ciment tombant avec d'autre ciment, on avait pensé faire tout bonnement le contraire: 'patcher' la toile avec du ciment et coudre le ciment tombant avec du gros fil gris. Et ç'avait marché. Comme l'oeuf de Colomb, suffisait d'y penser. Et pour y penser, faut réfléchir, ce que les Québécois peuvent faire en abondance quand ils ne sont pas à une partie de quelque chose ou devant leur téléviseur.

Pour garantir à l'ensemble une sécurité totale aux yeux de la planète entière, on l'avait rebaptisé sous le nom de stade Québec lors d'une cérémonie à l'occasion de la réunion du G-8, lequel comptait un membre de plus que le vieux G-7, soit, il va de soi, le Québec.

C'est ainsi, apprit François, que la voix du citoyen Robert-Pierre avait une portée mondiale et qu'au fond, puisque Robert-Pierre était hautement et solidement conseillé par Croûton-Béland, lequel était à son tour fortement conseillé par son porteur Desjardins, lequel entretenait des relations avec une foule de mini-Québécois, on pouvait dire que désormais, c'était le plus petit Québécois, le gagne-pas-grand-chose, le simple admirateur de Jean-Cul Migraine, le badaud nono preneur de Reér et même le super Cotonné à cheval sur le B.S. et l'assurance-chômage, qui menait le monde.

Voilà pourquoi dans toutes les chaumières du pays de Vigneault, le soir à la brunante, on s'agenouillait, non pour s'humilier comme autrefois, mais pour se sentir **fier** et pour rendre hommage à saint Mirabeau-Lévesque, ce Lénine québécois, ce Washington de la Laurentie, ce Bolivar de la belle république, ce Jean-de-Brébeuf dont les vilains Mohawks n'avaient jamais pu bouffer ni la langue ni le coeur, lui qui avait enclenché tout ça...

Puisque c'était dimanche et l'été, inutile de chercher à rencontrer le maire Doré qui n'était pas toujours à son bureau la semaine, l'hiver. François crut bon d'aller coucher à Saint-Eustache, cet ex-fief des fiers patriotes. Là, il pourrait peut-être renouer avec la vraie histoire car l'architecte du modèle révolutionnaire français, ce Taillibert du cauchemar n'avait sûrement pas étendu ses toiles d'araignée jusque dans la lointaine banlieue des villes.

Piété et patrie allant de pair, il se rendit à l'église. Les demi-trous des boulets anglais de 1837 étaient toujours là, bien encavés dans la façade de pierre. Mais sur la rue, ils étaient nombreux, les citoyens à porter la tuque et les bermudas d'étoffe du pays. Là aussi, vérité et illusion se côtoyaient... Mais était-ce bien de l'illusion?

Il se rendit ensuite au Centre sportif international. Partout le même sacré tableau: des citoyens patriotes promenaient leur fierté quand d'autres baladaient leur indifférence. Des joueurs de tennis portaient une calotte, d'autres l'ineffable tuque, d'autres enfin, ceux-là les plus nombreux, leur calvitie... parfois fleurdelisée.

On lui désigna le propriétaire du lieu somptueux, un multimillionnaire peu ordinaire... comme tous les multimillonnaires. François s'approcha mine de rien et engagea la conversation.

Il apprit que toutes les célébrités du Québec passaient par le Centre, notamment les politiciens qui venaient y faire un séjour annuel. Après tout, c'était le meilleur endroit pour apprendre à se renvoyer la balle.

Plusieurs salons luxueux de l'établissement étaient loués à des Clubs. Les Payettistes, un Club féministe dont les membres portaient toutes le voile à l'occasion. Les Feuilletés, gastronomes avertis à haute tendance fédéraliste. Les Jacobins, musiciens haut de gamme dont les 'tounes' faisaient chanter tout le pays, une association ultra puissante dont François connaissait maintenant fort bien le grand manitou. Les Brissotins désignés aussi sous le nom de Girondins. Et puis les Cotonnés, gens de la basse classe moyenne tout juste quelques dollars par mois au-dessus des B.S.: ceux-là, cependant, ne disposaient que d'une chambrette dans le bout des toilettes. Et subventionnée comme une maison d'édition!

Tournant la tête, François aperçut une vedette qu'il reconnut d'abord par sa casquette, puis par sa raquette en babiche. Il s'enquit néanmoins auprès de Mathers, le millionnaire, pour savoir de qui il s'agissait. Cela lui valut un regard de la plus totale incrédulité.

—C'est le poète Vigneault! Et justement vous voudrez m'excuser que j'aille le saluer.

—Fait-il partie d'un Club? demanda François avant que l'autre ne soit parti.

—Sûrement! C'est lui le président du Club des amis des Noirs et des Mohawks du secteur d'Oka. Sont en train de lui ériger un totem à Saint-Placide. En bouleau de la rivière Mingan.

—Son nom au complet, c'est bien Gilles Vigneault?

—Comment voulez-vous qu'il s'appelle?

—Sais pas, moi... Hiver peut-être.

—Qui c'est qui s'appellerait hiver?

—Un pays!

—Un pays, c'est pas un poète.

—Mais c'est pas un hiver non plus...

Confus devant de pareils discours biscornus non chiffrés et indéchiffrables, Mathers quitta cet étrange étranger venu d'il ne voulait pas savoir où...

Vigneault était-il une vérité par laquelle traverser pour regagner la réalité? De bonnes chances, se dit François qui attendit que le millionnaire du tennis en finisse avec le millionnaire du disque, et il se présenta à la table du plus grand nationaliste de la poésie des longs hivers québécois.

—Je m'appelle François Langlois. Vous voulez me chanter un chant du pays?

Beau joueur, Vigneault se leva sec comme un seul homme et s'élança sur l'air de la Marseillaise —qu'il ne pouvait pas connaître puisque la Révolution française n'avait jamais eu lieu—:

Mon cher François, c'est à ton tour
De te laisser parler d'amour.
Puis il fit une steppette en changeant de mélodie:
Si tu veux pas danser sur ma musique
J's'rai obligé de demander ta tête.

Le chercheur solitaire mangea dans son coin puis il se trouva une chambre dans un motel des environs. Le matin suivant, assez tôt, il alla prendre le train à Deux-Montagnes et rentra en ville où il descendit à la gare Centrale. Il déposa sa petite valise à la consigne. Un taxi haïtien le prit à son bord.

–Vous avez l'aiwr pewrdu, monsieur citwoyen...

–C'est pour moi la journée de la dernière chance.

–Ah! bon, mais c'est pas gwrave du tout, quand la dewrnièwre chance est passée on a wrien qu'à se laisser faiwr comme tout le monde, vous compwrenez...

–Mais moi, monsieur, si je ne trouve pas une vérité aujourd'hui, je deviendrai fou.

Le Noir s'esclaffa à voix pointue en battant le volant.

–Vous me faites wrire avec la véwrité... C'est facile, wregawrdez devant vous et vous la vewrrez... Awrrêtez de wregawrder en awrrière, à côté, en l'aiwr, en bas...

–Il y a quoi devant? Je vois une rue, des voitures, un autobus, des passants qui portent des tuques, des emblèmes du Québec: tout ce qu'il y a de plus banal... Mais ce n'est pas la vérité...

–Vous ne voyez donc wrien du tout, vous autwres les Québécois...wrien du tout, c'est effwrayant!

–Mon problème, c'est justement de regarder devant. S'il y a un Québécois qui regarde devant, c'est bien moi. Et loin devant...

–Je ne vous cwrois pas, parce que la véwrité elle est devant, c'est simple, elle est devant. Tout le monde le dit: il faut savwoir wregawrder la véwrité **en face**... Donc elle est devant puisqu'elle est en face! Ça tombe sous le sens, non? Ha!

"Mon Chwrist de nègre, tu veux wrire de moi!" pensa François.

Mais il dit, le ton poli:

–Quel est ton nom, citoyen?

–Jean-Baptiste Baptiste. C'est pouwr ça que je me suis vite adapté icitte, au Québec... Vous compwrenez, avec un nom pawreil...

–Tu aimes ça, un pays où les gens se conduisent comme des enfants de nanane, où ils ne s'appartiennent

130

plus, se font dépersonnaliser par les médias et les politiciens, et vont se faire mener à la mort?

—Ne vous moquez pas d'Haïti, là, vous, sinon je ne vous pawrle plus qu'en cwréole...

—Je parle du Québec, pas d'Haïti...

—Vous savez, quand on vit à Montwréal, alowrs Québec, Haïti, ça se wressemble beaucoup, hé...

Cette conversation oiseuse se poursuivit jusqu'au stade Québec. François voulut payer en lévécus car il s'en était procuré depuis qu'il avait appris leur existence et leur utilisation parallèle avec le vieux dollar royaliste canadien, mais le chauffeur protesta:

—C'est pas que je suis pas un bon citoyen, citoyen, mais comme tu sais, citoyen, les lévécus ne sont acceptés que dans les Caisses populaiwres... à condition qu'on pwrennent des wouiwr..

—Là, tu parles en créole, citoyen.

—Je ne pawrle pas en cwréole...

—C'est quoi, des wouiwr?...

—Des wouiwr, tu sais, des petits papiers qui pewrdent de la valeuwr en pouvoiwr d'achat chaque année mais qui ont l'aiwr d'augmenter de valeuwr...

—Ah! des REER, je comprends...

François dut payer en argent et garder ses lévécus qu'on appelait aussi des assignats.

En relevant la tête, il aperçut la place des drapeaux. Tous les mâts portaient deux fanions: en haut, celui du pays désigné et un peu plus bas, celui du Québec. Ainsi, apprit-il, en questionnant un jeune badaud 'tuqué', on montrait l'ouverture de la nouvelle république aux autres pays du monde et ses liens étroits, ses influences, son rayonnement mondial.

Comment être reçu par le maire Doré qui représentait la vérité, qui donc était le couloir vers la vraie vie, vers la réalité, vers la bonne vieille terre québécoise d'avant la folie des grandeurs, vers le romantique et authentique béton de Montréal?...

A bord du funiculaire, il n'y avait que deux passagers soit lui-même et un personnage à tête blanche mais au visage plutôt bien conservé. Une gueule familière qui gratouillait les mémoires de François. Il avait son nom sur le bout de la langue... Pour savoir, autant parler. C'est à se parler qu'on se comprend, disaient tous ceux cherchant à faire comprendre leurs points de vue et à les imposer...

Il entama donc par un sourire et un soupir:

—Je voudrais rencontrer le maire, mais je n'ai pas de rendez-vous... J'ai bien peur de me faire opposer une fin de non-recevoir...

—Mais pas du tout!... Vous savez, le maire est si peu populaire que vous serez le tout premier à vouloir le rencontrer cette année. Il va donc vous recevoir à bras ouverts. Ah! faut bien dire que son impopularité est en proportion de la minceur des budgets... Hélas! les budgets sont sautés en l'air, ou tombés à terre, ou les deux si vous voulez... Si c'est pour de l'argent: nenni! Il en reste à peine pour payer son salaire... et le mien...

—Et le vôtre?

—Je suis adjoint au maire...

—Me semblait que je vous connaissais...

—Tout le Québec me connaît, y compris Montréal depuis que j'occupe ce poste.

François plissa les lèvres:

—Y'a juste votre nom qui m'échappe...

—Proulx, Jacques Proulx.

—Mais... mais vous étiez le président de l'Union des producteurs agricoles?

—En effet! Mais quand l'érosion s'est emparé de la ville de Montréal, le maire m'a appelé à son service.

François fronça les sourcils. Était-ce logique tout ça? Dans ses trois ans d'internement, il n'avait lu à peu près que le Soleil. Or, ce journal parlait peu de Montréal. Au moins Jacques Proulx s'appelait-il encore Jacques Proulx tout comme Jean Doré s'appelait encore Jean Doré...

—Vous êtes chanceux de me croiser dans le funiculaire parce que d'habitude, je voyage toujours en hélico. De Saint-Camille à Montréal tous les beaux jours, soir et matin, aller-retour...

—Ainsi, vous vous occupez de problèmes d'érosion?...

—Par là, j'ai voulu dire: érosion économique. Mais je m'occupe aussi de pollution par les engrais chimiques...

132

je veux dire les produits chimiques répandus dans l'air... Et je m'occupe des parcs...

François coupa pour sonder la vérité:

—Par hasard, vous auriez pas vendu des sapins au citoyen Jacob Péladeau... qui va les louer aux sans-abri?

—J'ignore ce que vous voulez dire. Vous avez l'air d'un étranger; pourtant, y'a de quoi de plutôt québécois en vous. Disons que vous donnez l'impression d'un gars de Wickham et pas du tout de la rue Notre-Dame...

François enchérit:

—Plus l'air d'un gars de Pohénégamook que de la rue Sherbrooke?

—Effectivement!

Le même accent, se dit François. Un T qui 'tchire' un peu à hue et un 'ment' dit en 'main'...

—C'est que je suis de Pohénégamook.

On s'échangea une poignée de mains.

—Entre **'pures-laines'**, on se comprend...

—Je ne vous ai pas entendu prononcer le mot citoyen une seule fois.

—Mais, monsieur Langlois, un citoyen du monde a pas besoin de ça...

—Pure-laine?...

—Canayen et citoyen du monde: ça, c'est Proulx...

Décidément François s'en allait vers une vérité. L'autre poursuivit:

—Suis un pont aérien entre la campagne riante et la ville criante. Grâce à moi, comme l'a toujours souhaité le maire Doré, le reste du Québec se solidarise avec sa métropole. Même qu'on étudie le projet de futures élections municipales où le maire de Montréal serait élu par le peuple du Québec de l'extérieur de la ville et non plus par les Montréalais qui sont, comme vous le savez, des Noirs, des Juifs, des Italiens, des Anglos, des Grecs, des dépanneurs, des voleurs de dépanneurs, des drogués, des vendeurs de drogue, des étudiants, des décrocheurs, des artistes, des B.S., des artistes B.S., des polices et des obsédés de la fleur de lys. Sans compter les psy et les avocats...

—Ça serait pas bête: des agriculteurs qui éliraient le maire Doré... ou le maire Proulx...

—Ah non! Moi, j'ai pas du tout l'ambition de diriger la ville.

François testa plus avant:

—Le stade Québec, c'est toute une gloire nationale... La fierté de tout un peuple...

—Pour moi, c'est le stade olympique...

On arrivait. On quitta la cage. On marcha jusqu'à la porte du bureau du maire.

—Quand je lui dirai qu'un 'pure-laine' veut le voir, il va ouvrir les portes aussi large que ça... Avant d'entrer, je vous donne ma carte...

Elle était à deux volets et il la retint un moment en l'air pour avertir:

—Mais je vous conseille de ne pas lire le message qui se trouve là, à l'intérieur. Pas maintenant! Pourquoi? Attendez d'avoir un coup dur, un gros creux dans votre vie et là, vous y trouverez un message de réconfort. Quand on cale au fond de l'eau, des fois, ça prend rien qu'un petit remontant pour s'en sortir...

—Une sorte de pilule à ressort...

—Effectivement! Mais sans aucun effet secondaire... Attendez un moment ici...

François mit la carte dans la douzaine qu'il possédait déjà et resta à côté de la porte tandis que l'autre entrait.

De là, on pouvait entendre La Polonaise de Chopin interprétée au piano par des doigts fort talentueux... Proulx ne fut pas long et revint chercher le visiteur.

François faillit tomber en bas de ses jambes. Il entrait dans tout un monde. Le bureau occupait un espace dont il ne voyait pas les limites. En fait, c'était un jardin rempli de plantes vertes, de fleurs multicolores, de meubles blancs étincelants. Des escaliers partout, des miroirs et des projecteurs: tout avait été pensé pour donner l'impression de la vastitude écologique... Un jardin intérieur, un territoire, un pays...

Proulx croisa ses lèvres à la verticale avec un index avertisseur disant silencieusement: silence!

On s'approchait du maire dont les mains éclatantes faisaient jaillir de l'instrument magnifique des volutes de notes qui s'égrenaient en chapelet et remplissaient les environs à l'écoute religieuse...

Il aperçut les arrivants dans sa vision périphérique mais ne s'arrêta qu'à la fin de la pièce. Et alors, il se tourna et s'élança dans un concert d'explications:

—Vous savez, mon prédécesseur n'avait toujours qu'une bonne raison pour agir, tandis que moi, je n'en ai jamais moins de trois. Vous vous demandez ce que je fais à ce piano en plein lundi matin? Voici... D'abord, c'est pour aider les fleurs et les plantes à s'épanouir. Secundo, c'est pour exercer ma créativité. Si tu ne veux pas être négatif, sois créatif. Donc pour commencer la semaine du bon pied, je pianote... Et tertio, ce piano qui a coûté les yeux de la tête aux payeurs de taxes doit être utilisé...

Si pour François tout cela paraissait extravagant, donc loin de la vérité qu'il cherchait, par contre, cela se mariait fort bien avec la mentalité du maire Doré de ses vieilles mémoires.

Devait-il parler de tout ce qui ne tournait pas rond au Québec, ce Robert-Pierre, ce Parizeau-Dalton, ce Marat-Mouchard... S'il était revenu à la réalité, on le prendrait pour un fou à faire interner. Car un homme équilibré dans un monde malade ne saurait être considéré que comme le pire des déséquilibrés, et vice-versa...

—Eh bien, qu'est-ce qui me vaut le grand honneur de la visite rare d'un 'pure-laine' comme dit de lui-même mon adjoint...

—Je cherche... à éclairer ma lanterne...

—Comme Diogène?... Sans vouloir me vanter, j'ai éclairé la lanterne du monde entier récemment à Rio...

Encore la vérité! se dit François qui se souvenait avoir lu dans les derniers jours de son internement à l'asile d'aliénés que le maire Doré s'était livré à une prestation remarquable au Sommet de la terre de Rio...

—Mais je dois avouer que ça n'a pas augmenté ma popularité ici, à Montréal. Cet aveu prouve que ma fierté n'est pas orgueilleuse...

Il pianota trois secondes et ajouta:

—Demandez tout ce que vous voulez: si je puis répondre, je le ferai. J'ai tout mon temps...

—À quoi sert l'Hôtel de ville de Montréal?...

—À ce qu'il a toujours servi sauf que mes bureaux ont été transportés ici pour trois raisons...

—Moi, je les connais.

—Et le fédéralisme?

—Je n'étais pas fédéraliste comme vous le savez très sûrement, mais je le suis devenu... Devenu du moins, officiellement. Au fond, c'est une stratégie: me faire voir fédéraliste alors que je suis au faîte de l'impopularité, c'est nuire au fédéralisme... On fait de la politique ou on n'en fait pas...

François n'osait toujours pas leur parler de tous ces personnages incongrus, ce Louis Capeté et sa Mitsou-Antoinette. Quand on est si près de la vérité, on ne veut pas risquer de passer à côté en la provoquant, en la défiant de s'établir, de se mettre en face comme l'eût dit ce nègre d'en-bas dans sa naïveté d'Haïtien...

—Et à quoi occupez-vous votre été?

—Ah! mon cher monsieur, c'est chargé, chargé... Tout mon temps passe à la signature d'une pétition... pour faire contrepoids à une pétition des écolos purs et durs qui veulent faire disparaître la course de Formule 1 du circuit Gilles-Villeneuve...

—Mais, monsieur Proulx? questionna François sans finir sa phrase...

—Cher monsieur, énonça l'adjoint au maire, il y a environnement mais il y a développement. Les courses existent depuis que le monde existe. Humains, chevaux, chiens, voitures, avions... La course, c'est la condition humaine!

Le maire soupira:

—Mais ça me vaut le ridicule de mes commettants. Les écolos m'ont surnommé **"Pétition-Villeneuve"**... Et après!... Bien faire et laisser braire!

Il y avait quelque chose d'inquiétant dans cela mais François passa outre. On parla de ci, de ça et une paix se glissa doucement dans l'âme du chercheur de vérité. Le déclic avait dû se faire à son insu. La réalité revenait peu à peu à l'endroit.

Il se sentait très bien quand il partit. Seul dans le funiculaire, il pensa pour la première fois depuis un bail à la belle Manon et à leur fils Simon. Maintenant qu'il avait retrouvé tout son mental, il pourrait regagner Pohénégamook et reprendre l'enseignement... Montrer aux jeunes l'amour de la patrie et non pas la passion du Québec...

En bas, il ne verrait plus qu'une quantité raisonnable de fleurdelisés, comme au temps jadis avant cette cristallisation de la pensée québécoise, comme au temps des valeurs humaines, de l'affirmation individuelle fondée sur soi-même et non sur le clan...

Quand il déboucha sur la rue, son premier regard fut pour la place des drapeaux. Rien n'avait changé. Tout était comme à son arrivée une heure plus tôt. François se mit à grimacer et à pleurnicher. Ça n'avait pas de sens, pas de sens du tout... Mais il se reprit en mains un moment et, assis sur un banc de pierre, il repassa en sa tête les noms des stars de la Révolution française. Alors une affreuse distorsion s'abattit sur sa tête comme le couperet de la guillotine...

Le maire de Paris au même mois en 1792 s'appelait Pétion de Villeneuve. Et il s'était suicidé en 1793 pour éviter la guillotine. Or, voilà que l'on surnommait le maire Doré Pétition-Villeneuve. Et pourquoi cette notion lui revenait-elle seulement maintenant? S'il avait eu cette connaissance, il aurait su la veille, le matin, que Doré n'était pas la vérité qu'il cherchait. Et puis un homme ordinaire ayant étudié la Révolution à l'école il y a quinze ans ne se souvient que des seules superstars de l'époque, pas du tout de gens comme ce Pétion de Villeneuve, songeait-il en rageant.

Tout près, un homme regardait vers le haut du mât. Puis il s'adressa à François:

—Le bureau du maire, citoyen, c'est bien là-haut? Je m'appelle Tony l'Apache. Je veux lui proposer une devise. Avec trois raisons pour l'adopter et qui sont les trois éléments même de la devise...

—Dites, je m'en sacre...

L'homme écarquilla les yeux. Enfin un loustic pour l'entendre:

—Liberté. Égalité. Fraternité. Qu'est-ce que vous en dites?

—Va donc te faire enculer!

François eût voulu crier sa rage, la hurler pour qu'elle atteigne le bout du mât et du monde. Il venait sans doute de rater la vérité, de passer à côté alors qu'il l'avait en face en la personne de Jacques Proulx, le seul, le vrai, l'homme de la terre, l'agriculteur, l'homme des champs et des sources...

Il devait lire sa carte. Le moment creux était déjà venu. Il la trouva, l'ouvrit et avant de lire, regarda là-haut. Alors il eut souvenance d'un autre personnage oublié de la grande Sanglante, l'abbé Jacques Roux, prêtre des sans-culottes, chef des enragés qui avait cherché à dresser le pays réel contre le pays légal, qui avait prêché que la terre appartenait à tous également et qui pour éviter la guillotine après sa condamnation par le Tribunal révolutionnaire, s'était suicidé par le poignard.

François baissa la tête, lut le message signé:

"Citoyen, ne te demande pas ce que ton pays peut faire pour toi, demande-toi ce que tu peux faire pour ton pays!" Jacques Proulx, prêtre...

—Jériboire aratoire! mâchouilla-t-il.

Il leva le poing au ciel et cria à pleins poumons:

—Vous allez mourir, vous allez mourir. Vous n'êtes que deux suicidés en sursis!...

La rage monta, monta si haut qu'elle éclata dans un immense hurlement issu de toutes ses cellules et qui s'éleva au bout du mât et du monde comme en écho:

—Mangez de la marde!

Tout comme le lithium de Péladeau, ce large cri de décompression l'empêcha de sombrer. N'était-ce point là le plus vieux remède de la pharmacopée psychologique québécoise?

Au même moment, un coup de vent fit s'agiter tous les drapeaux fleurdelisés... comme s'ils avaient battu du tissu...

Chapitre 11

François demeura longtemps prostré sous le champ des drapeaux tapageurs. Non, il ne sortirait jamais de ce cauchemar interminable. Oui, il était prisonnier.

Enfermé par une main invisible qui lui dispensait l'espoir puis, la minute d'après, le précipitait dans le gouffre le plus noir. C'était cela que devaient ressentir les prisonniers du froid couloir de la mort aux États-Unis quand on leur dispensait à répétition de nouveaux sursis, mais rien que des sursis, la condamnation demeurant irrémédiable. Mort électrifiée terrifiante!

Peut-être que ce Noir qu'il avait méprisé ce jour-là, ce Noir heureux dans sa petite vie vaine et vide, possédait, lui, la bonne solution, la philosophie adéquate: laisser faire. Se laisser aller sans chercher à fabriquer la vie. Laisser la vie vous fabriquer. Quand cette main maudite saurait sa démission, elle cesserait de jouer avec lui au chat et à la souris. Ne disposait-il pas d'un capital de souffrances suffisant pour en tirer quelques intérêts sous forme d'un certain bonheur?

Mais l'idéal? Mais le devoir? Comment parvenir à leur échapper, à ces deux-là?

Se taire et faire l'autruche? Ou bien se taire et se cacher derrière des artifices: la drogue, le rire forcé, la consommation outrancière, l'alcool, la bouffe, les choses matérielles, les folies sexuelles? Se noyer d'études, de culture? Discuter, intellectualiser, ratiociner, militer, prêcher? Fréquenter l'université? Foncer tête première dans cette maudite Révolution? Prôner la révolte, la zizanie, la haine, l'orgueil? Jouer le jeu sans en être le jouet?

Il y a ceux qui exercent le pouvoir: les dirigeants.

Il y a ceux qui livrent leur pouvoir: les commettants.

Alors quoi donc, sauver les commettants malgré eux? Sauver les dirigeants malgré eux? Qui donc demandait à être sauvé? Celui qui accomplit son devoir n'est-il donc qu'un prétentieux vaniteux?

L'homme ne vient pas au monde avec des ailes et pourtant, il a appris à voler à l'aide d'appareils issus de sa créativité et réalisés grâce à sa volonté de changer les choses. Si la créativité ne servait à rien, pourquoi diable Dieu l'aurait-il donnée à l'homme?

Le mieux serait d'errer un temps. Se louer une petite chambre et aller de par les citoyens, de par les rues, de par les quartiers. Voir. Entendre. Attendre. Quand ses annonces de l'avenir se réaliseraient, on verrait bien, on verrait... Non, on ne verrait que quand les prophéties baigneraient dans le sang... les têtes tombées aux yeux révulsés...

Mais Robert-Pierre qui rencontrait des centaines de citoyens chaque semaine se souviendrait-il? Et Parizeau-Dalton? Que saurait-on retenir de ceux-là que l'on côtoie dans les bars sinon une MTS? Marat-Mouchard, Brissot, Péladeau: si proches du peuple et si loin des individus!

Il avait un bon mille de parcouru dans ses profondes réflexions quand il en sortit et aperçut pour la première fois depuis son arrivée à Montréal les horreurs de la ville.

Les allants venaient et les venants allaient. Errant! Comme lui. En hardes. En hordes. En désordre. Des indigents, des mendiants qui se croisaient en se suppliant, en se bousculant. Pollués, désorganisés, effarés, la plupart enfermés dans des tonneaux à lanternes, comme Diogène... ils cherchaient l'humanité, ils pénétraient dans tous les immeubles pour y quérir leur âme morte, tout comme lui, l'éternel perdant, monstre invisible de Pohénégamook, poursuivait éperdument la réalité en fuite constante.

La faune du jour était pourtant réglée comme une horloge, mécanisée jusques aux pas, bétonnée coeur et esprit. Ce que François ne pouvait voir. Elle fonctionnait, lui pas! Il aurait dû voir. Il ne voyait jamais!

La faune de la nuit possédait meilleure apparence, ainsi voilée par la demi-obscurité et tous ces reflets-néons qui habillent les prostituées d'une livrée funeste et irrésistible, qui drapent les enfants de l'ombre d'ombres inquiétantes aux charmes pervers, qui enveloppent les sans-abri de manteaux en sursis aux espoirs effilochés.

Il la fréquenta, cette plèbe, plaie de la cité, les nuits violées qui se succédèrent les unes aux autres telles des idées fausses et ricaneuses à dents jaunes.

Pour se protéger du jour, François, l'oeil sombre, avait trouvé un abri: la nuit des douteux et des goutteux dégoûtants. Quand l'aube menaçante entreprenait de détailler les buildings sur les fonds roses d'un ciel splénétique, il rentrait dans sa chambrette en frôlant les murs comme une chauve-souris fatiguée et repue, au vol lourd, traînant, télécommandé. Et il couchait la tête au pied du lit...

Parmi les rôdeurs de la nuit, il y avait les Sans-Cheveux qu'il finit par associer aux sans-culottes de la grande Sanglante. Loin d'être chauves, ceux-là et celles-là, se rasaient ras, ne gardant çà et là que des touffes décoratives colorées; ils considéraient les cheveux comme un symbole de l'absolutisme d'Ottawa. Quand seraient déclenchés les massacres de septembre dans quelques semaines, ces enragés commettraient des centaines de meurtres et leurs actes auraient une influence déterminante sur la suite des événements. Sans eux et cette première Terreur, la grande Terreur ne viendrait jamais, celle qui coûterait des dizaines de milliers de têtes dans tout le Québec...

Un après-midi, François fut sorti de force de son sommeil. Sous sa fenêtre d'une rue secondaire passait ce qu'il croyait être une parade bruyante.

Il tira la tenture et se mit le nez dans la vitre. Aussitôt, des poignards lui plongèrent dans les yeux: embusqué, le soleil dardait juste là. C'était le six août, peut-être commémorait-on là un affreux anniversaire, celui du premier bombardement atomique de l'histoire. Et le soleil s'était-il mis de la partie pour donner une meilleure leçon aux hommes. Il tendit l'oreille. Ce n'était pas de la musique japonaise mais un tintamarre québécois. Et puis, pourquoi devrait-on accompagner une telle manifestation de musique japonaise?

Il modifia l'angle de son regard et put commencer à comprendre. C'étaient les joueurs du club de hockey Canadieux qui défilaient non pas pour célébrer un triomphe quelconque mais pour souligner leur grève. Une marche de protestation par un groupe de grévistes du sport professionnel soutenus et acclamés par le grand public, par la faune du jour à laquelle s'ajoutait aussi quelques résidus de la nuit.

Ça se discutait chez les sans-abri depuis quelques jours et François qui les fréquentait en savait plus long sur la question. Les Canadieux avaient trois raisons de faire la grève. D'abord, ils étaient sous-payés: à peine $300,000. en moyenne dans une ligue où la moyenne générale se situait aux environs de $380,000. par an Pareille injustice flagrante leur valait l'appui massif de la population. Deuxièmement, les subventions d'Ottawa qui servaient à payer leurs salaires se faisaient attendre depuis la proclamation de la République du Québec. Cela décuplait le désir de tous les fleurdelisés, des Girondins, des Sans-Cheveux et des citoyens bien-pensants de trancher brutalement le lien qui reliait encore le Québec avec les royalistes d'Ottawa. Et troisièmement, on voulait obliger la direction du Canadieux à utiliser des femmes non seulement dans les buts mais aussi comme attaquantes. Mais en guise de compensation pour leur physique moins adapté, elles auraient droit à un aérosol dont elles pourraient se servir pour aveugler les adversaires. Une bombette que l'on fixerait à l'intérieur d'un de leurs gants. Ainsi, on aurait droit à du vrai hockey mixte beaucoup moins violent et bien plus spectaculaire.

Le gros Savard, directeur de l'équipe des Canadieux, fédé à tout crin, croche comme son nez, refusait toute concession à ses joueurs. Vidée d'une bonne part de ses industries et sièges sociaux ainsi que de son tourisme depuis l'avènement de la République, Montréal n'aurait aucun mal à se priver de sa principale source de revenu: le hockey. Elle était habituée à sa misère depuis l'arrivée au pouvoir du maire Doré et sa chère misère était devenue sa plus grande force.

Devant le cortège, sur ce qui ressemblait à un char allégorique de la Saint-Jean, la superstar du féminisme québécois en uniforme de gardienne de buts saluait ses admiratrices. C'était elle, en personne, la marquise de Lapayette, véritable héroïne, si forte et extraordinaire qu'elle poussait la magnanimité jusqu'à défendre un troupeau d'hommes contre d'autres hommes et leur exploitation. La seule chose qu'elle avait demandé en retour, et qu'on lui accorderait après une victoire gagnée d'avance, –à inscrire dans les statuts refondus de l'équipe– c'était une nouvelle appellation des Canadieux pour respecter la présence féminine au sein de l'équipe. En cela, on imiterait les syndicats des travailleurs et travailleuses du Québec, celui des enseignants et des enseignantes du Québec, des écrivains et des écrivaines du Québec, et on désignerait l'équipe sous le nom de

Les Canadieux et les Canadieuses...
du Québec...
Avec surnom très acceptable de
les Glorieux et les Glorieuses!

Au soir du neuf août, François promena sa lente névrose dans un secteur qui lui devenait plus familier chaque nuit.

Triste anniversaire que celui de ce jour! Nagasaki, trois jours après Hiroshima. En alignant ses pas las, il se demanda tout à coup si ces bombardements avaient bel et bien eu lieu ou si la main du Malin ne les avait pas aussi rayés de l'Histoire du monde ce jour du grand étouffement dans la bibliothèque... Étouffement ou peut-être simple somnolence dont il avait émergé poqué, à demi fou... Ou peut-être aux 4/5 fou dans un Québec aux 3/4 malade.

Il devait se renseigner là-dessus auprès des gens à vérité puisque les journaux lui semblaient tous devenus les miroirs de l'illusion et du reflet...

Il se rendit dans une ruelle abouchant au boulevard René-Lévesque, à cette rare artère ayant conservé son nom dans le secteur. La rue Sherbrooke en laquelle il croyait encore à son arrivée en ville était maintenant la rue Gerry-Boulet. Jean-Duceppe avait eu droit à la Van-Horne et Peel avait été rebaptisée la Paulo-Maheux, du nom d'un bon organisateur nationaliste brissotin de Rosemère mort durant la dernière parade de la Saint-Jean, de ce qu'on appelait 'la grande extase', un mal nouveau et inexplicable, semblable à l'hilarité contagieuse de certains villages africains. L'extase se produisait quand, porté par l'onde collective, un ardent Québécois rendu au boutte de toutte jetait le cri maximal de *Vive le Québec libre!* qui l'emportait dans la Jérusalem céleste.

Un comité de médecins nationalistes présidé par le docteur Lazure avait trouvé qu'il y avait sans doute là quelque chose d'existentiel, une sorte de pendant au cri primal, un couronnement probablement à une vie consacrée à la patrie. Mais beaucoup d'études étaient conduites sur la question... question qui intéressait particulièrement le groupe de Bourgault de l'université du Québec à Montréal...

Après avoir marché, marché, pensé, pensé, François retrouva un sans-abri dénommé Johnny surnommé Baloné. Une sorte de roi des clochards vivant dans le luxe: il mangeait deux fois par jour du saucisson de Bologne –d'où son surnom de Baloné– et buvait le reste du temps.

L'homme accueillit son visiteur du soir sous sa toile-toit, résidence éclairée grâce à un appareil-gadget de fabrication américaine dont le combustible était aussi comestible, buvable et auquel on pouvait donc s'abreuver pour se soûler à petit feu... Il se l'était procuré grâce à une nouvelle carte de crédit pour itinérants tout juste émise par une filiale appartenant conjointement à Jacob Péladeau et Croûton-Béland.

Une étude de l'université du Québec appuyée par un sondage Gelé-Léger avait démontré que les itinérants étaient devenus les Montréalais les moins endettés. Il fallait donc leur avancer des sommes si on voulait les brider comme le reste de la société. Le seul obstacle restait l'adresse et les revenus leur permettant de payer les mensualités; or, Péladeau, inspiré par une vieille miséreuse sale et capotée, l'avait surmonté en achetant tous les sapins disponibles à Montréal...

François avait loué une chambrette mais lui aussi, commençait à lorgner sérieusement du côté des sapins à loyer modique. Car point de crédit, point de salut!

—Viens t'asseoir! marmotta Johnny. Ma maison, ce n'est pas une maison, c'est l'amour.

François s'avança doucement puis il s'accroupit jusqu'à s'asseoir en bouddha face à son hôte ainsi assis, chacun occupant un entier carré de trottoir.

—Ta générosité m'émeut, citoyen.

—Laisse-moi la paix avec ton mot citoyen: ça m'agace un peu, soit dit sans vouloir t'offenser...

—C'est que c'est la mode, hein! Et on n'échappe pas à la mode...

—En arrière de la mode, c'est la saprée télévision... fit Johnny dont tout le visage et la manière d'être et de s'exprimer rappelaient quelqu'un sur qui François n'arrivait pas à mettre un nom; mais comment trouver le bon nom dans un univers en bascule?

François regarda autour. L'édifice contre lequel la résidence était collée possédait un encorbellement de bas étage pouvant servir de tablette solide...

—As-tu l'intention de te procurer un téléviseur avec ta carte de crédit?

—T'es fou, François Langlois: jamais de la vie! La télévision, c'est la mort. Vois-tu, ça fait vingt ans que j'ai pas regardé la télé... Pas une maudite fois!... Pourtant, la maudite, elle m'atteint malgré moi, m'esclavage, me dépersonnalise, me 'nationalise' de force... Cancer!

Exaltation de marginal, pensa François qui aussitôt questionna sur un autre sujet:

—Que faisais-tu avant?

—Je te l'ai dit hier: j'étais en affaires.

—Mais quelles affaires, ça, tu ne l'as pas dit.

Deux paires de jambes belles sur lesquelles les reflets dansants du gadget éclairant se posèrent, passèrent.

—Tu t'en offres une de temps en temps? fit Johnny avec un sourire complice sous sa barbe de trois jours.

Alors un éclair brilla dans la tête du chercheur de vérité: Johnny lui rappelait tout bonnement Gainsbourg. Même émaciation, même manière de parler...

—Il me semblait itou que tu me rappelais quelqu'un...

—T'as pas répondu à ma question.

—Toi non plus...

—C'est quoi, ta question?

—Quelles affaires? C'est quoi la tienne?

—Les petites mères?...

—Suis fidèle...

—À qui?

—À ma femme, la belle Manon du sieur Perron de Pohénégamook...

—La fidélité, c'est comme l'alcool, ça tue les microbes.

—Et toi?

—Les filles? Je connais pas beaucoup... J'ai cinquante ans... Quand on est jeune, la libido entraîne la pollution nocturne, mais rendu à mon âge, la pollution nocturne te magane la libido...

Johnny proposa un coup de liquide à lampe à son visiteur qui refusa sous prétexte de ne pas finir la nuit éméché. Lui-même se servit à même le contenant. Le feu baissa puis se remit à danser.

—Les affaires, c'était quoi déjà?

Johnny n'aimait guère parler du temps de son internement dans la bonne société. Mais parfois, cela lui permettait d'apprécier sa liberté. Il dit:

—Restauration...

—Ah!?

—Un restaurant pas loin...

—Ah!?

—La Vieille Porcherie du Vieux-Montréal...

—Bonne réputation... j'ai déjà entendu parler...

146

–Un restaurant diététique pour ainsi parler... Ceux qui venaient mangeaient tant qu'ils voulaient et s'ils venaient régulièrement, ils maigrissaient à vue d'oeil. J'ai fait de la pub là-dessus et on m'a poursuivi... Mais on m'a acquitté... Pas plus coupable que les Mohawks.

–Ça marchait?

–Au boutte, mon cher ami! Même les morts venaient manger chez nous. Henry Fonda, Lino Ventura sont venus longtemps après avoir été incinérés. Des fois, ils sortaient du four à pain, d'autres fois de sous la broche à méchoui... Ah oui, une réputation internationale, ça, mon ami, oui! Pis le monde qui venait rencontrer les vieux fantômes en vedette, ben ces gens-là devenaient l'ombre d'eux-mêmes que ça prenait pas goût de tinette... C'est les gens qui vendent des maudites diètes en poudre qui m'ont dénoncé... J'ai même été accusé de conspiration contre le peuple... pour, prétendait-on, avoir voulu l'affamer...

–Ils mangeaient quoi, les fantômes?

–Du gâteau des anges, des flambées, des soufflés surtout. Des mets allégés.

–Comme ça, on a fait fermer le restaurant?

–On a fermé, c'est à cause de la crise du lévécu... Quand le lévécu a monté, monté jusqu'à valoir quatre dollars U.S., les stars ont cessé de venir. Et quand les stars sont pas là, personne vient. Restait rien que les fantômes pour fréquenter les lieux mais leur argent disparaissait le temps de le voir... Ah! j'ai encore les clefs. La ville a repris la bâtisse pour les taxes.

–C'est pas le seul restaurant qui a dû fermer ses portes...

–Que veux-tu, tout Montréal s'est mis aux beignes. Les beigneries vous font des affaires d'or. Dunkin, Tim Horton, la Beignerie, Beigne-Bec... Même les politiciens nationalistes se sont mis à donner le bon exemple; ils ont réduit leurs dépenses et coupé de plus que de moitié leur fréquentation des bons restaurants pour se mettre à la mode du beigne... Tout ça fut un peu la faute à Rock et Belle-Oseille pis la maudite télévision. Ils ont fait croire à tout le monde à peu près que les beigneries étaient des restaurants sécuritaires dû au fait qu'il y avait toujours là des policiers en train de prendre un café... Les seuls endroits où y'aurait pas de trafic de coke selon eux... juste du Pepsi... En tout cas, le passé est le passé... Ici, je vis comme un pacha: oublions ça!

—Parlant du passé, Johnny, Hiroshima, Nagasaki, ça te dit quelque chose?

—Évidemment! Le triomphe du beigne à Montréal, ça change pas le monde!

Johnny se roula une cigarette en gaspillant beaucoup de tabac et de prélart haché puis il l'alluma en posant le bout au-dessus du globe de la lampe-gadget...

—S'en est passé des bonnes ces jours-ci au pays...

Mais François n'avait rien lu, rien su... Il demanda:

—Comme?

—Ben, les troupes des Maritimes se sont massées à la frontière du Québec, tu savais pas ça? Yes sir, c'est l'état d'urgence. Robert-Pierre a réuni l'Assemblée nationale en catastrophe... On craint du grabuge du côté de la Matapédia, du Témiscouata...

—Ah ben, jériboire aratoire! Ça voudrait-il dire que Pohénégamook sera en première ligne.

—Pourtant vrai!

—Va falloir que je retourne là-bas pour protéger la belle Manon pis le petit Simon.

—C'est une mauvaise idée... J'ai réfléchi à ce que tu m'as dit ces jours derniers sur ce qui attend la nation. Pis moi, même si j'ai de la misère à te croire, je pense que tu pourrais agir... Tu seras plus utile dans le feu de l'action politique que sur le champ de bataille... Tu sais, les troupes maritimes sont formées de pêcheurs de morue en chômage et ces gens-là s'en prendront pas au menu fretin comme ta Manon pis ton petit Simonac... Non, non, surveille les événements à Ottawa, à Montréal et à Québec: c'est là que tout va se jouer, pas aux frontières du Nouveau-Brunswick...

—J'ai tout essayé pour arrêter l'avenir...

—Non, pas tout...

—Je vois pas...

—La clef, ta clef, c'est Chrétien. Appelle-le! Comme on sait, Louis Capeté est sur le point de se faire déposer. Chrétien qui est ben reposé, lui, sera disposé à en

imposer... Il ne te croira pas mais il va faire semblant...
Ça va t'encourager. Puis lui, sans s'en apercevoir, va se
faire travailler l'inconscient par tes idées pis toutes tes
visions...

—Quelle bonne idée! Je le savais en venant que je
trouverais la solution. Quelque chose me le disait itou...
Mais...

—Soupire pas déjà!

—Comment trouver son numéro de téléphone?

—Simple comme bonsoir?

—Ah?

—Parce que moi, je l'ai. Il venait chaque semaine à la
Vieille Porcherie. S'asseyait toujours à la même place
avec sa femme Josèphe-Aline... une jolie personne...

—Je la connais pas. J'savais même pas qu'il était
marié...

—Il est comme Robert-Pierre, il sort pas sa femme
souvent... Louis Capeté, il nous la montre en masse, lui,
sa Mitsou-Antoinette...

—Justement, ils sont en ville demain, ces deux-là...

—En effet! Pour favoriser la grande réconciliation
nationale, le roi Louis vient en personne rencontrer le
gros Savard des Canadieux pour lui remettre la bourse
annuelle des subventions à l'équipe.

—J'ai su chez le maire Doré qu'ils vont faire un
échange sur la glace du stade: du pain et des jeux contre
des pouvoirs... Mais il sait pas ce qui l'attend, le pauvre
roi Louis... Mieux eût valu que sa fuite aux Nations-
Unies l'an passé lui réussît!

Johnny soupira à son tour. Voilà que son nouveau
copain revenait à son discours en délire. Les effets de la
colle à sniffer ou peut-être du mauvais crack qui circu-
lait en abondance dans les rues louches de la métropole
bigleuse surtout depuis que son économie avait connu sa
dernière chute lors de la crise du lévécu.

On se parla jusqu'aux petites heures du matin, après
même le passage des camions du journal L'Ami du
Québec... Bientôt, un clochard camelot passa en agitant
une clochette et en marchant à cloche-pied, scandant:

—Claude Charron nommé à la tête de la Sûreté
nationale... Achetez L'Ami du Québec, achetez L'Ami

du Québec... Claude Charron nommé à la tête de la Sûreté nationale... Tout un bataillon de souverainistes est envoyé d'urgence dans la région de Pohénégamook... Achetez L'Ami du Québec... Du grabuge à la frontière. Les Newfies à la conquête du Québec pour sauver le roi Louis... Achetez L'Ami du Québec, achetez L'Ami...

François acheta une copie malgré sa promesse de ne plus lire le journal. Manon, Simon... son sang était menacé...

Un article de Marat-Mouchard prenait tout l'espace après la nouvelle sur Claude Charron... Il lut tout haut pour que son ami entende mais pour que le texte s'imprime autant dans sa mémoire auditive que sa mémoire visuelle:

"Il ne s'agit pas de poser un choix entre l'ordre et le désordre, mais entre le nouveau régime et l'ancien, car derrière les étrangers, on aperçoit les émigrés à la frontière. L'ébranlement est terrible parmi les millions d'hommes qui vivaient du travail de leurs bras qui, taxés, dépouillés, rudoyés depuis des siècles, subissaient de père en fils, la misère, l'oppression et le dédain. Ils n'ont qu'à se souvenir, pour revoir en imagination, l'énormité des taxes royales, depuis l'impôt jusqu'à la TPS en passant par toutes les taxes occultées. Une colère formidable roule de l'atelier à la chaumière avec les chansons nationales qui dénoncent la conspiration des tyrans et appellent le peuple aux armes."

François se leva et se tint droit dans le matin blême, lui-même hautement blême et il dit, solennel:

—Je pars.

—Pour où?

—Je vais téléphoner.

—À qui?

—À Chrétien comme tu me l'as dit.

—Va.

—Avant, j'aimerais savoir...

—Demande.

—Hiroshima, Nagasaki, c'est bien vrai?

—As-tu fumé des champignons ou quoi?

Johnny écrivit le numéro du politique sur un morceau de prélart intact et le lui donna. François quitta. Il marcha au pas mais à grands pas. Dans sa chambrette, il tourna en rond durant une heure en attendant que les bureaux ouvrent leurs portes et donc qu'il soit possible décemment d'attraper Chrétien à la maison...

Quand enfin il put avoir la ligne, un domestique lui répondit.

—Puis-je parler à monsieur Chrétien? C'est urgent.

—Qui êtes-vous?

—Je suis François Langlois...

—Attendez...

Au bout d'un moment, la voix dit:

—Appelez à son bureau de comté...

—Mais c'est urgent: faut que je lui parle maintenant.

—Attendez...

Au bout d'un second moment, la voix dit:

—Impossible, monsieur Chrétien est occupé...

—Écoutez, je suis écrivain... et professeur... Le seul écrivain et le seul professeur au Québec à supporter encore monsieur Chrétien...

—Ouais hello! coupa soudain une voix rauque. Un p'tit gars du Québec: j'sus ben content de te parler. Parle-moi tusuite dans l'tuyau de l'areille à matin...

L'accent de son interlocuteur influença l'appelant qui dit:

—S'en vient un bain de sang comme ça se peut pas. On vit su' de la dynamite.

Chrétien eut un long rire avant de dire:

—C'est sûr qu'avec le roi actuel au pouvoir, on est pas sorti du bois... Qu'est-c'est que tu veux dire avec ça?

—Que demain... non, aujourd'hui, la royauté sera déchue pis que la fédération va se faire crucifier...

Chrétien rit par éclats entrecoupés. Il dit:

—Scusez, j'ai le souffle court depuis que j'ai été opéré.

—Vous me crèyez pas.

—Ben non, je te cré, je te cré...

—Je cré pas que vous me crèyez...

—J'te dis que je te cré...

—Pourquoi tant vous récréer si vous me crèyez?

—C'est ma femme, la Josèphe-Aline qui me joue dans les cheveux... Tu nous as pris au lit...

—Va y avoir du sang, du sang, du sang. Robert-Pierre va mourir...

Chrétien s'esclaffa.

—Parizeau-Dalton va se faire guillotiner.

Chrétien rit aux larmes.

—Croûton-Béland va y passer itou.

Chrétien se frappa le genou avec le combiné, selon ce qu'en put déduire son interlocuteur.

—Marat-Mouchard sera tué dans son bain.

—Continue, mon p'tit gars, j'aime ça.

—Mais vous me crèyez pas.

—Je te cré comme j'ai jamais cru personne. Parce que y'a pus personne de crèyable que yable!

—Y'a le maire Doré qui va se suicider.

—Je pensais que c'était déjà fait.

—Et y'a Mitsou-Antoinette qui va perdre la tête.

Cette fois, François entendit un rire à deux voix sur le fil, dont une de femme.

—Écoute, je te passe ma femme, la Josèphe-Aline.

Aussitôt, l'épouse dit:

—Monsieur François, dites-moi, qu'arrivera-t-il à mon mari dans toute cette histoire?

—Ça, je le sais pas. Il est comme pas là. L'histoire le dit pas en tout cas...

—Il s'en fera pas couper des bouts, toujours? Parce que j'ai besoin de tous ses morceaux...

François prit place sur son lit qui craqua et répondit:

—Comme je vous le dis, j'connais pas son avenir...

—Merci, là!... Je vous le repasse...

Chrétien achevait de reprendre son souffle:

—Ben appelle-moi quand tu voudras, mon François Langlois...

—Vous me croyez toujours pas...

—Si je te dis que je te cré, c'est parce que je te cré... Laisse-moi ton numéro...

—Ben... suis pas ben ben souvent là... À vrai dire, suis quasiment un itinérant...

—Fais-toi-z-en pas, c'est pareil en politique: on ne fait que passer... Des parents?... quelqu'un qui pourrait te rejoindre.

—Y'aurait Johnny Baloné mais il vit dehors.

—Un de mes grands amis... Je vas te laisser, mon petit Langlois, y'a George sur l'autre ligne, George Bush, tu comprends, c'est important... Attends...

Ce fut long.

—Je viens de parler de toi avec George. Il se cherche un bon voyant... Il avait le même que Reagan mais il dit que ça vaut pas de la marde. Tu vois, le voyant lui a conseillé de battre **sa dame** l'année passée mais c'est Barbara qui y'a sacré une maudite volée... Sont obligés de passer des lois aux États... L'abus des hommes, c'est rendu une plaie nationale... Tu sais, quand le président lui-même se fait agresser par sa dame... Ç'a pas de maudit bon sens...

La conversation coupa court et laissa François dans un total désabusement.

Plutôt de se coucher comme chaque jour, le jeune homme sortit et se dirigea vers le stade Québec. Au diable la patrie, la royauté, quoi que ce soit, il agirait pour sauver les siens, la belle Manon et le petit Simon...

Chapitre 12

Dix août: une journée, comme son nom le dit, qui ne vaudrait pas cher dans l'histoire du Québec!

Chemin faisant, François mangea. Des beignes et une soupe à 'il s'en fichait quoi' avec des trucs roses dedans... S'arrêta à trois beigneries et partout, on ne parlait que de la nomination de Charron, de la menace à la frontière et de la visite du roi Louis et de Mitsou-Antoinette au stade.

Le public bien sûr serait admis gratuitement, c'est-à-dire aux frais de la royauté car il en coûterait cher de faire cette remise officielle des deniers publics aux stars des Canadieux. En effet, il y aurait buffet mi-chaud mi-froid: du café et... des beignes. Le public avait même le droit de s'apporter une boîte jaune vide offerte par les rôtisseries St-Hubert et que chacun pourrait remplir d'une provision de... beignes...

Dans une ville aussi affamée par le chômage, il en coûterait une fortune en... boîtes vides fournies... Mais on ignorait que les rôtisseries St-Hubert se rembourseraient sans qu'il n'y paraisse, en-dessous de la table puisqu'elles avaient obtenu un important contrat de la royauté grâce auquel, on distribuerait au public des poulets cachés derrière une façade de beignes, c'est-à-dire les coq en pâte des Canadieux que les gens pourraient se partager une journée entière... moyennant une petite contribution financière.

Les cheveux en bataille, la barbe de trois jours et demi, les reins en compote, François avançait, guidé par le grand mât. Il faisait gros gris. Ciel bouché. D'épais nuages muets qui s'en allaient comme des fiers soldats rafraîchir les Maritimes seraient les témoins de la fin d'un monde.

Il fut enfin au même lieu que lors de sa visite au maire Doré, aux abords du funiculaire. Une bonne idée lui vint. Cela l'inquiéta. Ses bonnes idées tournaient toujours au désastre. Mais quoi de plus fort au monde, quel argent, quelle peur, quel sentiment même est plus irrésistible qu'une bonne idée? Elle vous fait signe du doigt, vous hypnotise, vous attrape par le bout du nez et à la première occasion, vous assène un coup de merlin sur la caboche. Voilà pourquoi les meilleurs hommes d'affaires ou les excellents politiciens sont dépourvus de bonnes idées. Il restent à l'affût des idées des autres, s'en emparent, les exploitent et s'en sustentent...

Sa bonne idée, c'était de retourner voir le maire Doré, de l'obliger en quelque sorte à rester dans son bureau-jardin durant la cérémonie de remise de subventions, de le forcer à voir la déposition du roi, son arrestation par les troupes de Charron...

Mais si survenait une autre distorsion de l'Histoire? Si plutôt des troupes de Charron, c'étaient celles de la marquise de Lapayette, des femmes à la vieille mode féministe et payettiste et qui, échappées comme en un 'boxing day' se ruaient sur la royauté pour lui arracher ses derniers pouvoirs, pour la dépouiller de son ultime pudeur.

Le pauvre perdant s'appuya la tête contre le béton jusqu'au moment où il pensa qu'il valait peut-être mieux ne pas exercer une pression trop forte vers le bas sur les dalles du stade qui, de bon matin faisaient justement, avaient dit les ingénieurs réparateurs de la structure, de la basse pression... Une affaire de climat québécois, semblait-il...

Comme une invitation du ciel, la porte du monte-personnes s'ouvrit. Il n'y avait pas là âme qui vive. Hésitant, François s'embarqua pour les hauteurs. Rendu dans le couloir du dernier étage, il croisa Jacques Proulx qui, le front plissé d'incertitude, lui parla un moment:

—Il se prépare des choses importantes... Vous feriez mieux de quitter ces lieux, citoyen. Le maire est retourné à l'Hôtel de ville. Il n'y a plus personne dans ses locaux d'ici qui serviront bientôt à autre chose... Même moi, je ne suis pas venu avec mon hélico. C'est le chiard au Québec, que voulez-vous, y'a trop d'affamés? Il faut en finir une fois pour toutes avec l'absolutisme royal et nous devons nous donner enfin une vraie république avec tous les pouvoirs... On a besoin de tout notre roulant pour travailler. Vous savez, quand la faucheuse est entre les mains de l'un pis que la râteleuse est entre les mains d'un autre, ça fait pas du bon bon foin. Quand la vache à lait est à hue pis la trayeuse à dia, ça fait du petit lait de beurre juste bon pour les veaux ou pour faire du p'tit Québec...

L'homme reprit sa marche et termina son mot:

—Je vous laisse parce qu'on sait pas trop ce qui peut arriver d'une minute à l'autre. Je vous conseille de vous en aller mais vous êtes encore un homme libre dans la grande république du Québec...

François resta pantois. Puis il entra dans le jardin désert du maire envolé. Longtemps, il battit l'estrade sans rien trouver d'autre que ce qu'il avait aperçu à sa visite précédente. Tenté un moment par le piano, il pianota. Puis il se rendit aux fenêtres qui permettaient de voir en plongée tout ce qui était et se passait en bas, dans le super stade.

Il s'assit. Sa pensée s'absenta, survola la ville, le fleuve, la banlieue, contourna le mont St-Hilaire, fonça vers l'est, plana au-dessus de la plaine montérégienne, puis des Bois-Francs, de la région de l'amiante, de la Beauce et, sans s'être arrêtée nulle part, elle finit par atterrir chez lui, à Pohénégamook.

Il voit le petit Simon, fier et fort Québécois de sept ans, faire un rempart de son corps entre sa mère, la belle Manon, et les troupes Newfies s'avançant avec des filets de pêche qu'elles jettent sur tous, et canardant tout le secteur avec leurs hameçons et leurs harpons, envoyant leurs espions derrière les lignes québécoises pour remplacer la bière dans les épiceries par des bouteilles remplies d'huile de foie de morue, ce qui a pour effet de purger l'ennemi et de déshydrater ses soldats.

Puis les troupes souverainistes arrivent et voilà que les êtres chers se trouvent pris entre deux feux. Tout d'abord, on montre les drapeaux, par milliers de chaque côté, espérant écraser l'autre par le nombre et par la rage dans la force de l'expression nationaliste. Certains en promènent d'immenses, comme autant de superbes panaches d'orignaux. Quelques-uns même sont en lambeaux d'avoir trop servi la fierté d'un peuple.

Puis, c'est l'inévitable choc des nations et cela se produit à la crête de Sully.

Les Newfies sont les premiers à prendre position. Mais ils doivent reculer devant le feu nourri des Québécois dont les balles ne pardonnent pas et atteignent la cible deux fois sur trois. Les cadavres jonchent le sol. Le sang coule, s'infiltre jusqu'à la nappe phréatique et Manon qui veut faire du café connaît l'horreur de voir couler de l'eau rouge de son robinet. Par bonheur, elle croit que c'est une nouvelle substance de désinfection. Et par chance, le vilain sida est encore peu répandu chez les soldats Newfies qui ne savent pas trop quoi faire pour l'attraper.

Mais voilà que les arrières des troupes Maritimes, de fougueux fédéralistes dont plusieurs sont des Ontariens déguisés en Newfies, montent à la charge. Avec rage. Ils sont conduits par un certain Éric le rouge qui, quand il se tourne le dos pour donner l'ordre de la charge à la baïonnette, montre enfin sa vraie face, c'est-à-dire son nom sur son chandail: Lindros.

Ah! mais il y a plusieurs courageux Merdiques chez les Québécois: Sakik, Hextall, Stasny, Federov...

Attaques, défensive, contre-attaques: le sommet de la crête reste très longtemps imprenable. Puis, après mille montées et descentes, des centaines de morts, on atteint le but. Les souverainistes emportent la crête de Sully: brillante victoire à inscrire dans les livres de records. Il y a là des journalistes du monde entier. On leur avait réservé un espace inviolable sur la crête voisine d'où ils pouvaient admirer le lac Pohénégamook d'un côté et la furie des combats de Sully de l'autre...

Quelle ridicule rêverie! pensa François au bout de sa longue somnolence. Aussi invraisemblable que sa vie réelle!

Il lui fallait retourner à Pohénégamook par la pensée et cette fois, plutôt de regarder les siens plongés dans les malheurs de la guerre, il se regarderait avec la belle Manon dans les bonheurs de l'amour.

Je t'aime, je t'aime, oh oui, je t'aime!
Moi non plus!
Tu es la vague irrésolue

Pourquoi cette chanson lui revenait-elle en mémoire chaque fois qu'il rêvait à sa chère femme? Un air vieux de vingt ans: sa chair dormait encore en 1970 malgré quelques chatouillis... Gainsbourg, Birkin, symboles de 'l'amour pas la guerre' et qui se faisaient la guerre en faisant l'amour...

Ils ont vingt ans. Le décor est bucolique. Manon porte un fichu de dentelle blanche sur sa tête, ce qui lui donne un air de fillette russe. Ses cheveux brillent sous le soleil de juin et leur éclat s'abreuve aux scintillements de l'eau constellée d'étoiles minuscules.

Ensemble, ils ont garni leur panier à pique-nique et Manon dresse la table sur une belle nappe à carreaux étendue sur la terre brune entre les arbres et la rive.

Le lac tout près apporte une fraîcheur que renouvelle à chaque instant une brise exquise. Le vent complice prend ses élans retenus sur le long espace de l'eau qui se perd au fond de l'horizon vers le nord, et son souffle mesuré chasse inexorablement les moustiques trouble-fête, ces impertinents capables d'assassiner par mille poignards en une minute à ce temps de l'année toute scène alliant beauté sauvage et romance.

–Ça va?
–Hum hum...
–En forme?

–Hum hum...

Il a suffi de cet échange dépouillé, à la Louis Hémon, Germaine Guèvremont, Claude-Henri Grignon, pour se rassurer, se dire qu'on va passer toute une heure de ciel porteuse de vie.

Manon est une jeune femme exceptionnelle qui se passe de mots répétés pour entendre les 'je t'aime' silencieux cachés comme des messages secrets dans les sourires, les gestes des mains, les regards alanguis, et d'en inscrire elle-même en filigrane dans toutes les sandwiches et les petites gâteries.

On s'assied par terre, en biais l'un par rapport à l'autre, dans une distance calculée qui permet tout ce qui est nécessaire et rien d'autre: baisers furtifs le corps un peu allongé, échanges de l'âme par les reflets des yeux et beignets à portée de la main.

Les désirs et les plaisirs s'entrechoquent, s'entre-croisent puis s'entraident dans un ardent tourbillon de sensations qui voyagent comme des éclairs de la tête aux pieds, s'arrêtant au milieu de la poitrine pour y induire des remous délicieux dont les forces repartent ensuite vers mille nouveaux horizons de corps devenus soudain immortels pour quelques secondes.

Manon porte des jeans bleus qui affirment sa chair prononcée. Soulignés par le tissu serré, ses mouvements gracieux vont chercher en la substance profonde de son compagnon des extases esthétiques, y secouant des mystères insoupçonnés...

C'est l'amour! C'est l'idéal!

C'est comme si l'âme de chacun quittait sa demeure coutumière pour se diluer, se propager dans la moindre cellule charnelle.

Fusion et implosion, préludes à l'union qui rebâtit la vie pour Dieu: après la connaissance et la reconnais-sance, ce sont les immenses chapitres des sens qui s'écrivent avec toute la fougue d'une jeunesse résolue...

Je t'aime, oh oui, je t'aime!
Moi non plus!
Tu es la vague irrésolue...

Chapitre 13

Il faisait un silence spatial dans le jardin intérieur. Un silence si profond qu'il réveilla le rêveur. François comprit qu'il avait dormi longtemps puisque le stade était rempli, bondé comme il n'avait dû l'être qu'une seule fois dans toute sa dure existence, soit à son ouverture aux Jeux olympiques de 1976.

Comment prendre part sans rien entendre; il devait se trouver une façon d'être avec le public d'une façon car l'important, ce n'est pas seulement d'assister à la fête mais d'y participer par ses vivats, par ses émotions remuées, ses humeurs secouées...

Il explora du regard et trouva une console à boutons située entre deux petites fougères sur une table de pierre à dessus parsemé de trous remplis de terre fertile: sans doute une trouvaille de Proulx, que pareil ingénieux mariage de la nature verte, de l'électronique et de l'âge de pierre!

C'est que tous les hommes qui grouillent dans un homme de 1992, l'homme des cavernes, l'homme des champs, l'homme de Rome, l'homme du dix-huitième, l'homme contemporain, tous ceux-là trouvaient leur compte dans une belle petite idée toute simple... Ces Montréalais de la vile populace étaient bien primitifs de ne pas mieux comprendre leur maire, ses oeuvres et ses pompes.

"Audio: on"

Il bougea la clef en l'éloignant de lui et voilà que le stade entra dans son jardin intérieur. Un long concert de soixante-quinze mille voix lui donna le sentiment de se trouver devant la mer. À première vue, c'était beau. Rien de noir ne saurait survenir. Même le gris du ciel se montrait patient, tolérant. Bientôt le roi serait là, avec son sourire en galoche et la belle Mitsou mon minou ainsi que le souverain appelait sa compagne dans l'intimité mais souvent aussi en public, ce qui montrait leur attachement bon enfant, à ces deux-là. Un beau couple! Qui donc voudrait les séparer? Mais seraient-ils comme dans les médias ou bien autrement?... Ça restait à voir.

Sur la tribune d'honneur, il y avait une cinquantaine de personnes dont plusieurs célébrités. En arrière-banc, plusieurs réservistes des Canadieux. Au milieu, assis, droits comme des I, les vedettes des Canadieux. Et devant, côte à côte, et tous deux en uniforme de gardiens de buts, Patrick Roy et la marquise de Lapayette.

De l'autre côté, on pouvait voir étalée la quincaillerie des Canadieux: Claude Mouton, Serge Savard, Jacques Demers, Ronald Corey et beaucoup de jeunes femmes travaillant au stade ou ailleurs mais inscrites sur la liste de paye de l'équipe: grande équipe célébrée depuis toujours jusqu'au fin fond de la Sibérie, de Tombouctou à Kalamazoo, et dont la gloire rendait raisonnable le soutien financier direct par la royauté canadienne.

En arrière-plan, le grand et réputé orchestre jacobin de Montréal était installé. On ajustait les instruments. Jacob Péladeau demeurait invisible mais le moment venu, il serait là pour faire chanter la foule. Et même la faire danser puisqu'il avait été prévu que l'assistance pourrait descendre sur la glace de la patinoire et surtout sur le reste de l'immense terrain, pour y fêter son équipe dans la fraternité et l'admiration en une sauterie sensationnelle. Cela avait été pensé par Péladeau lui-même afin que la majorité des gens oublient leur faim et donc la distribution de beignes, ce qui économiserait considérablement de sous à l'organisation, des sous que l'on mettrait dans les coffres de l'équipe. Il suffirait de remettre la marchandise escomptée aux beigneries qui ne manquaient pas en ville.

Personne sur la scène ne portait de tuque rouge mais l'on pouvait en apercevoir des milliers dans la foule. Nombre de gens agitaient le fleurdelisé. Et plus de la moitié étaient des cravatés. Mais il y avait aussi, froids et impassibles, vêtus de leurs cuirs noirs et capitonnés, plusieurs centaines au moins de Sans-Cheveux dispersés aux quatre coins de l'assistance et qui semblaient à leur place par la vertu d'une répartition intentionnelle...

Serge Savard consulta sa montre puis il se pencha à l'oreille de Claude Mouton. L'homme se leva aussitôt et se rendit au micro. Pour que l'air passe mieux dans ses narines, il se décrotta le nez un moment et s'essuya les doigts sur la tige métallique de CKAC. Comme il ne parvenait pas à se libérer du côté gauche, il mit son pouce sur l'aile droite de son appendice nasal et souffla vigoureusement. Sa grosse mauvaise humeur sortit en tournoyant et alla s'écraser sur sa chaussure noire droite...

–Ladies and gentlemen... welcome in our great stadium. Today is the day... Nous sommes ici pour honorer une fois de plus les Canadieux, nos Glorieux de la sainte flanelle...

La marquise de Lapayette soupira, hocha la tête en grimaçant. Comment féminiser ce Claude Mouton: tâche ardue. Mais l'homme se faisait vieux et bouché du nez: on le remplacerait par Marie-Claude Lavallée ou Michèle Viroly... Peut-être Michèle Richard...

–Oui, la fierté a sa journée et c'est aujourd'hui, sa journée. La royauté nous visite, vous le savez et nous apporte l'enveloppe magique qui permettra d'offrir à cette ville, à vous tous, du bon jeu pour une autre saison, pour une autre année. Mais la royauté a refusé d'être présente...

La foule s'énerva et plusieurs jetèrent sur la glace et à côté de la patinoire leur boîte jaune des rôtisseries St-Hubert. Mouton refoula le grand élan spontané avec ses mains ouvertes:

163

–Non, non, le roi sera bel et bien là dans quelques secondes avec la belle Mitsou-Antoinette, notre reine, mais la royauté désirait rester dans les coulisses pour cette présentation, ce qui est le signe d'une profonde humilité... Sa Majesté Louis Capeté Mulroney se sent toujours mal à l'aise devant les caméras, les flashes, les microphones... et c'est la même chose pour notre bien-aimée Mitsou...

La foule applaudit. Sauf les Sans-Cheveux qui demeurèrent plus cois que des Québécois narquois au lendemain d'une Saint-Jean-Molson, jusqu'au moment où Mouton reprit en anglais:

–Our great and humble king –and the queen Mitsou too–refused to be on the stage for their presentation...

Un puissant cri pointu émergea soudain bêtement de la troisième section:

–À bas la royauté!

Des milliers de Sans-Cheveux suivirent et se mirent à scander:

–À mort, Louis Capeté, à mort, Louis Capeté!

Mouton se faisait enterrer, se laissait carrément manger la laine sur le dos. Il hochait le tête en bêlant dans l'inutile. La marquise de Lapayette se leva sec et s'avança. Elle hocha la tête à son tour, demanda le silence par ses mains levées mais sans succès dans un premier temps; alors elle composa plusieurs gestes qui paraissaient empruntés au langage des sourds-muets mais l'étaient au langage féministe. Partout dans la foule, des Payettistes se levèrent, s'approchèrent des Sans-Cheveux et leur fermèrent la boîte en leur clouant le bec à l'aide de leurs boîtes des rôtisseries St-Hubert qu'elles leur ajustèrent sur la bouche comme une muselière.

Mouton ajusta les micros puis se regarda la main, maugréant:

–Y'a un maudit cochon qui a essuyé ses baluches...

Sa mémoire retraversa ses émotions et il se souvint que c'était lui, alors il se lança à nouveau en anglais:

–Ladies and gentlemen... et citoyens du Québec... it's a great pleasure, an honor... de vous présenter nos

164

souverains d'Ottawa, le roi Louis et sa jolie compagne, la reine Mitsou...

Toutes les huées furent étouffées dans du carton jaune et seuls les vivats de la foule remplissaient le stade. Plus personne ne ressentait la faim. Le roi entra suivi de sa reine. Une fillette courut à Mitsou et lui présenta une superbe gerbe. La reine battit des cils sous son grand chapeau blanc ceint d'un ruban bleu. Elle se vit désigner un fauteuil par un page et s'y déposa elle-même...

Quant au roi, il avait la tête ornée d'une cocarde qui provoqua le délire; elle se répétait dans sa main sous forme de drapeau. En fait, c'était le drapeau canadien transformé. La bande de droite était bleue, celle du centre blanche et celle de gauche rouge. Au milieu, trois symboles se superposaient: la feuille d'érable, la fleur de lis et le signe du vieux dollar royaliste. Et au-dessus de l'ensemble central, au bord, l'on pouvait reconnaître l'insigne percutant des nations amérindiennes.

Avant que la standing ovation ne prenne fin, brandissant le fanion, il dit de sa grosse voix fudge fondant:

—This is Canada!

Les Sans-Cheveux ne parvenaient ni à rire ni à dire, et la plupart se contentèrent de garder leurs mains dans leurs poches et d'y taponner leurs lévécus en attendant d'être libérés... Car tous restaient sous l'emprise, sous la maîtrise totale des Payettistes.

Possédant pareille vue en plongée, François se rendit compte qu'il avait été abusé à l'asile. On lui avait laissé croire que Mitsou-Antoinette, c'était la Mila Mulroney de ses mémoires mais il n'en était rien. Mitsou était la vieille Mitsou et voilà qu'il en avait deux évidences joufflues sous les yeux... quand le chapeau se tassait...

—Peuple du Québec, tandis que des traîtres à la nation sont réunis à l'Assemblée nationale pour brandir leur menace séparatiste, votre roi vient vous saluer...

Applaudissements nourris...

—... et vous offrir une autre année de beau jeu, un pur don de Ma Majesté...

Vivats, vivats... Louis sortit une grande enveloppe de sa poche intérieure.

—Voici les millions nécessaires pour que le Québec survive cet hiver: la grande subvention à nos extraordinaires et glorieux Canadieux...

Bravos, bravos... Louis jeta un oeil vers la marquise et ajouta:

—Et bientôt les Canadieux et Canadieuses...

La marquise sauta sur ses jambières mais son éclat lui fit perdre le contrôle car les Payettistes au comble de la joie s'éclatèrent aussi en une joie qui battait des mains, ce qui eut pour effet secondaire de libérer les Sans-Cheveux et risquait donc de ramener le désordre.

Motus et bouche cousue, pas un seul Sans-Cheveux ne bougea d'une ligne. On semblait attendre un signal quelconque. Tout cela paraissait mesuré, concerté, orchestré...

Péladeau restait invisible. Il attendait en coulisse et communiquait parfois par téléphone sans fil avec l'extérieur du stade. François pouvait le voir d'en haut. L'homme devait orchestrer quelque chose avec son ami Plamondon ou peut-être agissait-il en tant que reporter d'occasion pour le journal L'Ami du Québec?...

L'attention de l'observateur fut requise par une sorte de mouvement humain se produisant sur la rue Gerry-Boulet en direction du stade. Comment savoir ce qui s'y passait... Puis il distingua plus nettement à travers les arbres et se rendit compte qu'il s'agissait des troupes de la Sûreté nationale... Ainsi donc, Charron venait; ainsi donc, le roi serait déposé, arrêté...

Tout n'était pas perdu cependant. Il y avait le modernisme qui pouvait biaiser l'histoire. Par exemple, les souverains étaient venus en hélicoptère et cet appareil des forces armées canadiennes se trouvait là, en bas, à l'intérieur du stade, assez loin de la patinoire, en attente dans un secteur d'apparence tranquille et sécuritaire. Qui sait si la royauté ne pourrait pas s'enfuir advenant l'entrée des troupes? Et même là, chacun savait que Charron était un homme de compromis, d'une grande popularité, un Montréalais bas de gamme qui avait gravi tous les échelons pour se hisser au sommet du sommet. C'est lui qui avait donné à sa ville la fierté de son symbole phallique maintenant universellement connu, ce grand mât croche et sa toile-condom qui donnaient à Montréal l'image d'une ville ultra-moderne et sexuellement libérée, et faisait oublier la crasse et la misère sombre des rues causées par cette sordide royauté oppressante et oppressive...

Grâce à L'Ami du Québec, un journal consacré en bonne partie aux sports, surtout le hockey, on avait frappé si durement sur la royauté et ses vices, comparé si souvent sa richesse à la tristesse des sans-abri de la métropole, que le roi avait réagi pour récupérer de la popularité et trouvé dans les fonds de tiroir les sous de l'enveloppe budgétaire des Canadieux. Car les retombées des Canadieux retombaient sur les miséreux automatiquement. Sourire au sport et soulager la misère: voilà la recette séculaire du politicien démocrate qui veut être élu ou réélu...

Le problème, c'est qu'Ottawa avait beaucoup dépensé pour la construction d'hélicos, lesquels ne pourraient servir à l'ensemble des Québécois...

François vit un camion blindé s'approcher de l'entrée du stade. De cet angle, il n'arrivait pas à lire le nom: la Brinks sans aucun doute. Mais quoi venir ramasser: les gens n'avaient pas payé pour entrer... Peut-être s'agissait-il d'une livraison de beignes? Les portes de côté s'ouvrirent et un tout petit homme en uniforme descendit en sautant sec par terre. C'était bien lui, c'était Claude Charron en personne le grand patron nouvellement désigné de la Sûreté nationale chargé de voir à l'application des lois de la pensée républicaine triomphante. Le camion se déplaça et François sut qu'il y était écrit un immense 10. Donc un véhicule de Télé-Métropole... Et les troupes qui arrivaient en marchant au nouveau pas de la république...

—Eh ben voilà, cette fois, le sort en est jeté, mon petit vieux! se dit-il à lui-même tout en marchant de long en large sans perdre quoi que ce soit des yeux.

Encouragé par la foule, le roi poursuivait:

—C'est à se parler qu'on se comprend... Vous fûtes témoins lors des négociations constitutionnelles... When we sit and speak, all is well in Canada.

Une rumeur parcourut l'assistance et Louis Capeté comprit que ça le dépassait. Il se retourna, mine de rien et aperçut Jacob Péladeau qui courait à son lutrin en se félicitant à deux mains levées au-dessus de sa tête.

Mais l'homme-orchestre fourcha et se dirigea plutôt à l'instrument des batteries. Il bouscula le 'drummer' qui tomba à la renverse; et se saisit des baguettes.

Il exécuta alors de petits ra successifs pour que le grand rat d'Ottawa se taise. Ça réussit... La foule se questionnait, piaffait, voulait savoir...

Trois hommes entrèrent sur scène: deux adjoints qui restèrent près des coulisses et Claude Charron qui salua la foule de nombreux 'bebails' de la main gauche tandis qu'il transportait sous son bras droit un rouleau...

Louis le regarda venir, l'oeil en galoche et en accent circonflexe et la langue fine qui lui sortait de la bouche parfois comme celle d'un python comme pour repérer une odeur.

Rendu au micro, l'arrivant souffla quelque chose à l'oreille de la royauté. Toutes les têtes connues se donnèrent alors spontanément le mot pour décréter un moratoire. Louis repoussait la rumeur de la foule avec ses mains ouvertes. Claude se tourna et montra son dos en signe de soumission. La marquise de Lapayette parla à l'aide des signes du langage féministe. Jacob Péladeau fit rouler le tambour. Mitsou faisait voler des baisers imaginaires dans toutes les directions et plusieurs en attrapèrent, même parmi les Sans-Cheveux.

Quand le silence fut total, Claude se retourna et, fier et solennel, il déroula son rouleau, un bel objet à 'look' patrimonial, fabriqué, il le révélerait plus tard pour l'histoire, d'écorce de bouleau de la rivière Mingan.

—Je vous prie de ne pas applaudir, de ne pas parler, de ne pas tousser, de ne pas respirer, de ne pas penser comme vous le faites quand vous regardez le Match de la vie, et ce, s'il vous plaît, jusqu'à la fin de la lecture de cette proclamation de l'Assemblée du peuple. Si vous le promettez, ne dites rien...

Toutes les têtes du stade hochèrent dans tous les sens mais pas un son ne fut émis, pas même par le 'tannant' à Péladeau qui se contentait d'opiner en branlant du chef comme s'il avait été en train d'orchestrer quelque chose de neuf et de puissant.

—Oyez, oyez, oyez, Québécoises-z-et Québécois... Les représentants du grand peuple québécois réunis hier en assemblée extraordinaire au Parlement de la capitale ont proclamé à majorité très décisive la république du Québec libre et tout à fait autonome sans aucun lien avec la Couronne fédérale. Désormais, tout au Québec sera traité en français avec un fier accent joual, la seule monnaie officielle sera le grand et glorieux lévécu et il ne sera gardé d'Ottawa, d'Ontario, de l'Ouest et des Maritimes que le souvenir aussi funeste qu'odieux.

Quelques-uns ne tinrent pas leur promesse de se taire et se mirent à conférer entre eux, se tenant tête contre tête comme des joueurs de football; et c'étaient les joueurs-vedettes des glorieux Canadieux... Il paraissait se dégager des flammèches de la sainte flanelle...

—En conséquence, la Royauté est suspendue et le roi, pour sa propre protection, sera mis sous la garde de la Sûreté nationale en attendant d'être jugé par ses anciens sujets à l'aide de nombreux sondages à venir.

Nombre de votes pour: la majorité.

Nombre de votes contre: la minorité.

Et avant vos réactions, citoyens et citoyennes, je veux vous annoncer une nouvelle très réjouissante. Ce jour même, à l'aube, les troupes souverainistes ont stoppé... arrêté l'avance des troupes Newfies et repris la crête de Sully perdue au cours de la nuit... Vive la République! Vive le Québec! Et vive le canal 10!

La foule éclata en applaudissements mais ce fut de courte durée. Louis et Mitsou s'étaient rejoints et lui pleurait sur la poitrine aimée et confortable. Ce n'est pourtant pas cette scène dramatique qui coupa court à l'enthousiasme populaire mais la venue au micro du capitaine des Canadieux, le très écouté Guy Carbonneau qui cracha un court discours d'insubordination:

—Non, non, non, peuple du Québec, les Canadieux en ont ras-la-bolle... comme les Sans-Cheveux ici présents mais pour des raisons bien plus profondes... Nous, les hauts responsables des grandes sensations au Québec, les Canadieux —et très très bientôt les Canadieux et

Canadieuses– subissons les pires injustices... Et cette fois, nous faisons appel à la résistance... Quand survint la crise du lévécu comme vous le savez, à l'avènement de la République encore attachée à la Royauté, quand le lévécu a monté, monté jusqu'à valoir quatre dollars U.S. eh bien qu'est-ce qu'on nous a fait, à nous, les stars du grand Match de la vie québécoise, on nous a payés en malheureux dollars royalistes... Nous n'en avons pas profité. Et ensuite nous avons dû déclencher la grève pour obtenir nos subventions. Certains parmi nous furent réduits à l'indigence, à la mendicité dans les rues de Lorraine et de Sillery. Mais voilà que, fiers et forts, déterminées à servir le peuple en beau jeu encore une année sous la direction habile et bonne du gros Savard ici présent, du petit Corey qui rit tout le temps parce qu'il sait jamais quoi dire, de Jacques Demers surnommé le 'tit-gros-tigre', qu'est-ce qu'on vient nous annoncer: qu'on va-t-être payés en malheureux lévécus... alors que maintenant le lévécu est sur le cul comme vous le savez tous... Eh bien, nous disons jamais! En lévécus, jamais parce qu'en lévécus, il nous restera à peine l'équivalent de deux cent cinquante mille dollars royalistes par année pour vivre, pour nous entraîner, pour soutenir nos familles, pour nous rendre à la clinique de sang et à l'hôpital Ste-Justine... Jamais, non jamais, peuple du Québec! Et nous comptons sur votre assistance, ce qui vous donnera le sentiment d'être avec nous, sur la glace, dans le feu de l'action... L'heure est venue de fondre nos **palets** pour en faire des boulets...

Répartis parmi les cravatés de l'assistance, des centaines d'agents de la garde nationale royaliste (à ne confondre avec la Sûreté nationale conduite par le général Charron) que la royauté inquiète avait fait placer là en cas de soupe chaude, se levèrent en bloc pour appuyer le grand Canadieux et, indirectement, les souverains. Beaucoup de cravatés suivirent. Mais les Payettistes et les Sans-Cheveux protestèrent.

Jacob Péladeau ne savait plus où donner de l'intérêt et du chapeau. C'est que les Canadieux faisaient gagner beaucoup de bons dollars aux Jacobins qui étaient présents à toutes les remises de médailles et trophées, qui accompagnaient les hymnes et même parfois jouaient dans des partouzes de joueurs avec des filles sidatiques... Se ramasser avec des caisses remplies de lévécus... Il y réfléchissait profondément tandis que le général Charron dont l'uniforme kaki croulait sous les décorations comme un général Rouskof, échangeait à voix basse avec la marquise de Lapayette.

—Mais faites donc quelque chose! s'écria tout à coup Mitsou-Antoinette. Vous faites mourir de peine mon bon Louis, voyez...

Qui donc devait prendre l'initiative? La foule était debout. Les gens s'invectivaient. Il y avait de la dynamite dans l'air...

Corey, Savard, Demers et Mouton se précipitèrent vers le général Charron et la marquise... On discuta. Savard appela avec son téléphone sans fil. Alors de sous les gradins émergèrent sur la patinoire et hors d'elle huit camions, de ceux que l'on prend pour refaire la glace en saison mais qui avaient été transformés pour l'occasion en cantines à beignes...

Mouton se rendit au micro et dit:

—Ladies and gentlemen... pardon, pardon, citoyens et citoyennes, le temps des beignes est arrivé... Préparez vos boîtes vides et remplissez-les...

Erreur de stratégie! Épouvantable! se fût écriée Céline Dion. Partout à la fois, les citoyens et citoyennes se ruèrent à l'assaut de l'offre gratuite dont l'attrait l'emportait alors sur leurs opinions politiques. Seuls les Sans-Cheveux se gardèrent en contrôle. Parfois, ils donnaient des crocs-en-jambe pour que les citoyens tombent et se piétinent... La pagaille totale!

Pour tâcher de calmer les esprits, Péladeau jeta un violoniste en bas de sa chaise, il lui ôta son instrument et se mit à en jouer. Un air lancinant connu sous le nom de **"Un violon sous un toit déchiré"**. Rien n'y faisant rien, alors, il s'empara de la boîte St-Hubert vide d'une violoncelliste et courut vers la patinoire avant que tous les beignes ne se soient envolés...

Le général se rendit auprès des souverains après avoir donné des ordres par signes à ses adjoints. Il dit de sa voix la plus mielleuse:

—Pour votre protection, on va vous conduire à votre
hélico: ce sera le moyen le plus sécuritaire pour vous
emmener au lieu de votre détention...

—Je te remercie, mon Claude, je savais bien que je
pouvais compter sur ta bienveillance.

—Citoyen Capeté, tous les Québécois sans exception,
fût-ce un roi, ont droit à mon respect. Mon passé n'est
peut-être pas irréprochable, mais comme on dit si bien
en Abitibi: erreur n'est pas Terreur... Et puis, je lève
souvent ma tête en haut pour regarder...

—Le bout du mât, coupa le roi qui possédait cette
manie agaçante des gens qui manquent de confiance en
eux-mêmes et veulent se valoriser: interrompre, césurer
le propos de l'autre avec un petit couteau aiguisé et vif.

—Mais non, pour regarder le ciel et parler à celui qui
nous a tous précédés...

—Jésus? coupa Mitsou qui interrompait, elle, sans
complexe mais par jeu bon enfant.

—Mais non, voyons, le petit père de la grande nation
québécoise: Mirabeau-Lévesque, mon ami dans l'infini...

—Que c'est beau!

—Ah oui!

—Allez, mes bons amis, il ne vous sera fait aucun
mal, c'est moi, le général Charron qui vous le garantit.

Mais l'homme parlait à travers sa calvitie car à en
juger par le comportement imprévisible de la foule, un
immense danger menaçait la royauté.

Les cantiniers et cantinières, des non-syndiqués,
furent expulsés sans ménagement de leurs camions.
Les gens arrivaient par vagues et prenaient d'assaut les
étalages à beignes. Le plus étonnant fut de constater que
ce n'était ni la cupidité ni la faim qui les rendait fous
mais un instinct de la destruction.

Comme celui des foules de Paris de la Révolution,
pensait François en les observant.

Rares étaient ceux qui s'alimentaient. Mais les
beignes fusaient de partout et volaient dans toutes les
directions. Des cravatés s'en faisaient écraser sur le
nez. Les Sans-Cheveux les lançaient rageusement vers
l'estrade. Patrick Roy ne fournissait pas à les arrêter. La
marquise de Lapayette fut atteinte à plusieurs reprises

mais à chaque fois par des brioches à la cannelle à dessus gluant et sucré. Elle devait s'échapper, se protéger à tout prix car le Québec avait besoin d'elle comme jamais, maintenant que la proclamation de la souveraineté sans association était chose faite. Le général l'invita à le suivre à la suite des souverains eux-mêmes bien entourés par des dizaines d'agents de la Sûreté nationale.

Tant bien que mal, sous une pluie de projectiles, de hauts cris et de petits, progressant péniblement parmi les cadavres, les tartelettes écrasées, les muffins plus résistants qui rebondissaient sous les pieds, on finit par atteindre l'hélico royal.

À plusieurs reprises, de jeunes Sans-Cheveux isolés voulurent s'en prendre à leurs Majestés et même à la marquise de Lapayette qui se dissimulait sans trop y parvenir à cause de ses jambières; mais chaque fois, ils furent réduits à l'impuissance par une boîte de beignes pleine qu'une Payettiste leur jetait sur la crête.

Toutefois, alors que le couple royal était installé dans l'hélico, que la marquise s'y installait non sans difficulté elle aussi, suivie du général Charron qui donna un ordre au pilote, un regroupement de Sans-Cheveux prit conscience du subterfuge... et de cette tentative de fuite.

François là-haut crut que le roi était sauvé. On devait le reconduire à Ottawa et le général en personne s'en chargeait. Le voilà qui regrettait d'avoir douté de cet homme admirable et si populaire...

Les Sans-Cheveux se ruèrent à l'attaque alors même que l'hélice commençait à tourner dans un lent flip-flap hypocrite qui cherchait à se camoufler sous la rumeur folle de la foule en colère.

La marquise enleva ses jambières pour faire de la place mais son geste s'avéra bien plus utile. Au dernier moment en effet, les Sans-Cheveux atteignirent l'engin qui décollait et plusieurs s'y agrippèrent. La marquise et le général frappèrent ces forcenés à coups de jambières et tous durent lâcher prise sauf un.

L'appareil put s'élever hors de portée des jeunes déchaînés. Le général leur jeta les jambières par la tête puis il se pencha vers celui qui restait accroché, un jeune homme maquillé vert avec le crâne chauve entouré par le travers, du front jusqu'à la nuque, d'une couronne à piquants dans le style de celle qui coiffe la statue de la liberté mais, chez elle, dans le sens des aiguilles d'une montre...

—Què qui fait là, là? Il a mis ses petits doigts-doigts où c'est qu'il a pas trop trop d'affaires...

Le Sans-Cheveux regardait le sol s'éloigner et la peur se rapprocher.

—Tu veux-tu, on va jouer à un tit jeu-jeu? On appelle ça le **Match de la survie**...

Le regard du Sans-Cheveux posait de nombreuses et importantes questions à son interlocuteur qui dit au pilote:

—Tournez en rond un peu... On a encore un voyageur en trop...

—J'sus d'vot' côté, cria le Sans-Cheveux.

—Dans la vie, mon petit chou-chou, y'a ceux qui sont dans la cabine et y'a ceux qui le sont pas... Pis toi, t'es pas dedans...

—J'sus un vrai révolutionnaire, un séparatisse, un communisse, un anarchisse, un KuKuClanchisse...

—Nous autres itou, on est tout ça pis on est pas ça pantoute: on est des Québécois...

—Moi itou, ah! moi itou... Québécois, des chouclaques jusqu'au cheveux...

—Justement, ton problème, c'est que t'en as pas de cheveux.

—Ça va repousser...

—Ça risque de prendre du temps... Tu veux-tu jouer au **Match de la survie** avec le citoyen-monsieur?

Le général défit l'emprise d'un doigt du Sans-Cheveux de la tige du traîneau de l'hélico, le replia dessous et serra de sa propre main en demandant:

—Te souviens-tu de monsieur Mirabeau-Lévesque?

—Non...

Le général défit l'emprise d'un autre doigt en disant:

—Tu devrais... Et le canal 10, tu connais?...

—Oui, oui, c'est dans le bout du canal Lachine...

Le général défit un autre doigt en chantonnant: *Mon merle a perdu son doigt, un doigt, deux doigts, trois doigts... MARLO...*

—Et le Match de la vie, ça te dit quelque chose?

—J'serais menteur de dire oui, fit le Sans-Cheveux qui jouait maintenant la carte de la sincérité.

Il ne resta plus alors qu'un doigt de la main droite encore accroché et le jeu continua avec la gauche.

—Tu sais qui a fait bâtir le mât, au-dessus?

—Ça, je le sais, c'est Taillibaère...

—Encore perdu! *Mon merle a perdu son doigt...*

—Vous me ferez pas tomber en bas, là, vous autres...

—Non, mon chou-chou, tu vas tomber tout seul...

Un autre doigt fut enlevé et le Sans-Cheveux lâcha prise. Il chuta dans un énorme cri de désespoir et sa repousse se dressa sur sa tête; mais la chance était au rendez-vous malgré tout et il atterrit sur un tas de cadavres empilés et empâtés, ce qui par bonheur amortit considérablement l'impact. Il en fut très, très magané mais récupérable en partie!

L'hélico prit de l'altitude et se posa sur le toit du mât. Le général dit poliment au roi:

—C'est là, votre Majesté, que vous serez mis en garde à vue pour quelques jours en attendant la décision de l'Assemblée nationale. Vous serez entièrement à la charge de la Communauté de Montréal... L'endroit est très convenable, ayant été aménagé sous la direction du maire Doré et de son adjoint, monsieur Proulx...

—Nous y sommes déjà venus, soupira Louis.

—Le piano est-il toujours là? s'enquit la reine.

—Je le crois, dit le général.

Dans le jardin intérieur, François se chercha un endroit pour se cacher. Car il avait deviné ce qui allait arriver. Le vrai Louis XVI de la Révolution française n'avait-il pas été emprisonné dans la tour du Temple par la Commune insurrectionnelle de Paris? Quoi de plus semblable à Montréal que le mât du stade Québec, ce temple de la renommée sportive?...

Facile de se dissimuler dans un lieu aussi chargé de plantes, d'ensembles de pierre, de meubles lourds, de meubles fins... Il trouva un espace à l'abri des regards à deux pas de la console des contrôles électroniques.

Et attendit.

Les bruits, les cris d'en-bas, de la foule affolée continuaient de lui parvenir par les enceintes; puis des voix mesurées et proches s'y mêlèrent.

Deux paires de jambes lui apparurent. Il sut dès les premiers mots qu'il s'agissait de la marquise de Lapayette et du général Charron.

—Montréal est pas loin de nous appartenir, n'est-ce pas, marquise?

—C'est presque ville ouverte maintenant pour vous et moi, général.

—Voyez-vous, mesdames Claire Lamarche et Janette Bertrand ne sont pas bien dangereuses pour nous: elles se tiennent le plus souvent en bas de la ceinture. Tandis que nous, c'est en haut, bien sûr...

—Et c'est le même cas, heureusement, pour ce qui est de Jean-Cul Migraine... Un désinformateur et qui ne séduit plus beaucoup de monde à part les nonos...

La marquise eut un soupir:

—Hélas! il y a encore ceux de cette tour là-bas... Ce Lévy-Beaulieu de mes deux fesses...

—Dormez sur vos deux fesses, citoyenne Lise, si les dés continuent de rouler en notre faveur, le temps n'est pas loin où ce Lévy-Beaulieu devra aller dépenser ses lévécus dans le bout de Trois-Pistoles... Quant à cette Charlotte-Bombardier, ils doivent la promener d'une chaise à l'autre pour la maintenir un peu à flot... Elle voudra poser un geste d'éclat un bon matin pour se faire valoir comme elle l'a fait à la télé de Paris, et ce sera sa perte, sa fin...

François ne put retenir un étirement subit de la jambe que l'abominable prophétie du général rendit plus violent; et n'eût été de ces bruits du peuple toujours amplifiés par l'électronique, on aurait sûrement décelé sa présence...

Note de l'auteur.

La première ligne de ce roman fut écrite le 27 juin et la dernière exactement un mois plus tard soit le 27 juillet 1992. Le chapitre qui se termine ne fut donc pas inspiré par l'émeute du stade olympique. puisqu'il fut écrit le 13 juillet.

Par contre, sous presse lors de l'émeute du stade du 8 août, il n'a pas pu l'influencer non plus.

Est-ce ma faute si je fus toujours un bon prophète de malheur?

Et puis, ce chapitre 13 fut écrit le 13...

Chapitre 14

Deux adversaires en apparence irréconciliables étaient en train de pactiser. La marquise qui haïssait souvent les mâles et le général qui lui, n'aimait que les mâles conclurent une entente de non-agression qui lierait leurs troupes soit les Payettistes et les agents de la Sûreté nationale.

On convint d'intensifier solidement la lutte contre tous les ennemis de la patrie à la fois. Et on en dressa la liste verbalement afin de bien s'entendre d'une part, mais pour ne pas risquer d'autre part le vol de cette liste par les gens ou agents de la garde royale nationale appelée communément la GRN.

L'échange alors fut laconique:

–D'abord, les souverains.

–Les Royalistes.

–Les agents de la GRN.

–Les Newfies.

–Les émigrés.

–Les Haïtiens surpris à parler créole.

–Les Grecs réfractaires i.e. travaillant ailleurs que dans une brochetterie.

–Les sauvages.

–Les chefs sauvages.

—Gros-Louis, Mercredi, Sioui...
—Les Ouistitis...
—Qui?
—Se font appeler Kashtin.
—Ah! Et Céline Dion...
—Et les tatoués. *(à relire 2 fois)*
—Elle est à toué itou...
—J'ai voulu dire: ceux qui sont ta-toués...
—Attention, je le suis, avoua doucement le général.
—Ah? Où ça?
—Là où vous pensez. Un tatouage extensible...
—Ah! Et ça paraît beaucoup?
—Juste quand je suis devant un peloton.
—Un peloton?
—Une troupe de gars...
—Ah!... En ce cas, retirons les tatoués de ta liste à toué. *(à relire 2 fois)*
—Les créatifs... pas assez nationalistes...
—Ceux-là sont les plus dangereux, encore pire que les sauvages.
—Formons un Comité de sûreté pour juger tous ces ennemis du peuple...
—Surtout ceux qui ont des idées...
—Ou qui s'en font...
—Ils doivent être éliminés comme le demande le grand citoyen Marat-Mouchard...
—Tous ceux qui pensent ou qui créent devront se déclarer les serviteurs des intérêts supérieurs de la nation...
—Cela va de soi! C'est déjà fait pour la majorité...
—J'ai une idée pour le Comité de sûreté... Je vais appeler la mafia.
—Ah!?
—La mafia nationaliste.
—Ah! la bande des six.
—C'est la meilleure.
—Mais faudrait qu'elle se débarrasse de son Noir.
—Faut le leur passer: après tout, il n'est là que pour la cote d'écoute et pour l'image...
—C'est que le multiculturalisme et le multicolore ne seront pas trop à la mode pour un bout de temps.

180

—C'est vrai, madame la marquise...
—Enfin, il y a les groupes à risques...
—Les Cravatés.
—Ceux de Radio-Canada...
—De La Presse...
—Les Cotonnés...
—Et pour finir, les non montréalais...
Il y eut un silence, quelques soupirs puis le général
souffla:
—Notre tâche sera lourde, citoyenne.
—Nous ferons le poids.
—L'Histoire nous contemple.
—Donnons à nos enfants un pays...
—En héritage...
—J'haïs ce mot-là...
—En legs...
—C'est mieux. C'est le plus beau cadeau qu'on puisse
leur donner.
—Avec un pays, avec un drapeau, avec un coffre à
outils, avec un hymne à nous autres, le monde nous
appartiendra et pas seulement Montréal...
—Ah! que je vous aime, cette année, madame la
marquise!
—Je vous donne toute mon écoute et jusqu'à ma cote
d'écoute.
—Merci!
—Eh! que je vous aime, général, cette année!...
François ne perdait pas un iota. Deux nouvelles
paires de jambes s'ajoutèrent au décor. Facile de savoir
qu'il s'agissait des souverains: le pli du pantalon, le
mollet de la reine... La conversation se poursuivit à
quatre.
—Je viens saluer mes sujets, dit le roi qui par la
grande vitrine fit 'bebail' à la foule toujours déchaînée.
Des Sans-Cheveux l'aperçurent. Une fille hystérique
mit sa robe en lambeaux et ôta son porte-jarretelles que
son compagnon lui réclamait. Il en fit un 'sling-shot' et
se rendit à un camion renversé lettré **Dunkin d'hier**...
Sa compagne lui servit les beignes les plus durs et le
Sans-Cheveux en fit des projectiles qu'il lança vers la
royauté à l'aide de son instrument élastique. Dérisoire!

Les beignes dépassaient à peine le premier étage et retombaient soit sur la tête d'autres Sans-Cheveux (qui n'aimaient pas ça pantoute) ou s'embrochaient sur la tige du micro de CKAC.

—Quelle ingratitude! fit le roi, la larme à l'oeil.

—En effet! dirent en choeur la marquise et le général.

"Hypocrites!" leur lança François par la pensée.

—Après tout, Royauté n'est pas vice! dit de sa voix la plus douce la marquise.

—Et puis, c'est pas mal grâce à Ottawa si notre fierté de Québécois s'est réveillée, dit de sa voix la plus douce le général.

—Ah! mes bons amis, si nous étions dans le même camp, que de grandes choses nous ferions ensemble!

—Il n'en tient qu'à vous, Sire, d'être aussi puissant que nous. Abdiquez! Déposez le sceptre et venez vivre au Québec!

—Vous savez bien que je ne le peux pas.

—Comment ça?

—Il y a le Canada.

—Il n'y a plus de Canada.

—Il pourrait renaître de ses césures.

—Vous n'y êtes plus très populaire.

—Moi pas il est vrai, mais il y a Mitsou: elle est aimée partout... Et puis vivre à Baie Comeau, vous savez, c'est pas trop un cadeau.

Le général annonça que son devoir l'attendait, que le moment était venu d'aller mettre un peu d'ordre chez cette foule folle. Surtout que la décompression paraissait achever et que les Sans-Cheveux fatigués et repus de violence commençaient à s'asseoir pour fumer quelques touches de prélart haché.

Le roi dit, la voix plus fondante que jamais:

—Pourrait-on apporter un fauteuil à Ma Majesté?

—Tous vos voeux seront exaucés. Demandez et vous recevrez. Seule la liberté pour un temps vous sera ôtée. Il vous suffira de faire part de vos doléances à vos gardes de la Sûreté qui demeureront à votre porte, à votre disposition... Tout est aux frais de la nation.

—Ah! général Charron, vous êtes un grand ami dans l'adversité. Et vous de même, madame de Lapayette.

—Entre gens de fort bonne qualité, il faut savoir se supporter.

—Ah! je ne vous oublierai pas dans mes prières.

—Nul doute que Dieu vous entend mieux que nous, avoua humblement la marquise.

Les deux souverainistes quittèrent les souverains et François leur entendit se dire à voix camouflée:

—Ses prières, le pauvre, il va peut-être pouvoir les livrer directement au Seigneur...

—Si le roi meurt, il faudra sauver la reine... Après tout, c'est une femme!

François faillit sortir de sa cachette mais il se ravisa. On l'arrêterait aussitôt et il ne pourrait plus agir. Il avait l'incroyable chance de pouvoir se confier à un personnage qui souffrait hautement à cause de la souveraineté: qui mieux que lui, ce roi déchu, pourrait l'écouter? Et surtout le croire?!

On apporta au monarque le fauteuil demandé. Un meuble de style Doré: extravagant, jaunâtre, emperlé, payé trop cher et qui craquait comme un criquet...

Mais aussi, et cela, François ne l'avait pas prévu puisqu'il n'avait pas entendu la commande, un banc fait de planchettes ajourées et rembourrées, qui fut déposé juste devant son nez, qui le cacherait encore mieux...

—Viens t'asseoir près de Ma Majesté, Mitsou mon minou... Viens me réconforter...

—Oui, mon cow-boy, j'arrive, je suis là, tu n'as plus qu'à dire oui...

—Oui, mon minou...

La reine fit étendre le roi qui coucha sa tête sur la poitrine aimée. Et la poitrine dit:

—On va redécorer les lieux, tu veux?

—Oui, mon minou.

—Ça sent rien que le vieux cultivateur ici.

—Oui, mon minou.

—Changer les rideaux?

—Oui, mon minet.

—Les meubles et tout?

—Oui, mon chaton.

—Une nouvelle télévision.

–Oui, ma tite-chatte.

–Les peintures sur les murs.

–Oui, Pussycat...

–Faut plus parler anglais.

–Oui, mon minou...

–Dans ce cas-là, grouille-toi, je veux ça pour demain pas plus tard.

Et la reine laissa tomber la tête du roi et elle se retira. Le soleil se pointait le nez et ses rayons commençaient à entrer dans la pièce.

–Je prends un peu de soleil, annonça la souveraine qui aussitôt entreprit d'ôter ses vêtements.

François verrait-il enfin, à deux pas, et en chair belle pleine et tendre, ce que mille fois, dans sa mémoire, la télévision avait censuré quand Mitsou présentait ses clips sexés dans cet autre monde qui lui avait échappé. Ah! mais sa haute fidélité à la belle Manon vint lui sceller les deux paupières. Il dut pourtant les rouvrir quand la reine se coucha à plat ventre sur le banc à planches ajourées à trois pouces et trois quarts de son nez éveillé. Il lui fut offert mille fois plus que rêvé... Un morceau de ciel lui apparut alors, châtain, frisé, fourni, frétillant, à fragrance de fruits frais, de fleurs folâtres fragiles...

–Ouffff!

Voir d'aussi près un coin de paradis et ne point pouvoir y pénétrer! Les anges gardiens de la fidélité conjugale lui tiendraient-ils rigueur de garder ses yeux et ses narines inexorablement ouverts? Et ce mignon petit grain de beauté au-dessus de la région duveteuse, à droite, si naturel: était-ce donc une mouche de Marie-Antoinette que l'histoire avait transportée là?

Mitsou ressentit cette étrange impression d'être 'voyeurisée' comme l'ont toutes les femmes de moins de quarante ans quand des regards de convoitise coulent sur leurs attraits, quels qu'en soient la distance (des regards), l'angle ou l'intensité.

Le bon Louis, pourtant, avait eu droit à sa ration complète d'amour pour la semaine. Et puis comment donc eût-il pu avoir l'idée de baiser alors même que son peuple était en train de le baiser aussi royalement? Et souverainement!

Elle se retourna subrepticement et François tomba en bas de ses rêves les plus fous. Comment une fille si bien charnue du devant pouvait-elle être si dégarnie du derrière? Pas de fesses, pas de fesses du tout, la Mitsou! Des pains privés de levain. Deux soupçons pas même en chicane. Gilles Villeneuve n'aurait jamais perdu la tête dans des courbes aussi plates et 'flattes'... Et comment le roi pouvait-il se complaire avec si peu d'inflation pour le préoccuper?

Par une de ces curiosités de la nature humaine, cette absence charnelle réveillait la chair du chercheur de vérité, caché sous le banc de la reine. *(à relire 2 fois...)*

Il avait aperçu presque l'entière nudité de la souveraine et cela n'avait pas exigé en lui des élans illimités comme ceux que la belle Manon obtenait pour peu qu'elle s'y mettait.

Mais voilà que ce qu'il ne voyait pas ni n'avait jamais vu de Mitsou à la télé, ses parties consacrées, célébrées, ces petits pouces carrés de ses aréoles imaginées prenaient des dimensions maximales en lui, les pouces carrés rêvés y devenant des pouces cubes bien cylindrés.

François ignorait encore que sa force mâle pouvait aller bien au-delà de tout ce qu'il avait cru possible et c'est quand son regard se posa sur les petits pieds royaux qu'il l'apprit. Ce fut si puissant qu'il ne put se retenir:

—Atchoum!

La reine sentit une bruine soufflée zébrer son fessier. Elle sauta sur ses jambes en s'écriant:

—Mon ami Louis, y'a une bestiole cachée ici. C'est affreux, viens la déloger. C'est sûrement un siffleux...

François s'enveloppa la tête de ses bras et attendit un miracle qui ne se produisit pas. Le banc fut déplacé, le feuillage tassé.

—Qui êtes-vous, que faites-vous là?

—Je suis François Langlois, je connais l'avenir.

—Sortez de là, mécréant, que je vous rabroue, que je vous sermonne, que je vous chasse impitoyablement de mes terres!

Le coupable obéit et fut bientôt debout penaud devant le souverain qui faisait un rempart à la pudeur avec sa personne qui cachait celle de la reine.

–Vous avez vu la chatte de Mitsou mon minou, mais c'est un crime de baise-majesté, monsieur!...

–Je ne suis pas voyeur, voyons, je suis voyant!

–Que faites-vous ici, impertinent?

–Je vous attendais...

–Vous espériez que je me misse tout nu à votre vue?

–C'est l'avenir tout cru, tout nu que je veux mettre devant vos yeux.

–Videz votre sac avec votre avenir et fichez-moi la paix! Parlez, Ma Majesté attend... elle vous donne une minute...

–C'est la Révolution... On va vous faire un procès et vous guillotiner... Dans quelques semaines auront lieu les massacres de septembre: du sang, du sang, du sang! Vous seul pouvez encore arrêter tout ça.

–Ah bon! Et que dois donc faire Ma Majesté? fit le roi, incrédule.

–Faites arrêter Marat-Mouchard, autant pour votre protection que pour la sienne. Car il sera poignardé dans son bain par la Charlotte-Bombardier alors que vous-même depuis plusieurs mois déjà, chanterez les louanges du Seigneur Dieu au paradis et que la reine elle-même courra à sa perte...

–Qu'arrivera-t-il à la reine?

–Même sort que vous, Majesté, la tête tranchée.

Mitsou grimaça, avala, pleurnicha:

–Louis, faites donc taire ce... ce Jean-Baptiste...

–Je ne suis pas Hérode, madame mon minou, je ne suis que Louis. Déchu de ses pouvoirs, vous le savez. C'est tout frais encore... Voyez la foule ingrate qui obéit à d'autres voix...

On pouvait en bas voir la marquise et le général qui prenaient possession de la stupidité générale sous les accents de l'orchestre des Jacobins dont le chef, lui, se trouvait toujours dans la grosse pagaille à récupérer les beignes encore récupérables...

–Je vous le dis, faites arrêter Marat-Mouchard?

186

—Quoi, fils de rat, tu voudrais que je poignarde un vieil ami dans le dos?

—Il le sera par le devant par la Charlotte-Bombardier.

—La trahison n'est pas un plat de roi.

—Vous serez trahi par tous à commencer par Marat-Mouchard... ce qui est fait déjà...

—En ce cas, fils de rat, je serai le roi des traîtres pas de la traîtrise. Mais je resterai le roi.

—Il n'y a plus de roi.

—Le roi mourra? Vive le roi! Et maintenant hors de ma vue, sujet indigne...

Des gardes arrivaient.

—Saisissez-vous de cet homme et jetez-le dehors!

Emporté, François criait:

—La plèbe ira dans toutes les prisons et tuera les prisonniers: à Parthenais, à Bordeaux, à La Macaza, à Archambault et même à Cowansville sans compter je le sais, Donnacona et... Baie Comeau...

—Y'a pas de prison à Baie Comeau, cria le roi. On leur a fait Port-Cartier, aux prisonniers.

—On vous fera pas de quartier...

La dernière chose que vit François fut le derrière de la reine une dernière fois. Pas une seule seconde il n'avait aperçu sa devanture... Cela était en conformité avec sa mémoire des clips d'antan: donc il y avait là une bribe de vérité. Et quand il y a une bribe de vérité, il y a une bribe d'espoir quand on n'est que Cassandre.

Tout à fait épuisé, privé de sommeil depuis trop longtemps, le prophète blême prit un taxi noir et rentra chez lui où il dormit jusqu'au lendemain matin. Il se rendit alors à une beignerie du voisinage et mangea tout en lisant un violent article de Marat-Mouchard dans L'Ami du Québec, et qui traitait de l'émeute du stade.

"L'hypocrisie royale n'a pas de bornes par elle-même mais le bras de la nation lui donnera une limite de quatre planches et l'y enterrera avec la honte fédéraliste. Quand le peuple crève dans l'indigence, que la cherté, la faim et les larmes l'étouffent, la royauté sacrifie cent mille beignes pour faire mal paraître la république et la Révolution, cent mille beignes, cela nourrit mille

citoyens pendant dix jours... Eh bien! cent mille beignes appellent cent mille têtes! La tête des ennemis de la nation souveraine.

Quand la troupe étrangère défonce toutes nos portes frontalières, là-bas, à Cabano, à Sully, à Cascapédia, à Matapédia, quand ce fou de Clyde Wells, gangster de l'Atlantique, lâche ses Labradors enragés sur la belle patrie, quand la République enfin libre de tout servage proclame devant Dieu au pied de l'Oratoire le bonheur de la nation tout entière, quand le paysan et l'ouvrier un moment appuyés sur la faucille et le marteau essuient de leur front le labeur et la crasse pour saluer avec un plus grand respect encore le drapeau chéri, le bien-aimé fleurdelisé à l'Angélus de midi, quand les traîtres de la Beauce fédéraliste font planer sur les libertés chèrement acquises par le grand peuple bien-pensant le spectre de la révolte armée, quand la patrie est terriblement menacée par le dehors et plus encore par le dedans, quand toutes ces choses funestes nous arrivent, que fait la criminelle Royauté? Elle vient tenter d'acheter le peuple avec une pitoyable et minable enveloppe de subventions constituée de dollars qui ne valent pas plus que le papier sur lesquels ils sont imprimés. On vient duper autant les Canadieux et les Canadieuses que leurs supporteurs et admirateurs. Sans le flair, sans la force, sans le courage, sans le patriotisme effréné de nos Sans-Cheveux, ce roi cynique et calculateur aurait triomphé et une fois encore, la nation eût retombé sous son sceptre de fer.

Massacrons, massacrons, massacrons! Mille, dix mille, cent mille têtes et celle du roi, le traître qui fut interné en haut de la tour du stade en attendant le jugement dernier, celui du peuple... L'ennemi est partout! Il grouille, aiguise le poignard dans notre dos. Purgeons la nation! Tuons et nous vivrons! Les intérêts supérieurs du Québec nous commandent: soyons les bras de la patrie en si mortel danger!"

L'effroi s'était écrit en rides profondes sur le front du jeune homme. Sans l'extrémisme de Marat, la violence révolutionnaire en France eût été minime sans doute.

Une terrible conviction avait grandi en François à chaque phrase du journaliste politicien, ange de la mort.

—Exterminons l'exterminateur avant que la terrible hémorragie ne commence! s'écria-t-il sans réserve en plantant son couteau sur la photo grimaçante de Marat-Mouchard.

Tous les yeux convergèrent sur lui. On risquait de le dénoncer. Il hocha la tête, jeta un lévécu sur le comptoir et sortit. Dès qu'il put trouver une cabine téléphonique, il voulut loger un appel à Radio-Canada.

Il devait parler sans faute à Charlotte-Bombardier. La rencontrer. La persuader longtemps avant qu'elle ne soit persuadée. Et au lieu d'un poignard, lui refiler un pistolet afin d'accélérer le temps des événements. Il demanderait à Johnny Baloné qui saurait où trouver une arme chaude.

Un Québécois est un homme de défis relevés: il lui fallait défier l'Histoire, la vérité, la vie!

Le coeur à la tremblote, la main vacillante, l'oeil farouche et déterminé, il laissa glisser un lévécu dans la glissière de l'appareil. Une voix douce, lente, nette et belle lui dit:

—Nous sommes désolés, cet appareil ne prend pas les lévécus. Prière de déposer trois pièces de vingt-cinq cents royalistes. Ceci est un message enregistré et la personne qui l'a enregistré est déménagée en Ontario. Je répète... sorry, this telephone...

—Ah ben, jériboire aratoire! J'ai plus rien que des lévécus dans mes poches...

Chapitre 15

Dans les jours qui suivirent, François multiplia les tentatives pour rejoindre la Bombardier. Peine perdue!

Absente. Partie. Non disponible. Pas encore arrivée. Pas venue aujourd'hui. En studio. En meeting. En meeting. En meeting de production...

Tout son temps se partagea entre ses promenades nocturnes dans la cité des sans-abri et la ponte d'un bouquin comme le lui avait demandé son éditeur.

L'exercice de sa créativité et son amitié grandissante avec des gens de la rue dont de façon toute particulière Johnny Baloné restaient ses seules véritablees raisons de vivre.

Dans son nouveau livre, il livrait ses prédictions sous forme de quatrains formant des centuries. L'ouvrage paraîtrait trop tard, certes, pour éviter les massacres de septembre et même pour influencer le jugement de la Cour au procès du roi, mais en plus de lui permettre de survivre quelques mois encore, il pourrait à coup sûr épargner bien des cous humains.

Un soir, aux trois quarts du mois d'août, il relisait un quatrain dont il était particulièrement satisfait et qui prophétisait la mort du roi.

Qu'elle advienne, cette exécution capitale, et l'on verrait bien, on saurait à le consulter, tous les malheurs futurs, et alors s'arrêterait peut-être cet avenir pourpre aux soleils de sang...

Grande fureur sur places rouges interdites
Entente de miche complètement détruite
Parti le goût du pain pour long menton sacré
Coup de couteau donné par croûton exécré.

Voilà: tout y était en un seul quatrain. Les nombreux exégètes du Québec, Robert-Guy Scully, le chanoine Grandmaison, la puissante Lise Bissonnette, les plus vastes cerveaux capables d'interpréter toutes choses obscures et sybillines dans plusieurs langues dont celle des poètes maudits, ne manqueraient pas de décrypter les alexandrins de malheur et tel brillant décodage les valoriserait hautement aux yeux de cons reconnaissants à qui ils confieraient l'abscons contenu ainsi mis à nu.

Il avait fondé le quatrain sur le thème du pain, en l'asseyant sur des mots de charpente bien levés: miche, pain, croûton. Et pour mieux étançonner, il utilisait le mot 'menton' (en fait mâchoires pour manger le pain) et 'couteau' (pour couper le pain).

En clair, on trouverait que grande misère suivrait grande fureur...

'Places rouges' dirait le sang versé sur la place de la Révolution à être située bientôt mais aussi sur d'autres lieux d'exécutions publiques en République.

'Interdites' dirait le danger à s'y retrouver.

'Entente de miche'. Même les plus dépourvus comme Jean-Cul Migraine sauraient y comprendre 'Entente de Meech'

Plusieurs reconnaîtraient le roi Mulroney dans **'long menton sacré'**.

Couteau égalait couperet.

Croûton évoquait à la fois le pain sec et Croûton-Béland, le plus virulent accusateur du roi à son procès.

'Exécré'... pour montrer qu'il y avait du sentiment violent et pas seulement du nationalisme profiteur dans la sentence rendue contre le roi...

Le téléphone sonna.

Peut-être enfin la Bombardier à qui il avait laissé douze messages et deux tiers...

Une voix féminine dit doucement:

—Bonsoir, monsieur Langlois.

C'était elle, il l'aurait juré. Elle disait monsieur et non pas citoyen.

—C'est moi, je...

—Tu dois bien te demander qui c'est qui parle?

On le tutoyait mais la Bombardier avait l'âge pour se le permettre avec quelqu'un tout de même qui eût pu être son fils.

—Vous avez compris mes messages?

—C'est ça, oui... Et... ça serait le fun si on pouvait se voir, tu penses pas?

Le fun? pensa l'appelé. La Bombardier respectait trop sa langue, ses mots, pour dire un 'truc' pareil. Alors il s'impatienta:

—Bon, ben qui c'est, là?

—On s'est parlé plusieurs fois dernièrement, mais tu sais pas mon nom.

—Pas la petite... de la rue Champlain?

—Hum hum, la petite putain de la rue Champlain...

—C'est pas ça que j'ai voulu dire...

En effet, François, dans ses pérégrinations nocturnes avait conversé à plusieurs reprises avec une aimable petite prostituée, de propos pur et naïf et qui semblait avoir confiance en l'humanité entière.

—Je m'appelle Julie Lambert.

—C'est ton vrai nom?

—Je le dis jamais... à cause de mes parents, on sait jamais, ça pourrait se rendre à eux...

—Et toi, comment as-tu mon nom et mon numéro de téléphone?

—Par Johnny Baloné...

—Ah! le Johnny manque de discrétion...

—C'est pas moi qui lui ai demandé ça, c'est lui qui me les a donnés... Il m'a dit que je devrais t'appeler...

—C'est rien que pour ça que tu le fais?

—Ben non... c'est parce que j'ai le goût...

—Malheureusement, moi, j'ai pas le goût... je veux dire que j'ai pas de sous...

—Je t'appelle pas pour les sous mais parce que j'ai le goût...

—Je te l'ai dit que j'étais fidèle à... ma fidélité...

—Moi, j'aime bien ça, parler avec toi... J'ai le goût de parler avec toi, pas de ce que tu penses...

—Ce soir, tu ne... travailles pas?

—Je prends congé...

—Ah!

—Je me suis dit: peut-être que s'il est pas trop occupé... Je pourrais t'apporter un beigne ou deux...

François réfléchissait tout en échangeant. Il n'y aurait pas de mal à passer une heure ou deux avec ce petit bout de femme à si large sourire tout généreux et à voix bon enfant... Johnny n'aurait jamais agi avec une intention biaisée.

—Amène-toi, je te donne mon adresse...

Une demi-heure plus tard, il lui ouvrait la porte. Elle avait apporté une boîte de six du Dunkin plus son visage à la peau claire, d'une grande pureté.

—J'espère que je te dérange pas trop, toujours?

—Ça va me faire du bien de prendre un petit répit dans mes centuries... Y'a juste une chose, c'est que je veux écouter le procès d'Édith Butler qui commence dans un quart d'heure à la télé. C'est en direct et il n'y aura pas de reprise à moins qu'elle aille en appel si elle est condamnée...

Le front de la jeune femme se rembrunit:

—Ça regarde pas trop bien pour elle... Une si bonne chanteuse! Connue en France, en Suisse, en Acadie, en Abitibi, au loin partout et surtout chez nous...

—Entre!

François fit un grand signe d'accueil chevaleresque en désignant la pièce.

—Comme ça, c'est ici que tu vis... C'est pas très grand mais c'est...

—Force pas pour trouver de quoi de beau à dire. Moi, je ne vois pas les murs, les rideaux, rien...

194

—Je le sais: tout se passe dans cette belle tête-là, dit-elle en éclatant d'un beau rire argentin.

Il referma et la fit asseoir dans un petit fauteuil bleu au confort austère.

—Il y a la toilette là-bas. Et derrière le rideau, ma chambre. Une chambre dans la chambre: c'est ça, le seuil de la pauvreté.

—Tu cuisines pas ici...

—Y'a une cuisinette commune au bout du couloir, mais je mange presque toujours à la beignerie du coin.

—C'est un Beigne-Bec, peut-être que j'aurais dû y aller...

—Ils sont rendus qu'ils vous font des beignes trois fois plus gros que ceux des autres beigneries. Et puis, ils se spécialisent aussi en poutine.

—Je peux y aller, si tu veux...

—Je dis pas ça pour ça, voyons. C'est parfait ceux que t'as là...

Julie avait une petite coupe champignon de cheveux auburn. Elle ne lui rappelait personne, ni Manon, ni la reine, ni aucune tête connue et surtout, soulagement! son nom ne ressemblait à aucun personnage de la Révolution française. Pas plus d'ailleurs que celui de Johnny Baloné. Encore qu'il n'en savait rien puisque ni l'un ni l'autre ne pouvait correspondre à une star de la grande Sanglante. Ils étaient du très bas populo... tout comme lui...

"Une petite princesse pimpante!" s'était-il dit chaque fois qu'il l'avait vue faire le trottoir.

Elle dit, la bouche coupable tout en examinant la pièce à la recherche d'un réfrigérateur:

—J'ai rien apporté pour boire, ah! que je suis pas fine.

—Ah! j'ai ce qu'il faut...

Et il se rendit au rideau coulissant qui entourait la chambre dans la chambre, et le fit glisser. Il y avait un lit bien fait, recouvert d'une catalogne multicolore, une table avec téléphone d'un côté, et ce qu'il désigna comme un réfrigérateur de chevet de l'autre.

—J'ai de l'eau de source, de la liqueur douce... mais rien d'alcoolisé...

—Plus tard quand on mangera... Après le procès de la
télévision...

—Pour en revenir à madame Butler, s'il faut qu'ils la
condamnent et l'emprisonnent, elle est morte.

—Ça me surprendrait. Elle aura deux, trois semaines
de prison tout au plus. Les Québécois sont quand même
pas des sauvages...

—Si tu savais ce que je sais...

Elle pencha une petite tête plaintive:

—Ah! suis rien qu'une petite putain de la rue Champlain tandis que toi, t'es un grand écrivain.

Il refit deux pas vers elle, ferma les poings, trépigna:

—C'est pas ça que je veux dire... Je sais ce qui s'en
vient pis c'est pas de ma faute si je le sais: j'aimerais
bien mieux pas le savoir. Connaître l'avenir, c'est pire
que l'enfer... C'est le diable en personne qui a permis ça,
je te jure devant Dieu...

—J'aimerais ça que tu me parles, que tu me dises tout
ce que tu sais. Connais-tu mon avenir? Peut-être dans
les lignes de ma main...

Il prit place à trois pas d'elle dans une berçante grin-
çante mais qu'il garda muette en ne bougeant guère.
Devant eux, la télé se montrait discrète dans un film
noir et blanc peu bavard.

—S'ils envoient Édith en prison, dans moins de deux
semaines, elle va mourir de manière atroce. Parce que
les massacres de septembre s'en viennent. Les gens du
bas de la ville, pas les sans-abri pis les plus misérables,
là, mais les petits boutiquiers faillis et ceux frustrés de
pas faire assez d'argent vont se réunir et se lancer à
l'assaut des prisons et massacrer tous les prisonniers.
Ça sera la faute à Marat-Mouchard qui écrit n'importe
quoi dans L'Ami du Québec et qui appelle à la violence.
Ce ne sont pas les royalistes qui vont écoper mais les
pauvres gens en prison...

—Tu sais, j'ai suivi des cours de métaphysique et je
comprends ce que tu veux dire. Massacrer... tu veux
dire que, qu'ils vont...comme les rééduquer...massacrer
leurs idées... quelque chose dans le genre... Du monde
dans la misère vont pas s'en prendre à du monde dans
la misère...

François fit une pause. Son regard bougeait dans celui de Julie. Non, il ne tenterait pas de la convaincre par les mots... Il lui prouverait en moins d'une heure qu'il disait vrai et c'est le premier procès télévisé qui lui donnerait cette chance d'être enfin entendu, cru.

—Édith Butler, elle va se faire condamner... Tu veux que je te dise pourquoi? Parce que depuis le dix, tout le monde est suspect et deuxièmement, parce que c'est Marat-Mouchard qui est derrière tout ça...

—Tu le condamnes à cause de son style... Il est pas sérieux quand il s'enrage, il parle par métaphores... Voir si Marat-Mouchard voudrait cent mille têtes pour de vrai!

—Il est violent que je te dis! vociféra François en frappant sa main droite ouverte de son poing gauche répétitif...

Alors il prit conscience de sa propre violence et son poing mollit, devint un point de suspension...

Julie percevait de la force, de la grandeur, surtout une immense bonté dans ce personnage, mais Dieu lui-même se fâche, pensait-elle alors. Non, elle ne voulait pas le mettre en colère. C'est de ses bras protecteurs dont elle avait grand besoin... Elle demanda pour qu'il se calme et en même temps se vide d'autre chose peut-être:

—Et le roi, et la reine, que leur arrivera-t-il?

Il lui lut son dernier quatrain. Elle avait beau être fille de rue, quelque chose brillait en elle et puis, n'avait-elle pas suivi des cours de métaphysique.

Elle fit semblant de comprendre.

—Le roi fut souvent mon client...

—Ah? s'étonna François.

—C'est un secret... Je te le confies parce que je te fais confiance...

—J'aurais cru le roi tout à fait comblé par la reine...

—Je vais te dire un autre secret: la reine, eh bien, elle manque de fesses! On croirait pas ça à la voir de face, hein? Et puis c'est très dur pour un roi qui peut tout avoir, de manquer à ce point-là, dans sa propre chambre à coucher, de fesses à tâter...

Puisqu'elle avait ce lien secret avec la royauté, Julie Lambert devait avoir un nom dans l'histoire de la Révolution française. François serra les poings, serra les mâchoires...

—Tu n'aimes pas que je te dise ça?

—Non, non... si tu savais tout ce qui se brasse là, dans ma tête... Je cherche, je cherche...

La télé annonça:

—Chers citoyens et chères citoyennes téléspectateurs et téléspectatrices, voici maintenant en direct sur nos ondes la diffusion du premier procès à être tenu depuis la création du Comité de sûreté publique montréalaise. L'accusée, madame Édith Butler, sera jugée par la bande des six composée de cinq personnes, ceci afin de pouvoir en arriver à faire pencher la balance d'un côté ou de l'autre car le jugement sera à majorité et non à unanimité comme dans les procès bourgeois fédéralistes et royalistes.

—Tu vas voir, tu vas voir, le nègre de la bande des six, ben il sera même pas là... glissa François sur un ton triomphant.

—Citoyennes, citoyens, ici Jacques Fâcheux à Radio-Québec... à vrai dire pour la première fois à Radio-Québec, et c'est avec fierté qu'il faut bien le faire... Tout d'abord, je vais vous présenter les membres de la bande des six qui sont cinq on l'a dit, mais on le répète pour ceux qui comprennent jamais rien la première fois...

—J'ai entendu le général Charron puis la marquise de Lapayette dire qu'il faudrait se débarrasser du Noir de la bande des six, glissa François qui s'appuya un coude sur un genou et le menton sur la main du même bras que ce coude-là...

—Donc, citoyens et citoyennes, voici la présidente du jury, citoyenne Suzanne Ventouse...

La caméra capta un sourire cadenassé dans le visage à regard de glace...

—Et ensuite, citoyen Hébert Germinal...

—C'est le nom d'un mois durant la Révolution: germinal et aussi ventouse... non, non, ventôse... cria le téléspectateur voyant.

—Ensuite, vous reconnaîtrez la citoyenne Nathalie Pétrie, soeur de Juliette, mieux connue qu'elle...

—Pétrovsky... menteuse qui a changé de nom...

—Et qui a changé son nom pour ne plus jamais s'appeler Roy, le citoyen Collant d'Herbois, collaborateur à l'Almanach du peuple, sans peur, chauve mais qui ne fait pas partie des Sans-Cheveux...

Après les poses statuesques de Germinal et Pétrie, d'Herbois hocha la tête à plusieurs reprises et ouvrit les mains comme pour montrer que le bien émanait de lui en abondance.

François avait le coeur serré. Qui serait donc le cinquième? Sûrement pas le Noir; il ne fallait pas... Mais l'image suivante lui claqua en pleine face avec les mots fâcheux de Fâcheux:

—Et, puisque l'accusée n'est pas une 'pure laine' voici pour compléter la bande, le citoyen Laferrière qui sera là pour représenter les penchants de nos minorités, ce qui montre une fois de plus le sens de la démocratie dans notre grande république.

Le jury était à une table en V, la présidente au bout et les autres à deux de chaque côté. À la sortie du V, il y avait deux tables posées parallèlement, l'une servant à l'accusation et l'autre à la défense. Quelques objets s'y trouvaient mais pas assez en évidence pour que les téléspectateurs ne puissent les distinguer nettement.

Fâcheux poursuivit:

—Et, dans le box des accusés, la citoyenne Butler. Citoyenne, levez la main gauche. Jurez-vous de dire la vérité...

—C'est sûr...

—Dites: je le jure.

—Je le jure...

—Et, citoyens, citoyennes, voici venir un des avocats dans cette affaire; il s'est fait attendre mais le jeu en valait la chandelle... voici donc le citoyen télévisuel le plus populaire au Québec, Jean-Cul Migraine...

Entra gravement le grand personnage mortuaire, tragique, profond, et qui portait un gadget électronique comportant un micro fin fixé devant sa bouche et un fil qui conduisait le son au gadget qui lui, le faisait suivre jusqu'à ses deux oreilles. Ainsi, il pouvait s'entendre parler afin de se mieux comprendre.

—Je suis le plus grand citoyen questionneux du Québec, déclara-t-il. Je questionne le sport, le sang, le sexe, les stars... Rien ne m'échappe de ce qui fesse dur.

—Bravo! cria Butler en battant des mains.

—Citoyenne, dit Fâcheux, étonné, il est l'avocat de la République, pas celui de la Défense...

—Je le savais... Mais c'est la première fois que je le vois en personne pis je le trouve assez beau...

—Tiens, c'est la première fois qu'on me dit ça... Le citoyenne voudrait peut-être que je ramollisse dans mon questionnaire? Y'en est pas question!

Migraine rajusta sa toge et se rendit à un banc face à l'accusée de l'autre côté des tables de pièces à conviction et il se prostra dans un silence élevé.

Fâcheux, lui, s'étonna plus encore:

—Mais citoyenne Butler, vous n'avez donc personne pour prendre votre défense...

—La vieille décrépite, elle est tout le temps en retard...

Migraine intervint et, au regard de sa montre, il déclara:

—Gagnons du temps... Citoyenne Butler, récusez-vous un ou l'autre des membres du jury?

—C'est quoi, récuser?...

—L'accusée accepte, trancha Migraine qui retourna vivement à sa hauteur.

Une vieille voix traînante se fit entendre:

—C'est la premiére fois que je venions à Radio-Québec pis je me trompions de porte pis je tombions sur les morpions de la prison à côté... Y voulions me garder pour passer la moppe... Y voulions pas crère que j'avais eu une promotion icitte au Québec pis que la moppe asteur que j'sus au Barreau, c'est pas à terre que je la passions mais sus ma tête que je la mettions...

La Sagouine parut, joignant le geste à la parole, la tête parée des cordes de sa vadrouille et en tenant le manche dans sa main.

Fâcheux dit au public:

—Chers citoyens, citoyennes, voici que la citoyenne acadienne naturalisée québécoise agissant ce soir en tant qu'avocate de la défense, fait son entrée. Il s'agit de citoyenne La Sagouine.

La vieille dame s'approcha de sa cliente et dit:

—De quoi c'est qui se passions, la p'tite Butler, tu te fourrions les doigts dans les yeux jusqu'aux trognons avec tes prises de positions?

—Citoyenne Sagouine, insista Fâcheux, quand on s'adresse à qui que ce soit dans cette Cour, **fallion** dire citoyen ou citoyenne selon le cas que vous remarquez...

—Toué, ris pas de moué avec ton fallion si tu veux pas un coup de fanion, dit la vieille dame en retournant dans l'autre sens la vadrouille dont le manche devenait une hampe à fleurdelisé au bout de laquelle un beau drapeau québécois était accroché.

—Maître Migraine, veuillez procéder sans retarder, ordonna Fâcheux qui martela son bureau deux fois avec un maillet.

Le grand échalas prétentieux fronça un sourcil et fonça sur sa victime:

—Et de un, citoyenne Butler, ne portez-vous pas un nom anglais?

—Ben quoi? comme Johnson, Ryan, Nelligan... dit la défenderesse.

—Oui, mais ceux-là ont rien fait de louche... Le reste de leur vie les rachète pour le forfait de leur extrait de baptême...

—Édith, c'est français comme le diable: Édith Piaf, Édith Cresson, dit Édith.

Migraine repoussa à mains ouvertes:

—Oublions, oublions. Mais ce qu'on peut pas oublier, c'est votre origine acadienne. Et de deux!

—Qu'est-ce qu'il y a de vicieux là-dedans?

—Vous êtes pas une 'pure laine' dans un Québec pure laine. C'est pas un vice, c'est un virus.

—À tout virus: miséricorde!

La Sagouine regardait passer les réparties mais quand sa tête arrivait d'un côté, la phrase jaillissait déjà de l'autre côté.

—Trois, j'irai d'une question si vous me le permettez. Citoyenne Butler, combien de citoyens acadiens y a-t-il au moment même où je vous parle dans l'armée Newfie ou qui sont favorables à l'armée Newfie? Ou qui font les interprètes pour l'armée Newfie? Hein?

201

—J'en sais trop rien. Je ne suis pas responsable de mes frères et de mes soeurs d'Acadjie... Vous avez des bibittes dans la tête, citoyen Migraine.

Migraine haussa les épaules, le nez, la moustache et l'oeil. Il prit un exemplaire de L'Ami du Québec sur la table et jeta en ricanant:

—Toute la presse en a parlé à la une. La citoyenne Butler s'est commise, que dis-je, compromise en vantant publiquement les mérites du C-a-n-a-d-a. Et pour de l'argent, du vil argent!. Et à minable cachet en plus! Alors que le citoyen Claude Morin a eu la décence, lui, de cacher tout ça sous la table, la citoyenne acadienne ici présente a insulté la patrie en plein jour, au vu et au su de toute la République et pour notre dérision dans les lambeaux du Ca-na-da. Honte! Honte! Rien que ça vous mériterait l'exclusion et la réclusion à vie! Et de quatre, citoyenne Butler!

Enragée noir, Édith se jeta en bas du box et se mit sous le nez de Migraine pour le menacer:

—Bondance de bonyenne, je me suis fait fourrer ben raide...comme La Sagouine icitte présente s'est jamais fait fourrer de toute sa vie par le grand Gapi. Tu sauras ça, toué, mon grand sacrament!

La Sagouine hocha la tête et fit un couci-couça peu convaincu avec ses deux mains sèches s'agitant à doigts ouverts...

—Vous ne le niez pas, citoyenne?

—Je nie pas m'être fait fourrer. Allez-vous mettre en prison toutes les citoyennes québécoises pour ça? Dans ce cas-là, engagez-vous des ouvriers...

—Pourquoi?

—Pour agrandir les prisons...

Fâcheux martela son bureau:

—Reprends ta place, citoyenne Butler, s'il te plaît. Et, Maître, poursuivez...

—Oublions 'et de un', 'et de deux', 'et de trois', 'et de quatre' parmi lesquels il y a de grandes fautes, et faisons-en un tout. Eh bien, membres du jury, ce tout n'est rien à côté du 5. Le 'et de cinq' est un crime impardonnable commis par la citoyenne envers la République et j'ai là une pièce à conviction irréfutable... Je vous la montre et je demande à votre Honneur, citoyen Fâcheux de la faire inscrire dans la liste imposante des pièces à conviction... Reconnaissez-vous ceci, citoyenne Butler?

Migraine brandissait une enveloppe de disque long-parcours.

—Certain, c'est un de mes disques.

—Vous en êtes sûre?

—Je le jure.

—Eh bien, membres du jury, sur la plage numéro cinq de ce disque, face A, on découvre le vrai visage de l'accusée. Le saviez-vous, elle s'est portée à la défense des sau-va-ges, je dis bien des sau-va-ges...

Les jurés s'échangèrent plusieurs regards étonnés et scandalisés...

—Vous voulez qu'on fasse entendre cette chanson de la trahison, vous voulez, citoyenne Butler. Vous en savez le titre, citoyens, citoyennes du jury? Bien, ça s'appelle Escarmouche à Restigouche...

—C'est des bons sauvages, ceux-là, qui s'pognaient des petits poissons pas plus gros que ça dans la rivière Madawaska...

Migraine devint solennel et déclara, le doigt haut et la voix douce:

—William Tecumseh Sherman, magnifique héros de notre grand voisin américain disait: "Il n'y a de bons sau-va-ges que les sau-va-ges morts!" Je n'ai aucune autre question et aucun plaidoyer, votre Honneur. Les 'et de 1-2-3-4-5' sont si accablants qu'il n'est point besoin d'y ajouter un seul iota.

—La citoyenne Butler a-t-elle des choses à ajouter pour sa défense? demanda Fâcheux. Et que la citoyenne s'adresse à la caméra pour que les téléspectateurs et les téléspectatrices qui auront à voter tout à l'heure sur la culpabilité ou l'innocence de l'intimée puissent se faire une idée juste de sa sincérité.

Édith se tint à côté de la table de la défense. Elle enfila la bandoulière de sa guitare et commença à jouer Jack Monoloy puis s'arrêta:

—Je joue de la guitare en Québécois.

Elle fit de même avec une mandoline, un banjo, un violon.

203

—Je joue de tout ça en Québécois: et de un et de deux et de trois et de quatre. Mais c'est pas 'toute'... Je peux chanter itou avec l'accent acadjen, l'accent québécoués pis même l'accent 'fronçé'. Pis c'est pas encore 'toute' parce que je peux jouer de la ruine-babines dix fois mieux que la Sagouine...

Elle exécuta une toune puis la termina sur une folle steppette.

—Pis c'est pas encore 'toute' créyez-moué... J'peux même jouer de la cuiller en québécois...

Elle prit les instruments et courut derrière les jurés étonnés et impressionnés, et là, se mit derrière le Noir... Se servant de sa tête comme d'un genou, elle se mit à faire claquer les objets métalliques aller-retour entre sa main et la toison frisée.

—Ça me donne une idée, dit Laferrière (le Noir), tout heureux et le visage comme une ampoule, je vais écrire un livre qui va s'appeler: Comment jouer de la cuiller sur la tête d'un pauvre con de Noir sans se fatiker... Ha!

S'adressant à la présidente du jury, Butler dit:

—Tu vois, citoyenne, je suis une 'joue-de-tout'.

—Et moi une touche-à-tout.

—Vous voyez, elle itou...

Elle retourna devant la table en disant:

—En plus que je suis féministe: jamais sans-culottes et surtout pas sans-cheveux, regardez-moi la tignasse...

Puis s'adressant à l'ensemble du jury:

—Écoutez, trouvez-moi une super bonne relationniste souverainiste qui va changer mon image et va l'ajuster à celle des autres artistes québécois?

Il y eut échange de regards incrédules.

—J'offre 10% de mes revenus.

Des sourires circulèrent.

—J'offre 20%.

Impassibilité. Haussements d'épaules...

—J'offre 50%.

En choeur, le jury dit:

—On en connaît une bonne...

Le juge ordonna la délibération. Ce fut ultra rapide. Pendant ce temps, les téléspectateurs pouvaient voter en téléphonant à Radio-Québec.

—Elle est brûlée, dit François à sa compagne. Frulla-Hébert et Marat-Mouchard veulent sa tête et ils ont fait choisir Migraine pour l'obtenir.

Mais en ce moment même, la présidente du jury disait à son monde:

—Marat-Mouchard m'a appelée. Et il recommande de sauver quelques têtes parmi les plus connues... vous savez, pour l'image de la justice...

La femme se coiffa le nez de ses lunettes et annonça finalement:

—Acquittée! Mais avec une petite réserve quant à son Escarmouche à Restigouche. Pour compenser son zèle malvenu à défendre la cause des révoltés, la citoyenne Butler devra donc composer quelque chose incitant les Acadiens à retirer leur support aux troupes newfies...

L'artiste se précipita sur sa guitare qu'elle mit en bandoulière, s'écriant dans un jet d'énergie:

—Mais c'est déjà fait...

Durant l'intro sur cordes, maître Migraine ôta sa toge en maugréant:

—Si je ne suis pas capable de voir du sang de près en agissant comme avocat de la République du Québec, eh bien, je vais appliquer pour devenir bourreau...

Édith s'arrêta un moment, se retroussa la crinière et, le visage nageant dans la joie, l'oeil tout petit et beau dans le triomphe, elle lança:

—Pour inciter 'toutes' les Acadjens à se 'varser' du bord du Québec... voici... yahou...

Paquetville, Paquetville, t'es mieux de t'tenir tranquille
Paquetville, Paquetville, sinon tu vas t'faire d'la bile...

La Sagouine n'écoutait pas et disait:

—Vous m'excuserions si j'arrivions en retard, c'est que je me trompions de porte pis que je frappions chez les morpions...

Fâcheux là-dessus déclarait officiellement:

—Plus de 90% des verdicts reçus du public en furent d'acquittement... Bonne fin de soirée, chers citoyens et citoyennes. Et vive la République! Et vive sa justice!

François ferma l'appareil et se rejeta dans sa chaise sans rien dire. Une fois de plus, il avait été trompé par le destin. Et devant témoin, devant le plus impartial des témoins, le plus transparent de tous: un être de candeur, de droiture, d'innocence.

Julie n'osait pas dire. Elle savait qu'il devait avaler une beurrée de savon et ne voulait pas risquer de la tartiner... Le silence était l'éloquence...

Il soupira:

—Jamais, jamais, jamais ça ne se produit comme je l'avais prévu...

Elle se mit à genoux à ses pieds. Ainsi, il se sentirait revalorisé: si peu mais un peu...

—Je connais l'avenir, mais tout se passe toujours autrement...

Elle chercha son regard, l'obtint l'espace d'un éclair, y inséra un immense mot de confiance.

—Je ne dis pas une chose et son contraire. Je connais l'avenir, tu comprends mais je me trompe tout le temps. Y'a des distorsions...

Il la regarda plus longuement. Elle plissa un tantinet les paupières pour lui montrer son intensité.

—Dis-moi quelque chose... Que crois-tu que j'ai qui ne va pas?

—Tu te coupes bien trop de la réalité... Et la première réalité d'une personne vivante, c'est sa propre nature...

Les petites mains douces, fines et habiles coulèrent furtivement sur les genoux, les cuisses.

Il était troublé.

Son premier mouvement intérieur fut de s'opposer. D'abord à l'idée... Il n'était pas débranché de la réalité... Elle disait ça pour s'emparer de lui... Puis il eut honte d'avoir conçu pareille pensée ignominieuse, difforme, et mesquine.

Néanmoins, il enveloppa les mains de la femme, comme pour reprendre le contrôle de la situation. Elle redit à pleine douceur:

—Laisse ta propre réalité se faire, se composer... Viens... allons au lit et... et faisons la vie...

Faire la vie... une expression dénigrée, ridiculisée, entendue de la bouche de bonnes gens qui cherchaient à cacher leur état de morts-vivants derrière les soufflets à la vérité...

Pour une seconde, il entra dans une idée tracassière. Le vrai Marat n'était-il pas du groupe des Amis des Noirs? Marat-Mouchard avait peut-être pesé fort sur la décision du Comité pour qu'on y garde ce citoyen Andy Lefrenière ou Laferrière ou Dany... Qu'importe...

—Qu'importe! redit-il tout haut. Allons au lit!

Elle l'entraîna par la main, le dirigea, le fit asseoir. Il n'aurait pas un traitement de roi comme ses clients mais un traitement d'amitié intense et belle...

—Tu te drogues avec tes propres pensées, mais vois mes mains comme elles sont vraies.

Elle les lui montrait, les paumes, les revers, les doigts écartés, debout devant lui, ni offerte ni preneuse: faiseuse de vie...

Puis, ôtant sa robe:

—Regarde ma peau, touche la... Elle est là, vraie...

Encerclant sa toison sombre à travers le tissu de la culotte bleue:

—Mon âme y est pour donner la vie, te donner la vie... et recevoir la tienne: voilà la réalité, la première réalité, celle de la nature humaine... Le reste, tout le reste, ce n'est que... que le temps.

Montrant ses aréoles à demi-voilées par le soutien-gorge:

—Écoute tes désirs les plus charnels et finis-en avec la torture morale... Tu n'es pas le Sauveur du monde et personne ne l'est...

Oh! comme il la sentait importante, grandiose, cette puissance retenue qu'elle nourrissait de siècles par millions en les milliards de cellules de sa substance profonde. Julie se pencha, le toucha par ses deux mains, l'une dans le dos et l'autre sur la poitrine, et le mena à s'étendre.

Il dit sans contrainte autre que celle d'obéir à la liberté de faire la vie:

—Tu es la vérité... la vérité que je cherche...

—Oublie le futur, oublie le passé simplement en les ignorant comme de faux amis... Vis ici... Je suis là, tu es là: notre heure est là. Embarquons, la mer est belle et...noyons-nous ensemble pour ressurgir ensuite plus forts, plus riches, plus humains... et moins humains...

Agenouillée à son côté, elle détachait sa chemise d'une main et fouillait sa chevelure de l'autre. Il dit:

—J'ai cherché la réalité chez les grands de ce monde mais il n'y a de grandeur en ce monde que le point de lumière entre l'esprit et la chair...

—Ne mesure rien, ne calcule surtout rien: je suis là exactement comme tu as besoin que je sois. Et tu es là comme moi, j'ai besoin que tu sois. Alors les besoins s'effacent et c'est l'infini qui nous transporte.

Sur une longue pause charnelle et spirituelle, elle le dénuda entièrement, couvrit tout ce corps vivant de baisers et de mains posées... Pour lui, ce n'était plus un appel mais, comme elle le suggérait, un transport, comme une sorte de lévitation rêvée, de celles qui s'emparent de vos morceaux de nuit et vous portent dans un temps qui n'a pas d'heure... Il se sentait comme sur un TGV lancé mille années-lumières de fois la vitesse de la lumière...

Ils furent plongés dans une mer de couleurs à tons chauds, étincelantes, sur fond de nuit profonde et s'y noyèrent longtemps, longtemps...

Chapitre 16

Ils se retrouvèrent plusieurs fois dans les jours qui suivirent. Manon comprendrait... C'est pour elle aussi qu'il s'était fait rebâtir par cette petite femme simple, claire et bouillonnante comme une source de montagne.

Il se battrait encore, certes, pour redresser l'avenir, et de toutes ses forces, mais sans aucun chagrin, sans noirceur, en pleine sérénité, cette sérénité même que les puissants et les riches se targuent, eux, de posséder en abondance et pour laquelle ils s'érigent entre eux de nombreux monuments... que, par bonheur, les pigeons savent reconnaître pour leur vraie valeur.

Johnny lui trouva deux armes comme François les avait demandées. Des pistolets de petit calibre, l'un pour Charlotte-Bombardier afin qu'elle projette l'histoire en avant et en avance, et l'autre pour lui-même, pour sa propre protection car il savait la barbarie imminente et prévoyait se trouver en pleine action.

Il avait à dire. Il avait à vivre. Il avait à faire. Et il y avait Julie, Johnny, l'amitié puis, plus tard, Manon et le petit Simon là-bas, au coeur de la bataille, quelque part entre la patrie et l'ennemi...

Le vingt-huit août, un vendredi, il se rendit à Radio-Canada. Il dut s'identifier formellement. On craignait de plus en plus les attentats. Le sachant d'avance, il n'avait pas pris d'arme avec lui. À quoi bon puisqu'il devrait d'abord persuader!...

Charlotte-Bombardier était partie pour l'Europe y faire une longue série d'entrevues que l'on entendrait en saison à la télé. Elle ne serait pas de retour avant le dix septembre au moins.

–Trop tard! Trop tard! Trop tard! marmonnait sans arrêt François en quittant le bureau de la réception.

Le doute l'envahit à nouveau. Peut-être bien qu'elle ne correspondait pas à la véritable meurtrière de Marat? Qu'elle n'était qu'une illusion, un leurre posé par le démoniaque trafiqueur d'histoire? Il s'était tant de fois posé la question. La vraie avait vingt-cinq ans à la mort de Marat et à la sienne six jours plus tard, et cette question de différence d'âge le tracassait, mais cela ne changeait rien à la correspondance possible puisque ça n'en était une que de reflets comme le nom, le couteau, le crime. Et puis, toutes les stars de la grande Sanglante sauf Mirabeau, ne dépassaient pas quarante ans.

Il lui paraissait vaguement avoir lu sur elle dans Michelet... Ça lui était revenu juste après l'amour avec Julie. Un portrait moral d'une exquise beauté. L'avait touché cette profonde solitude, compagne de Charlotte depuis la toute enfance, semblable à la sienne à lui, dans le terrible temps écoulé entre Manon et ses amis de maintenant, Julie et Johnny.

La jeunesse de Charlotte Corday au couvent: encore la solitude à laquelle ajoutait le mépris enduré de la part des plus fortunées compagnes... Tiens, il trouva dans ses vieux souvenirs, ceux-là d'avant la grande distorsion survenue dans la bibliothèque, un titre de livre de Charlotte-Bombardier et qui parlait d'enfance... à l'eau bénite...

Tout était cohérent dans la plus parfaite incohérence.

Il songea encore à se rendre chez des intellectuels de renom, de ces philosophes au quotidien et populaires, habitués de se livrer à de l'extraction de minerai simple jusqu'aux troisième, quatrième et même dixième sous-sols de l'âme humaine... Leur confier le soin de démêler l'inextricable, à eux, tous ces super spécialistes... Mais que sauraient-ils mieux faire que le docteur Bananier?

Alors il retourna chez lui, s'accrocha à deux mains à la sérénité et il écrivit presque sans arrêt, quatrain par-dessus quatrain, centuries succédant aux centuries, décrivant le futur avec force, avec la puissance du feu et du sang. Il tâcheronna l'oeil ouvert et luisant jusqu'au jour fatidique du deux septembre.

Ce jour-là, Julie l'appela. Elle savait qu'il risquait de s'enfarger et de tomber quand le présent lui tomberait sur la tête avec de l'avance ou du retard, ou pire, troué d'absences...

Il lui avait dit que les massacres de septembre auraient lieu dans les nuits successives du deux, du trois et du quatre, que mille prisonniers y passeraient, incluant beaucoup de femmes et même les enfants d'un orphelinat.

"Le réel, c'est certes l'amour de soi, mais c'est aussi l'amour des autres, de l'humanité!" lui servit-il pour s'excuser de ne pas pouvoir être avec elle.

—Ce soir, je vais travailler; on se reprendra demain.

—Je t'embrasse, murmura-t-il en la quittant sur une belle tristesse amoureuse.

Non, il ne pourrait pas sauver le monde tout seul, mais au moins pouvait-il sauver des vies. Parmi les établissements pénitentiaires de Montréal, il choisit Tanguay, la prison des femmes. Pourquoi? Atavisme chevaleresque! Après tout, les siècles étaient si près, ils étaient là qui l'habitaient, l'emprisonnaient...

Il s'y rendit tard en soirée, se tint aux environs, fut interpellé. On le prenait pour un passeur de drogue. Il se défendit avec sa plume.

—Suis un écrivain et je viens m'inspirer...

Il le prouva en montrant un exemplaire de son premier livre ainsi que des cartes. Quand on vit celle de Desjardins, tout fut beau.

—Oui, c'est un vrai Québécois! dit simplement un des gardes.

Assis pas trop loin de la grille d'entrée, il finit par s'assoupir, une main posée sur son stylo et l'autre sur la crosse de son pistolet caché dans une poche de veston.

L'aube parlait aux délinéaments des bâtisses quand il reprit conscience. Tout était paisible, d'une paix de cloître. Il s'en retourna sans comprendre.

Dans une bouche de métro, il se procura L'Ami du Québec et l'horreur lui sauta au visage comme l'explosif d'un terroriste joueur de tours. Un groupe de Grecs réfractaires qu'on avait conduit à Parthenais s'y était fait massacrer. Une vingtaine de victimes en tout. Un carnage! Une boucherie! François s'écria, jura, hurla à de rares passagers qui ne s'étonnèrent pas pour en avoir vu bien d'autres dans le métro:

—Ce n'étaient pas des Grecs, c'étaient des prêtres... des prêtres que je vous dis, des prêtres...

Mais personne ne l'écouta et une fois de plus, il ne réussit pas à imposer la vraie histoire.

Sur la rue Gerry-Boulet, parvenu aux abords de chez lui, il lança au ciel:

—Dieu, montrez votre puissance... Vous êtes là, Dieu, vous êtes là ou bien si c'est le Malin qui mène? Montrez que vous êtes le plus fort et de grâce, remettez cette maudite Histoire à l'endroit!

Il pleura et dormit tout le jour.

Au soir, Julie l'appela et fut si douce, si belle dans ses mots remplis d'images, qu'il retrouva sa sérénité de la veille.

—Je retourne veiller à Tanguay. Je sais que les appels de Marat-Mouchard seront entendus, je le sais... En plus qu'il y a ceux de Frulla-Hébert...

—J'aurais pris congé si tu avais voulu...

—Demain, je te promets... Je dois faire échec à Marat, je le dois... "La mort de Marat, c'est la vie de tous!" j'ai lu ça dans le portrait de Charlotte Corday... Ça me revient de plus en plus clair...

—Célèbre la vie et non la mort, mon grand, et la vie l'emportera, et même la mort reprendra sa belle place méritoire au bout de la vie.

—Quels seront nos derniers mots aujourd'hui? Ces mots-là me gardent bon, me gardent bien, me gardent...

—Faisons la vie, mon grand, faisons la vie...

—Faisons la vie, ma grande, faisons la vie...

À la prison Tanguay, il reprit sa garde. Le temps passa. Il s'assoupit tout comme la veille près du mur extérieur. Des cris le réveillèrent tôt. D'une fenêtre à l'autre, de l'autre côté de la rue, les gens se criaient des nouvelles affreuses. On mettait le bas de la ville à feu et à sang. Un saccage effroyable! Les nouvelles tragiques sont comme des gaz, elles s'infiltrent partout sans que rien ne puisse les stopper...

François quitta, héla des taxis mais pas un ne voulut s'arrêter. Ni autobus ni métro... Presque pas de voitures ou bien des bolides lancés à toute vitesse dans la direction opposée au saccage crié et pas encore décrié...

Il téléphona à des taxis. Personne ne sortirait. On lui raccrochait au nez. Ou bien c'était occupé. On lui criait des incongruités obscènes et rageuses. La police: pas de réponse.

Il trouva dans l'annuaire le poste le plus près, s'y rendit. C'était fermé à clef mais pas désert. Il sonna, sonna, sonna jusqu'à ce que trois policiers viennent ouvrir, pistolet au poing et pointé... Il se mit en pleine lumière pour ne pas être pris pour un Noir. On lui ouvrit et pendant qu'un homme le tenait en joue, les deux autres se précipitèrent sur lui et firent pleuvoir les coups.

—Qui es-tu? fut-il demandé quand François tomba sur les genoux.

Souffrant, moulu, craignant d'avoir une côte enfoncée, il souffla:

—François Langlois.

—Prouve-le.

Il tâta sa poche de fesse, trouva son porte-cartes, le tendit. On le lui redonna vite. On le fouilla. Il gémit plus fort que le mal en espérant cacher le pistolet derrière la comédie. Ce fut peine perdue! Un policier tira l'arme et l'arbora en triomphe.

—Permis?

—J'en ai pas.

—Vous voyez, les gars... Un royaliste qui est venu pour semer la pagaille ici...

—Suis pas un fédéraliste, suis pas un souverainiste pis je m'en crisse...

—Le revolver, c'est pour quoi?

—Pour ma protection, le monde est fou.

—Faut un permis pour se protéger, citoyen.

On commençait à l'appeler citoyen; un soupçon de respect s'installait-il malgré le pistolet? Mais c'était le 'je m'en crisse' qui lui avait valu un début de sympathie. Il ne le saurait jamais.

Après un bref interrogatoire, il lui fut annoncé que l'on procéderait à des vérifications d'identité. Si la carte Desjardins s'avérait authentique, sans doute que l'on pourrait le laisser partir. Mais l'on devait confisquer l'arme et il aurait obligation de se présenter devant le Comité de sûreté dans un mois pour répondre de son geste illégal.

Un peu avant l'aube, on le libéra. Il osa demander pourquoi les policiers ne se trouvaient pas tous dans le bas de la ville, là où le crime s'était sans doute emparé de... de il ne savait quoi puisqu'il ne se trouvait aucune prison par là-bas...

—Le peuple avait droit à sa vengeance, lui dit un agent qui portait un macaron à l'honneur de Marat-Mouchard sur fleur de lys stylisée.

—Et nous à notre sécurité! dit un autre. Comme les casques bleus de l'O.N.U.

On le reconduisit aux abords de chez lui mais François n'y entra point et se dirigea aussitôt vers le secteur des troubles qui se devinait par les nombreux incendies y faisant rage.

Au premier feu, il prit conscience de l'ampleur du carnage. Plus loin, vers le centre, partout, des cadavres jonchaient les trottoirs. Et sur tous les murs, cette même rage insolente qui avait écrit des slogans en lettres de sang... Des signes fédéralistes inscrits par des souverainistes pour faire porter l'odieux de leurs gestes sur la pensée adverse; des signes souverainistes écrits par des fédéralistes pour la même raison. Ou peut-être bien des signes fédéralistes tracés par des fédéralistes et des signes indépendantistes faits par des indépendantistes.

Cela ne dura pas et le crime à fond politique céda le pas au crime infernal, celui des insondables tréfonds de la nature humaine, seule capable de se donner les moyens et la conscience de se livrer au massacre, et qui trouvent leur bras en la sauvage puissance du clan.

Non, la mort n'était plus signée Québec ou Canada mais homme. Ou plutôt troupeau d'hommes!

Les pompiers commençaient à sortir et à se présenter sur les lieux des incendies. Des ambulances, encore peu nombreuses, se faisaient entendre. À part ces bruits-là, aucune autre clameur, plus de cris de rage folle, que des gémissements de blessés à l'agonie, que des appels lents et lourds de personnes qui se sentaient abandonnées par leurs morts.

A mesure qu'il progressait, le jeune homme prenait conscience de sa stupidité quant à l'interprétation de l'histoire. C'est par le bien et par le mal qu'il aurait dû voyager dans sa recherche mentale. Pour rester le plus intact possible, le mal cherche ceux qui ont le moins de capacité défensive. Durant la Révolution française, lors des massacres de septembre, on s'en était pris aux plus démunis, les petites gens emprisonnées pour dettes, des jeunes orphelins enfermés pour y subir une réforme, des filles publiques, tous ceux-là absolument privés alors de moyens de défense ou n'en ayant que fort peu.

Mais en 1992, à Montréal, République du Québec, les plus faibles ne sont pas les prisonniers puisqu'en prison l'on dort au chaud et l'on dîne chaud, l'on y travaille et l'on y gagne, on y fume, s'y drogue et on y exerce sa sexualité, non, les vulnérables sont sur la rue et ce sont les sans-abri, les itinérants mais aussi, comme depuis toujours, les filles publiques que l'on hait à cause de leur sexualité et de leur sexe.

Il fallait qu'il coure au plus vite à la rue Champlain, qu'il retrouve Julie... Elle ne serait pas là. Elle avait dit la veille qu'elle prendrait congé... Non, qu'elle aurait pris congé s'il avait voulu...

Il repéra une cabine téléphonique... Car avant de se morfondre, de se tuer à craindre le pire, il devait d'abord l'appeler. Il avait son numéro. Il disposait de pièces de vingt-cents. Il la rejoindrait ou bien...

En proie à une inquiétude mortelle, il n'entendit que la sonnerie à répétition. Peut-être passait-elle la nuit avec un client, ayant su et vu ce qui arrivait en ville? Il raccrocha, aperçut des formes humaines un peu partout allongées sur le sol, les trottoirs, le bord de la rue, mal dessinées encore par ce qui restait de nuit mélangé à des lueurs d'incendie, des reflets de lampes électriques et de molles prétentions d'une aube rouge...

Il se tourna pour sortir mais un message écrit sur un papier souillé de sang le cloua à sa lecture:

"Jusqu'à ta mort, je t'aurai à l'oeil!"

Et il y avait une flèche noire indiquant vers le haut. François y regarda, la chair tremblante comme secoué par une crainte prémonitoire. Son cerveau devint dur comme de la glace, froid comme le marbre, intolérable comme le sable brûlant du désert.

À bout de nerfs, une paire d'yeux avait été suspendue à la tringle métallique du haut de la vitre latérale. Des boules sanguinolentes de quelqu'un qui avait eu de son vivant le regard bleu profond. L'horreur, le ridicule atroce, le grotesque s'épousaient dans une noce barbare et diabolique. Seule la nature infernale d'un artiste cruel et dément avait pu imaginer cette scène du plus pur macabre...

Il se précipita à l'extérieur avec le goût de vomir, puis vers la rue Champlain qu'il explora de bout en bout. Trois cadavres mutilés qu'il souleva sans respect et laissa retomber avec moins de respect encore, mené qu'il était par un impératif incontrôlable. Des filles comme le disaient leurs vêtements souillés. Un visage était défait, assassiné vingt fois par le bras vengeur d'un être délirant et sans doute parfaitement inconnu de la victime. Non, ce n'était pas Julie: il connaissait trop bien son corps. Même dans la mort, elle aurait gardé son petit côté princesse...

C'était pour qu'en des moments de désespoir, de doute aussi affreux, il lui soit donné de renaître à la sérénité que le ciel et Johnny lui avaient envoyé Julie. Et qu'avec Julie, ils avaient fait la vie...

Comme pour lui donner la main, une belle idée réconfortante s'installa en sa tête: Julie, si pleine de vie, Johnny, si rempli de sagesse, avaient peut-être réuni leurs efforts et trouvé refuge dans le restaurant désaffecté de Johnny, dont son ami disait avoir toujours la clef.

Mais ça, François ignorait où.

Autant supporter encore un autre quart d'heure le spectacle infâme et aller au lieu de résidence de Johnny, trois rues plus loin. Peut-être y trouverait-il un signe, un indice, un de ces riens qui vous donnent le ciel quand vous vous trouvez au plus profond de l'enfer.

Il ne put s'empêcher de compter dans le clair-obscur quarante-sept cadavres sur lesquels pour la plupart on s'était acharné. Des doigts, des mains parfois même des bras avaient été coupés, enlevés, emportés ou bien gisaient dans les environs.

Les feux sont modérés, réguliers. Ce n'est rien. Rien que des choses qui brûlent. Des policiers mordorés passent en voiture, jamais à pied. On n'entend plus de gémissements. On a dû ramasser tous les blessés. Pour les morts, on prendra des camions-remorques, peut-être même des camions à vidanges. On y entassera les corps et on les expédiera à un site d'enfouissement.

Qui voudrait identifier ces miséreux dans la mort quand dans la vie de chaque jour, on les reniait en les niant!?

Il apparaît que le grabuge ait été peu important aux environs de la toile-toit de Johnny, mais le clair-obscur ne dévoile que ce qu'il veut bien à cette distance.

Il voit le pan de toile battre sous de légers et vifs souffles d'un matin qui prêche la paix à des cadavres inertes et à leurs bourreaux absents.

C'est contre une bâtisse de la banque Royale que Johnny a monté sa résidence dérisoire. À la fenêtre, au-dessus, il y a des barres d'acier. La haute finance prend soin de protéger ses basses possessions de la noire menace de ces mécréants de la rue, nus et obscurs, sans âme et sans usage.

Ce léger bruit de la toile ajoute au silence funèbre environnant. Au moins, n'aperçoit-il aucune trace de sang, de morceaux de chair humaine, pas d'horrible démonstration de la haute valeur de l'homme...

Tout est calme, presque doux, presque simple après tant d'inhumanité.

—Johnny? dit François en guise de coup discret à la porte.

Des gens s'imaginent qu'un itinérant n'est pas chez lui sur terre parce qu'il vit dehors, d'autant qu'il ne sait pas japper, mais le jeune homme, bien qu'il se sente incapable tout bien pesé, de mener leur existence, avait appris à les voir comme des êtres riches de souffrances et donc remplis d'une sagesse que le banquier croit être de la folie.

Nulle réponse.

—Johnny? refit le visiteur à voix pointue.

Et il souleva le morceau de toile, s'attendant à y voir comme naguère la lampe-gadget au plus bas de sa flamme et son ami couché dans une inconscience que n'ont pas à se donner les inconscients de la bonne société puisqu'ils en vivent à vie.

Il y faisait encore très noir. Qu'un puits de lumière sombre tout au fond, sous la fenêtre et qui donnait sur une forme suspendue... Quoique non fumeur, François gardait toujours avec lui depuis sa sortie de l'hôpital psychiatrique, un allume-cigarettes comme prévoyant l'utilité future de l'objet. Il le trouva, découvrit la roue à hauteur des yeux, la fit rouler...

Une immense souffrance baignée de colère noire vint s'écrire dans son regard à mesure qu'il découvrait la scène et déduisait ce qui s'était passé.

On a suspendu Johnny avec des cordes aux barreaux de la fenêtre, découpé grossièrement le toit pour laisser passer la fumée, jeté sur Johnny le contenu de sa lampe et celui d'une réserve dont le bidon traîne et on y a mis le feu. Le liquide est peu volatile, on le savait: il brûle très lentement. On a réfléchi la torture. Que pour le plaisir d'entendre les hurlements. Pour la jouissance de sentir les odeurs de chair brûlée. Pour la joie morbide de voir les contorsions d'une souffrance horrible...

Le feu s'est éteint de lui-même quand il fut repu des vêtements et de la chair, satisfait de son ouvrage. Le visage est affreux mais reconnaissable. La tête s'est tournée sur le côté vers le bas comme celle du Jésus crucifié des icônes.

François est rejeté en arrière avec pour seul désir celui de vomir et de chasser ce tourbillon qui l'emporte, le cloue au vertige, le tue en le gardant de ce monde. Il recule, recule, son dos traverse le second pan de toile tout aussi déchiré que le premier: l'air du matin lui donnera rémission...

La vision disparaît. Il garde la flamme haute sans le savoir, sans le vouloir, mécaniquement. On l'enfarge par l'arrière. Il tombe à la renverse, de travers... C'est un cadavre. Qu'importe: un de plus. Et décapité. Et nu... Il se traîne sans lâcher la flamme bousculée mais tenace, s'arrête, les pieds à ceux de cette chair jeune, à ce sein auquel l'aube prête des airs de... princesse... de jeune princesse...

Dans ses rires féroces, l'abjection totale s'empare de sa volonté et soulève ses yeux comme dans la cabine téléphonique. Plus que des boules de chair exorbitées, cette fois, c'est une tête entière qui lui apparaît, celle du cadavre que l'on a ridiculement coiffée d'une perruque arrachée sans doute à une autre fille ailleurs.

La princesse de Lamballe...

Une lumière suraiguë darde l'oeil fou de l'homme. Ce corps tant aimé repose sur le côté dans une grâce morbide. On l'a flétri par l'enfoncement brutal dans le sexe d'une tige muette qui a dû porter drapeau...

Une substance verte souille la tête, là-haut. Il en tombe une goutte de quelque chose parfois, rarement...

Il fallait que l'on bafoue ce sexe avant de lui ôter la vie, ce corps 'faiseur de vie'... Ceux qui l'ont fait doivent parler d'amour le soir parfois entre deux images de la télé juste avant de baigner les enfants...

La férocité maître de ses mouvements et de son impuissance lui montre la tête, le corps, la tête et encore le corps...

La princesse de Lamballe...

On l'a tuée de la même manière, en accompagnant le crime de semblable bouffonnerie monstrueuse: sa tête fut portée chez le coiffeur puis enfoncée sur une pique et paradée sous la fenêtre de son amie la reine...

François trouva des réactions instinctives ou bien la férocité lâcha-t-elle juste un peu de corde pour parvenir à le massacrer mieux... Poussant son corps de ses pieds crissant sur la dureté du trottoir, il recula jusqu'au mur et rejeta le briquet inutile...

Alors pendant un quart d'heure sans jamais n'avoir de cesse, il hurla au ciel:

—Dieu, sois maudit! Dieu, sois maudit!

Puis il gémit un autre quart d'heure:

—Maudis sois-tu d'avoir créé l'homme. D'avoir créé l'ignorance destructrice. Tu n'es pas un dieu de lumière mais d'ignorance. Détruis-toi toi-même... Ou peut-être est-ce cela que tu accomplis par ta créature... Tu n'es qu'abomination, bassesse, dépravation... Je te maudis pour l'éternité... Détruis-moi donc puisque tu prends les meilleurs que moi... Dieu, Dieu, m'entends-tu?... Sale prétentieux suprême, laisse ta place à Satan qui a des beautés que tu n'auras jamais et dont tu es jaloux... Férocité maudite!...

—Tu les as pas manqués, ces deux-là, félicitations, citoyen!

François reprit un peu de conscience. Des éboueurs ramassaient les cadavres. Julie n'était déjà plus là. On enlevait le corps de Johnny... Des hommes sales et ricaneurs, indifférents à la mort et qui avaient peut-être participé à la boucherie de la nuit... L'un avait osé lui donner une claque de congratulations sur l'épaule...

Il fut bientôt seul... Il resta prostré pendant une heure puis se mit en route pour chez lui à quatre pattes jusqu'au bout de la bâtisse de la banque... Vomissant sur Dieu...

Sur Ste-Catherine, il se releva et cria une seule fois:

—Dieu, je serai de ton côté la nuit prochaine, de ton côté, tu m'entends?...

François avait quand même réussi à forger un plan et il remerciait le diable de le lui avoir inspiré. Il serait de la fête macabre la nuit prochaine, celle du quatre, la dernière des grands massacres de septembre. Et il tuerait les tueurs par dizaines. Et on le tuerait. Et le cauchemar prendrait fin. Enfin...

Il marcha jusque chez lui comme un zombi, en contournant les dépouilles qui restaient sur son chemin, sans en regarder aucune... Il était guidé par la foi. La foi en lui-même et en Satan, la foi en la nécessité absolue de tuer Dieu...

Il dormit tout habillé et comme un mort-vivant.

Puis se leva et se rendit aux toilettes.

Les femmes aiment laisser des signes de piste dans les armoires des hommes, pour avertir les prochaines de leur passage et peut-être de leur importance dans ce territoire. Il y avait du fond de teint, des substances qui lui étaient peu familières, à lui, l'homme homme... un peu bête.

Il prit un tube, tira le bouchon et se traça des lignes larges et brunes sur le front et les joues. Il serait à moitié masqué. Il prit une cravate et la mit dans sa poche de veston. Il passerait pour un cravaté. Quand on le verrait tuer, tuer et tuer encore les massacreurs, on l'arrêterait, on le fouillerait et on le croirait un espion. Sans hésiter, il serait tué, tué, tué...

Mais où donc s'exercerait la folie meurtrière cette nuit-là, se demandait-il quand il quitta sa chambre au soir tombé. Restait-il des sans-abri à trucider? Ou bien avait-on nettoyé tout le bas de la ville en une seule fois?

Il força sa faim et se remplit l'estomac de beignes frais: pour affronter Dieu, il faut se nourrir, se refaire des forces car la partie ne serait sans doute pas facile...

Ensuite, il marcha longuement sur Gerry-Boulet à l'affût d'une explosion de mal quelque part. Chaque fois que l'image des cadavres de ses êtres chers lui revenait à l'esprit, il l'enterrait aussitôt par celles des beaux souvenirs qu'il gardait d'eux; et pour enfouir l'horreur, il se servait de la pelle de la sérénité. Il les retrouverait bientôt, ce n'était plus qu'une question d'heures. Que tout le Québec s'entretue et qu'il aille au diable avec tous ses drapeaux malades... à Dieu, ce serait encore mieux! Manon devait revivre, refaire ses jours avec quelqu'un d'autre; on revit vite après les grands départs de ceux que l'on ne connaissait pas beaucoup...

Vers dix heures, il fut sur la Ste-Catherine. Tout y était d'un calme spatial. Aucune circulation bien que ce fût jeudi.

Qui donc serait massacré puisqu'il ne s'y trouvait personne, pas plus là qu'ailleurs? Et qui massacrerait?

Il s'éloigna vers l'ouest puis remonta jusqu'à Jean-Duceppe, revint plus au centre... aperçut quelqu'un qui, l'apercevant, s'enfuit... Mais il le rattrapa... L'itinérant le supplia de lui laisser la vie sauve... Il le calma. L'homme reprit un peu confiance et lui apprit ce qu'il aurait dû savoir s'il avait seulement pris la peine d'écouter les médias parlants au lieu de dormir comme un mort.

Les pages des journaux, surtout de L'Ami du Québec, étaient remplies de cadavres. On écrivait que la vengeance du peuple était assouvie... Mais c'était la nuit à venir qui intéressait François. Toute la journée, la radio n'avait cessé de faire appel aux itinérants encore vivants afin qu'ils se rendent au Métropolis en soirée. On avait les meilleures raisons du monde: ils y trouveraient abri et protection et puis il fallait du public pour assister à l'enregistrement de l'émission de J.C. Lauzon pour Radio-Canada car personne de la gent des bars n'oserait montrer son visage sur la rue à moins de vingt-quatre heures d'un massacre.

Les itinérants s'étaient passé le mot et avaient répondu à l'appel. Au Métropolis, ils seraient protégés par les grandes forces combinées de l'amour et de l'humour de J.C.Lauzon... par le groupe et sans doute par les forces de la Sûreté nationale... sans compter celles de la Commune de Montréal...

—Pourquoi n'y es-tu pas allé?

—Trop dangereux, fit l'homme sombre aux paupières révulsées. C'est la guerre des clans... pis on n'est pas du bon clan, nous autres... même pas capables de se battre en clan...

François ne s'attarda pas à ce vieil homme d'au moins trente-cinq ans et il marcha au pas de la marche olympique jusqu'à la rue Ste-Catherine puis, direction Métropolis.

Il y avait beaucoup d'agitation dehors et à mesure qu'il s'approchait, il la perçut comme étant de la folie furieuse. L'infect spectacle de la mort s'était refait là, à une nuit du précédent, lequel ne lui avait rien laissé sinon une parcelle de raison lui permettant d'agir in extremis contre l'auteur de la Terreur, Dieu lui-même... Être de la suprême pourriture...

On criait, on chantait des obscénités, on arborait des phallus coupés et piqués au bout de fourchettes... Et pourtant, personne en haillons sales mais que des gens des deux sexes et plutôt bien mis quoique leur beuverie, leur veûlerie et leur bassesse leur donnassent allure de mécréants de la pire espèce. Qui étaient-ils? Des avocats en mal de causes et qui semaient de la zizanie pour en trouver, des frustrés du petit négoce souffrant des excès des banques qui provoquaient la récession prolongée, des étudiants atteints d'un idéal débile, des décrocheurs, des artistes inconnus fatigués de s'étouffer eux-mêmes avec le fil de leur combiné de téléphone? Ou simplement des buveurs de sang comme il s'en cache tant derrière tous ces sourires au quotidien rencontrés sur la rue, dans les centres commerciaux, les écoles, les restaurants...

François entre, revolver au poing, salué par des encouragements de ceux qui dansent sur la rue et qui le prennent pour un des leurs à cause de son arme et de son masque de maquillage.

La première scène à le saisir d'effroi est celle d'un dément qui copule avec le cadavre d'une vieille femme morte. Puis il s'avance et voit partout du sang, des prédateurs, des itinérants pendus à l'aide de cintres défaits accrochés à tout ce qui peut suspendre. Dans un coin, des cris épuisés sortent encore de la gorge en râle de pauvres gens dont on achève d'extraire la vie par la torture et le démembrement à vif.

La musique est à son comble. On danse l'horreur, on rit à la mort et sur elle en se lançant des morceaux de chair humaine, on boit à même les bouteilles pour en ajouter au funeste dévergondage.

Une jeune femme au regard soûl de sang s'approche de l'arrivant pour l'entraîner sur le parquet de danse; elle aussi le reconnaît comme un des leurs.

Elle hurle à son oreille:

–C'est le fun icitte à soir, hein, citoyen!

Il fait semblant de sourire pour mieux savoir et demande en criant à tue-tête:

–L'émission de télé, c'est fini?

La fille éclate d'un rire à soubresauts hystériques et répond:

—Retirée de l'horaire, l'émission à Lauzon. Le J.C. n'est plus M.C. il a avalé son micro...

Il suit son regard malade et tombe sur la scène la plus abominable qui se puisse imaginer nonobstant celles de la mort de ses amis la nuit précédente. Comme si tous les films d'horreur sur vidéocassettes, présentés à la télé ou en salle s'étaient fondus en un seul pour produire un punch total et final, une image appelée à se répandre de par le monde comme celles de l'enfant indochinoise brûlée au napalm, ou du jeune nazi martelant son tambour, ou des soldats américains plantant le drapeau d'Iwo Jima, ou du jeune Chinois devant le char... ou même de Eltsine sur un char, ou du soldat Cloutier en face à face avec Lasagne, ou peut-être même de Mirabeau-Lévesque disant sa belle fierté de Québécois au grand peuple en délire... et imbu de sa propre image.

On a empalé J.C. Lauzon sur la tige de son micro et enfoncé le micro dans la bouche. Le misérable est resté grotesquement debout, le sourire figé à sa dernière farce plate sur les ennemis du pays. À son côté, le Capitaine Bonhomme se désole, agenouillé, pleurant, et qui parfois se lève pour baiser J.C. sur la bouche, ce que François devine être du bouche à bouche visant à revivifier le premier martyr de la télé révolutionnaire.

—Un si bon souverainiste! pense François qui ne trouve rien d'intelligent à concocter tant il est sidéré par cette autre distorsion de l'histoire.

La fin est venue. L'heure du plan est là. Dieu doit mourir! Il pointe un des massacreurs avec son pistolet, appuie sur la gâchette mais pas assez. Il ne peut pas. Pas celui-là qui ne paraît pas être le pire. La fille folle, tiens. Il n'y parvient pas non plus et elle le prend pour un excitant jeu de roulette russe. Deux autres tentatives s'avèrent infructueuses, alors il dirige le canon de l'arme vers sa tempe...

Jusque là, de nombreux observateurs l'avaient trouvé drôle mais plus maintenant. Tuer quelqu'un d'autre, c'est jouer le grand jeu du plus fort, mais se tuer soi-même, c'est se soustraire à ce jeu, et cela est intolérable. Et si cela était possible, les sociétés occidentales à héritage judéo-chrétien puniraient de mort le suicide réussi.

Deux danseurs se ruent sur lui. On lui arrache son arme. L'autre le fouille. Il trouve la cravate. François est content dans sa misère. On va enfin l'abattre. Mais la cravate est rejetée comme un objet sans la moindre importance.

En même temps qu'il continue à fouiller dans ses poches, le premier cherche de son autre main dans sa poche à lui. Comme s'il s'apprêtait à un échange... Et voilà que ce qui se dessine arrive. Il trouve une liasse de lévécus sur François et l'empoche. En même temps, il lui enfonce dans la bouche des comprimés en lui criant:

—C'est la seule façon de sortir de l'enfer... C'est la nouvelle drogue à la mode, c'est la meilleure...

—C'est pas l'enfer, ici, c'est le ciel, parvient à crier l'otage. C'est un lieu de Dieu...

François a chaud. Son maquillage coule avec la sueur. On le force à avaler la nouvelle drogue à la mode.

—Tu y gagnes, y'en a deux fois comme t'as d'argent.

On le lâche. Il se relâche. Tâche d'être quelque chose. En vain. Le vendeur aux propositions non refusables lui glisse sa carte d'affaires dans la poche en disant:

—L'enfer, le paradis, c'est pareil. L'important, c'est d'en rien savoir pis pour ça, y'a rien de mieux que ce qu'on te vend là...

L'autre dit à son collègue:

—Marque-le pour qu'il soit protégé et qu'on sache qu'il est notre client à nous autres.

Le vendeur trouve un kit sur lui, l'ouvre. Il y a là le nécessaire requis pour s'injecter: seringue neuve, ouate, liquide et poudre.

—Ça, c'est en prime: deux doses de coke.

Il y prend un tampon auto-encreur et en imprime la marque sur le front de François que ne cherche pas à l'empêcher, sachant que ce serait peine perdue.

La fille folle dit:

—Ça paraît presque pas: regarde, je l'ai aussi. Ça dure six mois...

—Étant notre client protégé, y'a personne qui va s'essayer à te vendre de la cochonnerie.

François examine le signe rose presque couleur de peau: c'est un aigle à tête chauve. Le produit est donc américain donc bon.

On ôte les balles du barillet de l'arme et on la lui remet en poche puis on le conduit à l'extérieur. Aussitôt, il est pris en charge par un travailleur de la rue qui lui dit, ému aux larmes:

—On va prendre soin de toi, on va prendre soin de toi.

Il le conduit à un stand à hot dogs...

—Ils sont gratuits, offerts par un groupe de belles âmes. Préfères-tu une pointe de pizza?...

—J'ai pas faim.

On prend le métro. Un ange du métro les escorte. D'autres médaillés des Jeux olympiques des handicapés moraux s'ajoutent. On le ramène chez lui en répétant:

—On va t'aider à t'en sortir, mon pauvre vieux. Un faux pas, ça se pardonne. Et pas rien qu'un, hein!... On va appeler un centre de désintoxication: ils vont venir... Tu vas pouvoir de reprendre en main...

Il croit qu'ils sont deux et que l'autre parle:

—On va t'aider à te refaire un avenir...

AVENIR...AVENIR...AVENIR...

Les mots se répétèrent comme en écho et l'homme sombra dans le délire.

Il reprit ses esprits deux jours plus tard. Dès qu'il eut ouvert les yeux, il découvrit sur la table de chevet un message qui lui disait:

—François, notre citoyen bon ami, on va venir te voir très bientôt. Mange bien surtout!

Et à côté, il vit, largement ouverte, une grande boîte remplie de beignes.

Alors il entra dans une idée particulièrement fixe: Montréal était une ville sinistre et barbare; il devait disparaître et s'en aller à Québec au plus tôt...

Ce qu'il fit illico.

Chapitre 17

La République du Québec n'existait toujours pas de droit. Elle avait été proclamée unilatéralement par le pouvoir de l'Assemblée mais le lien demeurait toujours légal avec la Royauté fédérale et ce, malgré la détention du roi et de sa famille (les enfants ayant rejoint leurs parents) au bout du mât enluminé du stade, et les lectures ronflantes et répétitives de la grande Proclamation républicaine.

Il fallait affirmer pour de bon la volonté vigoureuse du peuple en l'officialisant. Et la meilleure façon de le faire, c'était via une élection significative par laquelle on changerait l'institution politique elle-même, du moins de nom.

Paraphrasant ce grand Québécois qui avait impressionné si favorablement la nation tout entière au stade qu'on avait décidé de faire une exception et de doubler le salaire des Canadieux et Canadieuses afin d'essuyer leurs pertes causées par une paye en lévécus dévalués, Guy Carbonneau, qui avait déclaré que le temps était venu de 'fondre les **palets** pour en faire des boulets', Parizeau-Dalton qui aimait ce genre de mots imagés, déclara péremptoirement qu'il 'était temps de fondre toutes nos idées pour en faire une seule volonté'...

Mais avant l'avènement du très glorieux consensus national, il y aurait chaude lutte de pouvoir.

L'Assemblée fut dissoute et une élection appelée. Le peuple élirait ses représentants regroupés sous trois bannières: le parti des **Patriotes** ayant pour chef Pierre-Marc Brissot, celui des **Nationalistes** ayant à sa tête Parizeau-Dalton et qui comptait beaucoup sur des têtes d'affiche fort connues comme Suzanne Ventouse (à sa retraite et à son arthrite), Collant d'Herbois, le maire Doré et même, pour plaire aux minorités tannantes, le grand Noir Dany Laferrière qui se donna comme slogan fiévreux (envié par tous): *Comment faire l'amour avec le Québec sans se fatiker*... Et le troisième parti, le plus fort, le plus puissant, le plus riche, les **Chauvinistes** conduits par le citoyen Robert-Pierre Bourassa, et qui comptait aussi sur des têtes connues comme Croûton-Béland, Saint-Just-Lapierre, Frulla-Hébert, le bouillant Marat-Mouchard et Jacques Proulx... tous ceux-ci ayant formé un groupe baptisé les Enfargés...

La nouvelle assemblée élue porterait le nom significatif de **Convention** nationale.

Ce qui étonna François à la lecture de ces nouvelles fut de constater que Brissot, Parizeau-Dalton et Marat-Mouchard se livreraient à une lutte politique, eux qui auraient pourtant dû se donner une main solide et travailler ensemble sous une même bannière.

Distorsion, encore et toujours. Nul doute que le combat serait amical, sous la seule vraie bannière dont parlait souvent une star à la langue bien pendue des **Nationalistes**, Berneur Landru: 'la patrie d'abord', un mot éclatant de fierté dont Jacob Péladeau avait fait une toune sur l'air Brassenssois de 'les copains d'abord': paroles de Plamondon, un auteur-compositeur capable d'écrire n'importe quoi de super poignant et qui poigne moyennant du bon pognon...

Les divers Clubs se rallièrent sous une bannière ou une autre. Les Jacobins supportèrent les plus forts, i.e. les **Chauvinistes**. Les Girondins soutinrent les **Patriotes**. Les Cotonnés, beaucoup plus pauvres mais beaucoup plus nombreux aux urnes, se reconnurent davantage du côté des **Nationalistes**.

Seules les Payettistes hésitaient, tout comme leur chef, la respectée marquise de Lapayette qui ne serait pas candidate et déclarait à tout moment que 'Pouvoir, connais pas!'

La pauvre marquise traversait une période dure. Elle se sentait déchirée entre son amour du peuple et de la Révolution, et un certain attachement, malgré tout, avec la pauvre Royauté déjantée. C'est qu'ayant multiplié les spectacles télévisés à Radio-Canada, ayant donc touché près d'un million de vieux dollars canadiens pour sa jarnigoine médicamenteuse, elle s'inquiétait fort du sort de la grande station. La dernière saison, elle avait déménagé son talent à Télé-Métropole et non seulement on l'avait payée en lévécus moribonds mais encore, les cachets avaient été à la hauteur de la réputation de la station privée, soit plutôt bas... Elle-même avait montré caquet bas en animant un show terne concernant les Jeux olympiques de Barcelone.

Quant à Radio-Québec, elle la savait un panier de crabes bourré de cultureux paresseux. Lorgner du côté de Quatre-Saisons, c'était se regarder carrément les pieds... Et quels pieds!

François lisait ces choses entre les lignes, aidé par ce privilège de connaître l'avenir, fût-il contré, ce don douteux, par le présent de ce dur futur qu'il lui arrivait d'appeler par dérision le subjonctif futur...

Dans le secteur de la première avenue où il avait pris chambre étroite, le tenace citoyen François poursuivait l'écriture acharnée de son livre, prétendant pouvoir y mettre le point final vers l'halloween, ce qui permettrait à l'éditeur de le publier à la mi-novembre et au public de découvrir ses stupéfiantes prophéties en pleine période du procès du roi, c'est-à-dire entre le dix décembre et le temps de la probable exécution du malheureux aux trois quarts de janvier.

Un problème de taille attendait les trois partis politiques et ils furent pris sans culottes: aucun ne pouvait compter sur le vieux cheval de bataille, jamais éculé, du nationalisme utilisé depuis cent vingt-cinq ans et sans cesse présenté comme la trouvaille du siècle au peuple berné et borné. Et enculé! C'est qu'il y avait consensus là. Patriotes, Nationalistes, Chauvinistes: quel que soit le parti au pouvoir le 15 novembre, jour de l'élection, ce jour-là ou sans tarder, on trancherait officiellement, définitivement, irrévocablement le lien avec la Couronne fédérale.

Avec quoi se battre pour prendre le pouvoir? Le défi était de taille. Bien entendu, seule la démagogie fait les victoires en démocratie, et chacun s'y connaissait sur la question mais que brandir avec force, qu'annoncer avec trémolo, avec quoi flatter toutes les passions populaires éternellement assoiffées, comment masturber le peuple et lui donner les plus puissantes éjaculations?

Qui ignorait encore que le roi subirait procès dès la Convention élue? Quel candidat, en son for intérieur, doutait du jugement funeste qui serait rendu sur Louis Capeté? Mais ce matériel n'était d'aucune utilité pour qui que ce soit et au contraire, eût nui à qui en parlerait.

On consulta des experts tandis que les trois grandes maisons de sondages sondaient. Gelé-Léger s'était enfin hissée au premier rang de la crédibilité en ce domaine à cause de ses fondateurs nationalistes. Mais la confiance avait monté d'un bon cran pour Crop quand elle avait québécoisé son nom et s'était rebaptisée Crotte. Ce qui avait d'ailleurs incité Gallup à devenir Tit-Galop.

Chaque parti commanda tout d'abord une chanson-thème, peut-être appelée à devenir l'hymne national. Jacob Péladeau se mit à l'oeuvre pour les Chauvinistes, aidé par son ami Plamondon qu'il appelait toutes les nuits à Paris. Vigneault, lui, s'en fut à Natashquan à la recherche d'idées originales pour fabriquer la toune des Nationalistes. Et ce pauvre Marc Gélinas fut presque laissé pour compte une fois encore mais finalement fut engagé par les Patriotes qui n'avaient pas réussi à dégoter Jérôme Lemay, envolé comme toujours dans ses pensées propres.

Pierre-Marc Brissot fut on ne peut plus mal avisé par ses conseillers et prit la très malencontreuse décision de faire valoir le désir profond —caché— des Québécois pour la signature d'une paix durable avec les Amérindiens révoltés, toujours enfermés derrière leurs palissades sous le regard scrutateur et sombre des médias de toute la planète.

Il se rendit même au Village-Huron pour tourner le message publicitaire central de sa campagne. Habillé en Indien, assis aux côtés de Gros-Louis, il acceptait le calumet de paix du chef souriant en déclarant:

–Grand peuple du Québec, moué, homme-médecine, moué, homme de paix et de bonne entente, fumer grosse boucane devant monde entier avec gros chef Gros-Louis. Humanité va lire dans signaux fumée grand coeur des Québécwés pus tannés se faire écoeurer par Kahnawake pis Kanesatake.

Le message ne poigna point pantoute.

Et malgré sa diffusion mondiale, ne suscita pas la fierté du citoyen moyen, élément-clef du succès politique.

Et les Patriotes prirent une sacrée débarque dans tous les sondages. Même Marc Gélinas boqua durant trois jours, soutenant que son rythme à lui et celui de la musique amérindienne ne dansaient pas assez rond.

Les Nationalistes se donnèrent un grand mot d'ordre qui disait tout, fourrait tout, permettait tout: RACINES. Mot de passe, mot-clef, mot qui attache, mot de filiation, mot de retour aux sources, mot croisé, fin mot, bas mot, bref mot-mot.

Parizeau-Dalton rejeta veston, ceinturon à pitons, éperons et talons ronds pour adopter la tenue du vrai pure laine: chemise à carreaux, tuque rouge, ceinture fléchée, bottes à tuyaux qu'il fit décorer de salissures mordorées... Il reviendrait à sa vieille dualité une fois l'élection passée. D'autant que ses pistolets souveraineté et/ou indépendance ne servaient plus, à vrai dire, que comme parures et témoins de la grande histoire du petit pays nouveau-né qui vagissait encore dans ses langes et faisait gentiment dans ses couches.

Son camp s'emparerait sans coup férir de la fierté nationale, il le savait.

Trois messages furent enregistrés pour lui et par lui et diffusés en alternance sur toutes les chaînes. Un fut fait à la cabane à sucre. On y apporta un canon à neige qui fut descendu de l'Orford à force de bons bras par une équipe de Payettistes menée par Clémence Desrochers.

Comme on était tôt en septembre et que les feuilles ne disaient pas trop avril, la même équipe secoua vigoureusement tous les arbres des environs de la cabane puis ramassa les feuilles tombées.

L'homme politique fut filmé en pleine nature artificielle en train de courir les érables comme au bon vieux temps puis à surveiller l'évaporateur.

Pour le faire paraître moins gros en même temps que pour bien rappeler le thème (racines), les fabricants d'images lui donnèrent comme accessoires dans la partie tournée dehors, un énorme seau, une énorme tonne de bois bombée pour l'eau, un énorme percheron épais et lourdaud pour tirer l'énorme tonneau rempli du contenu des énormes seaux.

Après avoir garroché son brûlot d'une chiquenaude à la manière de Mirabeau-Lévesque, son père spirituel et celui de ben d'autres itou, P.-D. se fit sentimental:

–Plus qu'hier, et moins que demain! Québec, ah! Québec, mon pays, mes amours. Je t'aime plus qu'hier et pas beaucoup moins que demain parce que je suis au boutte de la passion de toi. Mais il s'en fera d'autres gouttes–de passion– puisque l'enracinement est profond. C'est dans ce sol béni qu'elles s'enfoncent au plus creux, les racines de nos arbres joyeux qui pissottent chaque printemps avec tant de courage et de foi en l'avenir (sans jamais brissoter)...

On avait conseillé à P.-D. de glisser une flèche acérée à l'endroit de Brissot, laquelle montrerait que les racines de cet adversaire n'allaient pas trop creux...

Puis, auprès de l'évaporateur qui en transpirait une claque:

–...sortie de notre bonne terre sucrée, montée vigoureusement entre l'arbre et l'écorce à l'appel de la race, voici que l'eau d'érable, esprit de notre grand peuple, ayant laissé dans les pannes le meilleur de lui-même pour le service de l'humanité, s'envole vers le ciel du pays, vers le Créateur de toutes choses, qui nous aime et nous prodigue en abondance ses bénédictions et ses dons. Gloire à la patrie au plus haut des cieux! Et paix au Québec aux 'pures-laines' de belle volonté!

Le thermomètre de Gelé-Léger faillit péter du côté des Nationalistes suite à la diffusion de ce message si extraordinaire dans sa conception. Le baromètre de Crotte péta. Le manomètre de Tit-Galop sauta.

Mais voilà que ces astucieux-là se tenant derrière P.-D. concoctèrent encore plus efficace: ils combinèrent les trucs du star-system et des racines. On conduisit le chef toujours habillé en pure laine prier sur la tombe du petit père de la nation, l'illustre regretté Mirabeau-Lévesque. Beaucoup de gens pleurèrent dans les chaumières en voyant ça. Le maximum fut atteint quand on diffusa le troisième: P.-D. se rendit serrer la main de la statue de Félix Leclerc. Il lui parla, le prit par le cou: du spontané, du petit bonheur pas réfléchi d'avance pour faire plus vrai... Quand on serre la main d'un monument, on n'est pas loin d'en être un soi-même, raisonna alors l'inconscient populaire...

Pendant ce temps, les Chauvinistes se rongeaient les ongles, les freins, les orteils. Pour faire moderne, pour faire nature, pour faire tradition, pour faire puissance, pour faire bonne forme physique, pour faire pérennité, pour faire pied-de-nez aux Cris, le citoyen Robert-Pierre enregistra son premier message nu. Nu derrière les chutes Montmorency, entre l'eau et le roc. Sa virilité demeurait floue grâce à un voile mi-liquide mi-brume.

Mais partout, l'on prit sa pudeur pour de la honte susceptible de faire monter le vieux préjugé sur les parties honteuses. Une campagne menée par certaines Payettistes magana le parti Chauviniste même si le groupe de la marquise refusait toujours de prendre parti en faveur de quelqu'un, se contentant de surveiller les intérêts féministes. "Quand on prépare des élections, faut pas craindre de se montrer en érection! C'est un signe de décision..." signa Lysiane Gagnon dans La Presse.

La deuxième brillante idée des conseillers des Chauvinistes fut la promesse aux électeurs de la distribution gratuite à tous d'une lampe-gadget qui réduirait la consommation d'électricité et mettrait beaucoup, beaucoup d'atmosphère dans les chaumières.

François Langlois fut le premier à s'enrager de la chose. C'était ce maudit gadget qui avait contribué à la mort de Johnny Baloné. Si on avait branché son ami sur l'électricité, il n'aurait presque pas souffert. Le retour en arrière a ses limites, même pour les vrais Québécois. Et le bon peuple fut d'accord puisque les Chauvinistes couraient à la défaite indubitable, que leur Robert-Pierre s'arrachait les poils à tas tandis que Marat-Mouchard, son bras droit, 'pourparlait' en coulisse avec Parizeau-Dalton pour se lécher un poste de ministre de ce côté-là.

Six jours avant la fin de la campagne, trois nouveaux sondages montrèrent la cruelle évidence pour certains et firent la joie des autres. Les troupes de Brissot iraient chercher une trentaine de sièges. Celles de Robert-Pierre trois fois moins soit à peine dix. Et les Daltoniens rafleraient le reste pour gouverner à écrasante majorité.

Alors le revirement se produisit. Il tomba comme le couperet de la guillotine. Frappa comme l'éclair. Dans un gigantesque effort de dernière heure, Robert-Pierre s'était mis à sa table de travail et avait pondu ce qui apparaîtrait comme un chef d'oeuvre aux médias et, par voie de conséquence automatique, au peuple. L'adresse de Gettysburg par Lincoln, l'appel à la résistance par de Gaulle sur la B.B.C., le discours de Mercier au Champ-de-Mars: de la petite bière, des broutilles à côté de ce coup de génie...

Ce fut son très célèbre 'discours du calendrier'.

Discours par lequel, comme au jeu de 'paquet-voleur', l'homme politique récupéra toute la fierté des Québécois y compris celle accumulée à pleines granges grises par Parizeau-Dalton et son entière troupe de 'pures-laines'.

François se riva à son écran. On avait mis toute la gomme pour annoncer d'avance le discours: c'était l'ultime espoir. Le politicien mordit solidement avec son éloquence mercerisée:

"Citoyennes, citoyens du pays de par ici... salut! La planète nous contemple. Nous allons ce soir changer le cours des choses, le cours du temps. J'aime changer les choses: *j'ai jamais changé là-dessus* et vous le savez... Mon parti, le parti des Chauvinistes du Québec, a adopté l'idée de changer le calendrier et quand nous prendrons le pouvoir dans moins d'une semaine comme tous les sondages le confirmeront demain —car les sondages d'hier et même d'aujourd'hui ne valent rien, **seuls ceux de demain** valent quelque chose: c'est la conviction de tout homme intelligent et c'est mon idée... *et j'ai pas changé là-dessus...*—donc, nous adopterons ce nouveau calendrier qui deviendra le calendrier de la République. La planète suivra, vous verrez...

François hocha la tête. Les Révolutionnaires français avaient bel et bien adopté un nouveau calendrier avec de nouveaux noms pour chacun des mois: brumaire, thermidor, pluviose, ventose, prairial etc... L'histoire commencerait-elle à se débrouiller un peu? Mais il ne put réfléchir plus longtemps et se remit à l'écoute du citoyen Robert-Pierre dont l'oeil brillait malicieusement comme celui de quelqu'un qui a la conscience de son triomphe imminent.

—Les vieilles appellations usées des mois, décembre, octobre, juillet et cet affreux août, c'est-il assez laid, un sondage le prouve amplement et de plus ça rejoint des significations qui ne veulent pas dire grand-chose... Ce n'est pas québécois... Alors voilà, citoyennes, citoyens, le nouveau calendrier proposé par mon parti. Je suis toujours les décisions de mon parti *et je n'ai pas changé là-dessus...* Janvier, ça dit quoi, janvier, hein? Un mot dépourvu de musique, de ton... Non... Nous, on l'appelle **Poudrière**. La fête des rois... le six Poudrière. Oubliez parce que les rois, on fête plus ça... Disons la fête d'Elvis Presley: le dix Poudrière... Oubliez ça, Elvis était un autre roi... Tiens, tiens, la fête de Washington: le douze Poudrière... Oubliez pas ça! Pourquoi Poudrière? Pour faire poudrerie et aussi, en même temps, pour rendre hommage au théâtre québécois. On pouvait tout de même pas prendre Tremblay... Essayez donc de dire ça, vous autres, le trente Tremblay...

Février, les classes de neige, la relâche dans les écoles, les Québécois sous les palmiers: on a rebaptisé février: **Floridial**.

Mars, cher mars, un hommage au dieu de la guerre alors que plus personne ne fait la guerre dans le monde:

insignifiant et ridicule. On a appelé mars: **Argental**. Un rappel de l'eau d'argent qui coule des montagnes... et pour rendre hommage à nos banques, à nos institutions financières. Déjà on a communiqué avec Desjardins qui fera chaque année un gros spécial REER durant tout Argental...

Avril... En avril, ne te découvre pas d'un fil: ça fait rire personne avec les nouveaux tissus d'aujourd'hui. Pour le Québec, Avril deviendra **Sucrose**. Mais oui, le temps des sucres. Ah! mais aussi le temps de la diète, hé là, oui, oui, pour les tites Yvettes un peu grassettes à marquise de Lapayette... Aussi pour faire réfléchir sur nos soignants et sur la maladie symbolisée ici par le diabète causé par un problème de sucre... Bon, Sucrose, ça parle fort... et de plusieurs manières.

Mai... mai... mais quoi? Nous, mai, ce sera **Floral**. La grande nature québécoise. Nos belles forêts intactes. Nos ruisseaux d'argent qui roulent leurs eaux belles aux gazouillis mélodieux, comme disait Adjutor Rivard. Notre majestueux Saint-Laurent si... si... bleu, si pur...

Juin, quand toute la terre de chez nous se met à l'ouvrage pour nourrir la nation... Nos ressources naturelles... Ah! juin et la vie qui éclate de partout! On dira désormais **Electrose**. Bien sûr, un rappel de électricité qui résume si magnifiquement nos ressources naturelles...

Juillet, citoyennes, citoyens, les grands départs, le soleil à l'horizon, la Terre Promise... Eh bien! juillet sera simplement **Mirabel**. Génial, ce nom qui rappelle à la fois les transports et le souvenir de notre cher grand Mirabeau-Lévesque, ce soleil à l'horizon d'un Québec alors noir, un Québec qui fut mis sur le chemin de la Terre Promise...

Nous voilà au huitième mois, cet août qui a l'air fou. Nous voulions rendre hommage à notre industrie. Pomerleau, c'est pas trop beau pour un nom de mois, Provigo non plus, mais que penserez-vous de **Cascade**, pas d'S? Eh bien, ce sera **Cascade**, pas d'S. Eh bien! qu'on va se dire, on va voir une pièce de théâtre avec Marcel Leboeuf et Normand Chouinard à Kingsey Falls

le 12 Cascade, pas d'S ou le vingt Cascade, pas d'S...
C'est romantique, non? Et industriel en même temps!

Septembre, ça tombait sous le sens: ce sera **Rentral**.
La rentrée, oui, oui. On a pensé à nos étudiantes et à nos
étudiants qui rentrent et qui se rentrent dedans...

Octobre: l'histoire de ce peuple et d'autres, oui et
d'autres, a guidé les pas de notre esprit chronologique.
Octobre rappelle la crise d'octobre 70 alors que nos héros
ont croupi en prison pendant des jours et des nuits,
bafoués, menacés, désemparés, désespérés. Hommage à
Chartrand, à Julien, à nos Rose, à nos Lanctôt!
Affamés, torturés: ceux-là ont fait l'histoire. Et, au fond,
très loin, il y a le rappel de la Révolution d'octobre de
Russie... Alors octobre aura pour nouveau nom dans le
calendrier républicain: **Merdier**. Comme le peuple de
Russie, le peuple du Québec fut jeté dans un merdier...
Et puis le mot merde n'est-il pas la pièce de résistance de
notre meilleur bagout depuis toujours?

Novembre: un petit coup de chapeau aux transports,
aux communications, à l'industrie même si ça fait deux
clins d'oeil aux mêmes mais faut savoir ce qui est
vraiment important dans nos sociétés modernes...
Novembre sera **Bombardier**. Rappel de Charlotte, la
communicatrice par excellence. Rappel de la jarnigoine
du père du Skidou (Ski-Doo québécoisé)...

Décembre enfin... Ah! ah! j'entends là nos Amérindiens aboyer, se plaindre encore. Les oubliés, toujours
les oubliés! Chantons: les enfants oubliés traînent dans
les réserves, ils ont froid, ils sont nus, ils ont faim... Eh
bien! mettez-vous ça dans le calumet, pour ne pas dire
dans le bouquin de la pipe, c'est en pensant à vous
autres que nous avons rebaptisé décembre avec un nom
tout à la fois sauvage et patrimonial, nul autre que
Mackanaw. On a pensé aussi à tous nos gens du
domaine du textile. Décembre: out! Mackanaw: in!

Voilà donc, citoyennes, citoyens, notre proposition.
Un calendrier québécois appelé à faire le tour du monde.
Quelle fierté!

Par exemple, le quinze novembre, jour de l'élection,
sera le premier de la République. Ce sera Bombardier 1
Les Américains ont bien Air Force 1 et nous aurons

Bombardier 1. D'ailleurs, le premier avion à sortir des lignes de montage de notre Bombardier après l'élection s'appellera Bombardier 1 et ce sera l'appareil personnel du président de la République...

Voilà donc un calendrier qui rend hommage à tout ce qui bouge au Québec...

Poudrière donne l'accolade à notre culture et rappelle notre bel hiver,

Floridial, un grand coup de chapeau à notre culture-loisir,

Argental, une fierté collective pour nos banques et notre environnement, nos banques qui font tant et plus pour sauver notre environnement,

Sucrose, chantez avec moi En caravane allons à la cabane... mais attention au diabète les tites grassettes...

Floral, poésie printanière, hymne au printemps... Félix, ah! le temps des souliers enfin...

Electrose, un coup de pied aux vilains Cris qui nous ont débranchés dans le Times,

Mirabel, soleil à l'horizon, Terre Promise, le petit père du peuple...

Cascade, pas d'S, nos grands bâtisseurs à l'honneur,

Rentral, un hommage à nos étudiants, aussi à leurs enseignants qui plutôt de les rentrer comme il faut dans les murs comme autrefois, les entrent... dans la vie...

Merdier, notre histoire revisitée,

Bombardier, hommage à notre génie créateur et aux patenteux,

Mackanaw, le patrimoine, les autochtones, le vent frisquet stoppé par un chaud mackinaw.

Alouette!

Hallelujah!

Comme vous le voyez, le quinze novembre étant le 1 Bombardier, c'est dire que nous sommes encore en Merdier, plus précisément le 25 Merdier. Et ça signifie donc que Noël, cette année, sera le 5 Mackanaw... Vous allez vous habituer vite mais vous ne vous habituerez jamais à la reconnaissance mondiale pour cette autre invention québécoise après le ski-doo, la tire sur la neige et les binnes dans le gâteau des rois... sans compter

Parler pour parler, la L.N.I. et, bien entendu, Cascade avec une S.

La fierté d'un peuple, c'est ça! Votez pour qui vous voulez mais votez. Et si vous votez, votez Chauviniste!"

Dans les sondages du lendemain, les Chauvinistes l'emportèrent haut-les-mains. Robert-Pierre pourrait compter sur au moins soixante-dix sièges et Parizeau-Dalton arrivait loin en deuxième place avec seulement trente-cinq, tandis que Brissot demeurait stable à trente sièges. Un gouvernement majoritaire Robert-Pierriste était donc à prévoir!

Parizeau-Dalton fit un plongeon dans une grande commotion. Il reprit son veston, son pantalon, son ceinturon et ses éperons, et, bougon au coton, il réunit son état-major et le mit en demeure d'inventer un autre **revirement**... Un spectaculaire revirement de dernière, dernière heure...

Mais un événement impossible survint alors et le précipita au fond de l'enfer. Et cet événement incroyable vaut tout un chapitre, le prochain...

Chapitre 18

Irrespect, profanation, sacrilège! Tel nous apparaît le vil exercice de celui qui guillotine un roi, pire, son image. Mais seulement si c'est son roi à soi. Car alors on nous profane un peu en profanant son illusion de la grandeur!

L'écrivain ne doit pas s'arrêter aux limites imposées par certains, il est médecin sans frontière.

Ce qui suit n'est ni drôle ni destiné à faire rire.

Le Québec fut profané. Mais il ne le sut pas. Et refusa de le savoir. Ébloui par sa propre Royauté à nom falsifié dont il tirait l'idée de sa beauté, quand ce roi-populo vint à disparaître, on lui oeuvra aussitôt icônes, on lui voua éternelle loyauté.

La nouvelle éclata dans le ciel comme une super nova et se répandit comme une traînée de poudre allumée de par tout le petit monde politique, médiatique, et cela passionna le populo qui coula dans le ciment sa décision jusque là mouvante de voter pour les troupes de Robert-Pierre en tournant le dos à celles de ce pauvre Parizeau-Dalton qui attendait dans une impatience rageuse les concoctions magiques de ses fabricants d'élections.

Il était à siéger en compagnie de ces artificiers de la dernière heure quand une flamme vive jaillit du téléviseur toujours en alerte et mit le feu à toutes les pièces pyrotechniques posées sur la table oblongue, les faisant sauter dans un triste spectacle à la dérisoire grandeur. D'autant dérisoire que P.-D. ne distinguait guère les nuances...

Au plus fort de ses jours heureux et de sa gloire, Mirabeau-Lévesque avait livré des renseignements à la Royauté fédérale via son principal lieutenant et la GRN, moyennant rétribution.

Le lieutenant toujours vivant quoique l'âme vieillie, se débattait comme un beau diable dans l'eau bénite pour démontrer que c'étaient eux qui tiraient les ficelles et non la Royauté bernée.

Pire, caché derrière son mythomane éberlué, le petit père du peuple avait saboté un référendum sur la souveraineté du Québec en inventant une formule douce qui fut baptisée l'étapisme, officiellement destinée à calmer les frayeurs populaires, et officieusement pensée pour noyer le poisson grâce, précisément, à la multiplicité des étapes.

Pour enfarger plus sûrement le mouvement populaire, on composa au plus grand secret une question référendaire impossible qui garantissait à coup sûr la victoire de la partie adverse... Et n'eût été des rages royalistes durant la campagne, et qui fouettaient les troupes souverainistes bien plus que leur propre chef, le projet eût été battu deux fois plus carrément.

Par la suite le vieux roi Trudeau,–dit le bien-aimé– de l'époque en avait profité pour affermir encore davantage le pouvoir royal.

Et quand le nouveau roi, le faible Louis XV1 avait été intrônisé, le politicien corrompu, pour ne pas risquer un autre référendum où ses troupes auraient pu gagner la bataille, s'était réfugié derrière une formule aussi dorée que creuse qu'il baptisa 'le beau risque'.

"Mirabeau est mort à temps!"

François s'en souvenait en écoutant les nouvelles...

Le Québec lui avait offert à son Mirabeau, la plus prestigieuse pompe funèbre depuis Duplessis et avant

242

lui, Mercier. On drapa même la cérémonie de la fausse humilité qui habille de nos jours les gagnants-vedettes, en cette époque de la télédiffusion de leur image dans les plus petits hameaux, les plus humbles demeures.

Un malheureux poète maudit écrivit alors: "Une meute de politiciens nécrophages avait un cadavre de marque à se mettre sous la dent."

Personne ne le lut ni même ne le remarqua tant on était partout fébrile à consacrer l'idole sacrée, à honorer sa mémoire, à la béatifier, à l'ensevelir à jamais dans un Panthéon de gloire et d'intouchabilité éternelle.

Parizeau-Dalton fulminait.

Il jeta dehors tous ces incapables et fuma cigarette sur cigarette, sans rien dire, pendant une heure. Quand elles étaient à mi-longueur, il les rejetait, mais sans chiquenaude afin de ressembler le moins possible à son idole renversée sur son socle.

Un aide servile ramassait à mesure les mégots et les écrasait en lorgnant faiblement du côté de son maître.

L'enragé eut l'air de prendre une décision majeure. Il téléphona en ligne à trois personnes. Au gardien du cimetière où reposait le corps du traître. A un ami qui possédait de la machinerie lourde. Au lieutenant coupable pour le réduire au silence et lui faire porter le chapeau tout seul afin de sauver à tout prix la face trop découverte des Nationalistes.

L'homme passionné trouve exutoire à tous ses excès, surtout ceux de sa fureur folle. Il frappe. La chimie de l'organisme mâle commande ainsi à la masse musculaire. On le punit pour sa nature, on le punit pour les fautes de Dieu.

En l'esprit pointu de Robert-Pierre, le geste navrant que poserait Parizeau-Dalton ce jour-là, et qui se sut, méritait de le faire classer une fois pour toutes dans sa grande filière mentale contenant les noms des leaders atteints de démence occasionnelle. Donc de ces gens hautement dangereux pour lui-même et par conséquent pour la patrie québécoise.

En creusant la tombe de Mirabeau-Lévesque ce jour-là, Parizeau-Dalton creusa la sienne! En exhumant ce corps, il inhumait le sien. Ironie du sort ou bien destin tragique?

Avec deux aides, il arrive au cimetière une heure avant midi. La pépine achève de dégager la fausse tombe de ciment qui contient le cercueil du petit père de la nation.

On enchaîne le couvercle. Il bouge. On le retire. La machine qui grince le cante contre le tas de terre. Le cercueil paraît encore en bon état. La terre est meuble et sèche, là.

Les hommes descendent en silence, entourent la boîte avec des cordes et on l'extrait de son immuable éternité heureuse. Quoi! le lent sommeil de la mort serait-il donc trouble?

La sombre boîte froide aux grises matités est déposée sur la pelouse jaune d'un automne vieux. Le ciel refuse d'être témoin d'une telle profanation: il commence à neigeasser. Des flocons épars descendent sans intention, limonent un moment quand ils touchent la terre et aussitôt, disparaissent à jamais. Eux...

Le savait-il ce matin-là en se levant que dans une heure à peine, on lui donnerait sans aucune réserve un posthume baiser de la mort: est-ce pour cela que l'homme s'est vêtu de noir et de blanc sans son image de marque coutumière?

Il s'empare du pied-de-biche tendu par un bras conscient du sombre dessein écrit dans chaque geste et dans leur somme. Le glisse entre le couvercle et le flanc du cercueil, et donne le coup net et sacrilège. Rien n'a cédé puisque rien n'était soudé.

Il rejette alors l'outil qu'il maudit comme on décrie l'argent qui vous achète vos légumes. L'homme n'a plus de race; car sa race est celle de l'homme. Des oiseaux invisibles sont perchés dans les branches désolées d'arbres plus secs que des ossements. Ils se disent que pour eux, la curée est probable quand les humains finiront de dévorer leur semblable, qu'il restera bien alors un morceau sous la table.

Ses deux mains s'arc-boutent sur son corps accroupi et il rejette le couvercle dans un formidable cri. Puis la seconde partie... Sa colère augmente encore à voir ce cadavre à première vue aussi intact que le jour de sa funéraille. Un cadavre-défi qui se moque et qui rit.

La peau charbonneuse ne jette ni couleur ni lumière mais qu'importe quand, de toute manière, on ne sait pas mieux les distinguer chez les vivants!

Le visage n'est guère plus laid que du temps de la vie, il est juste troué çà et là d'orifices gris abandonnés des mineurs épuisés par leur manque d'oxygène... Ça sent le mégot mort et le vieux cendrier.

L'oeil terrible et lugubre, l'homme se redresse mais c'est pour mieux profaner encore. Il enjambe le côté de la boîte et froisse les dentelles fanées. Son pied frôle ceux qui ne sont plus que des choses insensibles. Il s'écrie dans une fureur qui s'étend par tout le cimetière, qui dévore tous les silences et tous les bruits:

—Réveille-toi que je te condamne, infâme hypocrite!

Puis à travers ses cris de corbeau, il frappe et frappe en écrasant de son soulier écumant...

—Notre confiance, tu l'as trahie... Nos efforts, tu les as flétris... Tueur de liberté... On a braillé à ton corps... On t'a couvert de gloire... Tu nous as vendus... Tu nous as abusés... Meurs à coups de pied... Et ta question, fourre-toi la dans ton cerveau pourri... Avec ton beau risque...

C'est comme si le soulier s'enfonçait dans de la terre glaise, de la cendre dure pas tout à fait durcie. Le tissu des vêtements résiste. Les bruits des coups sont tués par la nature des matières en impact. Les témoins sont glacés jusqu'à l'os, même les oiseaux figent et craignent ces croassements de grand prédateur ailé...

—Enfant de misère, tu nous fais perdre... La patrie va tomber entre des mains criminelles...

Emporté par sa démence macabre, Parizeau-Dalton se jette tout entier sur le mort et le mord à l'oreille. Ce baiser de vampire, il se le donne à lui-même sans le savoir. Mais que pourrait-il raisonner en pareille heure de rage universelle?

Le cadavre se venge aussitôt en laissant aller son oreille et une mèche de cheveux, et surtout ce goût de cendre qui restera dans la bouche de l'homme jusqu'à sa propre fin et même après, quand un autre bourreau montrera sa tête sanglante au peuple déconcerté.

Il se relève enfin. L'oreille flasque et déchirée lui pend entre les lèvres. Les cheveux emportés lui servent de parure grotesque. De voir pareille scène, Satan lui-même frémirait. De plaisir ou de peur.

Par un phénomène de la nature, une combinaison d'éléments non fortuits mais aux effets concomitants, air brassé autour, pression exercée sur le corps, organe arraché, une sorte de vacuum se crée à l'intérieur du crâne et l'oeil gauche du cadavre s'effondre, s'enfonce au creux de son orbite déjà profonde.

La conscience encore sous la maîtrise de sa folie passagère, le politicien le prend pour une espèce de clin d'oeil narquois et provocateur, pour le symbole d'un vacuum politique capable de l'aspirer dans un tourbillon sans fin...

Repris d'un violent sursaut de fureur, il crache sur le mort ses morceaux méprisés et s'arrache en rageant les cheveux... de la bouche...

Les journaux ne furent aucunement à la hauteur de l'horreur. Il ne fallait surtout pas faire honte au peuple souverain. Même Marat-Mouchard, vieil admirateur du faux souverain souverainiste en qui il devait reconnaître quelque chose de lui-même, excusa la conduite de P.-D. qu'il attribua à un excès de fatigue pour toutes ces veilles au service de sa patrie.

Et puis qui donc eût pu nier que Mirabeau-Lévesque le premier s'était mérité les foudres obtenues. En outre, en attaquant l'oreille morte, le bourreau de l'absurde s'était servi un peu en quelque sorte des dents longues de la nation.

Le résultat de l'élection fut un gouvernement majoritaire Robert-Pierriste tel que prévu dans les derniers jours de la campagne.

Les deux autres partis obtinrent le nombre de sièges que les sondages avaient prédit.

La première déclaration du premier citoyen à la télévision parla d'appel à l'unité devant la Royauté qui n'aurait pas mis son point final tant que le roi vivrait au toit du mât du stade. Et il annonça une mesure concrète et immédiate: on retarderait, pour des raisons purement techniques, l'adoption du nouveau calendrier promis...

"Il faut bien se comprendre, dit-il, *et je n'ai jamais changé là-dessus...*"

Comme s'il devait lui arriver de changer sur quelque chose!...

Chapitre 19

Les Merdiques durent se déménager pour un temps à l'aréna de Saint-Romuald sur la rive sud de Québec.

C'est que la Convention nationale (nouveau nom du gouvernement) réquisitionna le vieux Colisée afin d'y faire subir au roi son procès.

Ce fut une chance tout à fait inespérée pour l'équipe perdante de la LNH. Elle qui ne pouvait plus compter que sur **deux mille** personnes au maximum par match et devait jouer en l'absence totale d'atmosphère dans un Colisée désert et triste, retrouva ses ailes à St-Romuald grâce à un public excessif et généreux qui remplissait l'endroit à pleine capacité, à craquer. Parfois jusqu'à **deux mille** spectateurs s'y entassaient pour applaudir, se poussailler, crier, manger de nombreux hot-dogs et chanter Gens du pays.

Pour mieux montrer que la nation désormais était irrévocablement souveraine, le peuple pourrait assister au super procès du Colisée. Il y aurait cependant un coût de cinq lévécus*. C'était minime eu égard au cours de la monnaie québécoise qui, à l'annonce de la tenue du procès du roi, avait pris une deuxième débarque. Le prix d'entrée ne serait pas taxé et les sommes perçues serviraient aux frais d'entretien et d'électricité.

(* Suite à la déchéance de la mémoire sacrée du grand Mirabeau-Lévesque, la Convention avait décidé de changer le nom du numéraire québécois. Des experts en toponymie suaient sur la question. On avait des balises. Il fallait chercher à honorer un Québécois, politicien de préférence, mort de préférence, de bonne réputation de préférence –ce qui rendait la tâche plus dure– peu royaliste de préférence –ce qui éliminait Jean Lesage– et dont le nom pût se transformer à l'intérieur d'un mot-valise en quelque chose qui fît penser à une monnaie, à de l'argent sonnant et trébuchant...

On débattit de **Palmedor** (en l'honneur de Georges-E.Lapalme, précurseur de la Révolution tranquille) mais ce fut rejeté pour des raisons mal établies n'ayant rien à voir avec le festival de Cannes. Il fut question de **Félixcu**, mais l'on dit que la musicalité du mot laissait à désirer et que de plus, valait mieux éviter une finale en 'cu' ... pour une escousse. Quelqu'un pensa aussi à **Lys-d'or** pour qu'en l'esprit du citoyen se fasse l'association nationalisme/richesse mais quelqu'un dit qu'il valait mieux garder cette trouvaille pour jouer sur la fierté résultant de la performance sportife...

Un distrait sortit des normes établies et suggéra le **Célinar**, en l'honneur de Céline Dion, superstar et très grande faiseuse d'argent. Un silence long et pesant fut sa seule réponse. Quand un an plus tard, la mode de la guillotine atteindra son apogée, ce toponymiste farfelu saurait pourquoi on s'était tu si fort à sa proposition...)

La Convention avait discuté préalablement de modalités du procès, du décorum et autres bricoles, bref, de la quincaillerie. Elle avait aussi choisi une présidence du Tribunal révolutionnaire.

Pour faire plus représentatif, on opta pour une double présidence à composition mixte. Suzanne Ventouse, femme et montréalaise de sang jeannois se partagerait le maillet avec André Arthur, homme et québécois, de sang royal (cobra royal).

Les accusations nombreuses seraient lues une à une et une à la fois, débattues à la pièce, puis cousues en un ensemble pour amener une cause générale de **lèse-**

nation. Si déclaré coupable par la voix de la majorité des membres du jury formé de tous les membres de la Convention, un procès royal exigeant un jury national, la sentence pourrait être la mort. Avec ou sans sursis.

En résumé, il y aurait 1) lecture d'une accusation; 2) débat sur l'accusation par députés et témoins; 3) lecture de l'accusation suivante suivie d'un débat; 4) lecture de l'ensemble des accusations et adresse de la Présidence au jury; 5) vote sur la culpabilité; 6) vote sur la sentence.

Malgré les pressions très fortes du groupe de Pierre-Marc Brissot pour que le peuple approuve ou rejette la décision du Tribunal, on décida qu'il n'y aurait pas de ratification par le peuple puisque, dit-on, le peuple avait déjà exprimé éloquemment ses volontés par la prise d'Orsainville et les massacres de Septembre. Par contre, la présidence noterait sur un immense tableau que chacun pourrait voir et ainsi y consulter l'intensité – exprimée en points cumulatifs– des applaudissements de la foule selon qu'ils seraient favorables au côté de l'accusation ou de la défense...

La tâche serait lourde et longue. On prévoyait un gros mois...

François qui suivait cet exposé télévisé de Jacques Fâcheux, annonceur en titre des affaires judiciaires publiques, leva sa tête de son manuscrit auquel il mettait la touche finale –et qu'il enverrait le jour suivant à son éditeur– et fit une moue en disant tout haut:

–Les débats seront clos le 7 janvier. Le vote final sera pris le 16 et le 17. Ce sera une sentence de mort. Et le roi sera guillotiné le 21 janvier... Ah! la barbe!...

Le réseau de télévision diffusant d'habitude les débats de la Convention couvrirait entièrement le procès, mais François ne resterait pas chez lui. Il avait d'ailleurs pris un 'billet de procès', c'est-à-dire une passe générale lui permettant de se rendre au Colisée tant que durerait l'événement. Un coût raisonnable de cent lévécus.

En même temps que les préparatifs du procès se déroulaient, beaucoup de royalistes de toutes les régions se regroupaient. Ils en avaient plus qu'assez de toute cette pensée souverainiste trop citoyenne. On se donnait le mot pour se rendre régulièrement au procès où l'on pourrait intervenir via le micro du citoyen.

Nulle part ailleurs que dans la Beauce, la menace de rébellion n'était plus imminente. En fait, la Beauce elle-même était partagée, déchirée, à l'image du reste du Québec. Beauce-Sud s'affichait radicalement **royaliste** tandis que Beauce-Nord (plus près de Québec) se disait par ses porte-parole, très franchement et éternellement **souverainiste**...

Il y avait beaucoup de poudre dans l'air.

Croûton-Béland qui avait été élu député de Chutes-de-la-Chaudière le 15 novembre, fit adopter à l'unanimité une formule qui devint vite célèbre:*"La République québécoise est une et indivisible."*

Visionnaire comme le sont tous les grands politiciens et hommes d'affaires, le personnage astucieux, riche de ses immenses souffrances qui l'avaient paralysé et cloué à un fauteuil roulant, –il se servait aussi d'un porteur– était actionnaire principal du groupe important Daniel Amusement lequel se spécialisait dans les machines à jeux électroniques et les arcades. Il convainquit son seul partenaire, Alain Thibodeau, d'ajouter une division à l'entreprise pour que l'on se prépare à mettre sur le marché... des guillotines toutes neuves.

Tout se tenait bien dans la tête du brillant homme. D'abord, on répandrait un nouveau jeu vidéo justement appelé la guillotine. Secondement, on ferait fabriquer et on vendrait des guillotines miniatures pour les enfants, ce qui réduirait d'autant la vente des affreux jouets de guerre. Le couperet, bien sûr, serait en caoutchouc et ne représenterait aucun danger pour les petites mains de ses manipulateurs. À cela, on pourrait ajouter une gamme de poupées dont la tête pouvait se décoller du corps par une pression sur le pied gauche. Ainsi, les fillettes pourraient tout à loisir décapiter leur Barbie puis lui recoller aussitôt la tête et ensuite recommencer l'exécution fantaisiste. Un grand avantage du jouet est qu'il amuserait autant les enfants de sexe féminin que ceux de sexe masculin. Il serait attrayant également pour tous. Mais surtout, les petits s'habitueraient à l'idée que la vie après la vie était possible tout comme se pouvait renaître la pauvre Barbie décollée entre leurs mini mains toutes-puissantes...

En troisième lieu et en plus sérieux, on importerait de véritables guillotines de France, on les moderniserait, on les stockerait, on on attendrait... Qu'éclate la révolte dans la Beauce ou autre région, que le roi reçoive une juste sentence de mort –que lui, appellerait de toutes ses forces–, et voilà que l'État québécois pourrait faire des commandes fort alléchantes à Laniel Amusement, de ces guillotines modernisées. Et on verrait bien jusqu'où pouvait aller la modernité en ce domaine. Le Québec en tirerait bon profit et belle fierté... De nouveaux et fort lucratifs marchés pourraient s'ouvrir: Haïti, Serbie, Somalie, Lybie, Saddamie (on appelait l'Irak de ce nom pour montrer à quel point son chef pouvait enculer le président américain). Et plusieurs nouveaux emplois seraient ainsi créés.

Croûton-Béland entra même en discussion avec la succession de Gerald Bull afin qu'on élève sur les Plaines d'Abraham une super-guillotine de cent mètres de hauteur. Mais il reçut des menaces de mort de la part de la juiverie montréalaise et laissa tomber le projet.

Vint le jour J du onze décembre.

Le Colisée croulait sous le silence d'une assistance grave. Tous les sièges étaient occupés. François avait obtenu l'un des meilleurs endroits: première rangée à quinze pas à peine du micro du citoyen et près d'une porte qui donnait accès sur le terrain même. Il mijotait avec minutie ses futures interventions, les bras croisés, les jambes croisées, les pensées entrecroisées.

La Cour occupait le lieu habituel de la patinoire. On avait refusé toute publicité et toutes les bandes étaient drapées de noir.

La presse occupait le banc des joueurs et celui du pénitencier. Partout, on pouvait voir des caméras de télé mobiles ou fixes: en haut, dans ce qui servait de tribune de la presse au hockey, dans les allées et surtout en bas, sur le terrain même. Et jusque sur l'estrade géante où siégeaient la Cour et le jury composé des 125 députés de la Convention nationale et où se trouvait un orchestre complet de trente-huit Jacobins qui serait dirigé par le grand chef en personne, Jacob Péladeau venu des Laurentides et qui avait acheté un étage du Hilton pour la duré du procès. La facture serait d'ailleurs envoyée au gouvernement.

On pouvait être fortement impressionné par cette construction brune aux allures sévères mais néanmoins confortable pour tous puisque tout ce qui recevait fesses et dos obéissait en souplesse à la pression grâce à un capitonnage moelleux à tissu d'austère apparence. De chaque côté, dans le sens de la longueur se trouvaient les longs bancs des députés. Les 70 Robert-Pierristes occupaient la droite par rapport à la Présidence tandis que Nationalistes et Patriotes étaient à gauche.

L'ensemble rappelait la Chambre de la Convention au Parlement, lieu familier à tous les Québécois à cause de la télévision, la Présidence semblablement située mais meublée autrement. Il y avait le point le plus élevé, la table de la co-présidence et les fauteuils de Ventouse et Arthur. Et devant eux, de la petite quincaillerie soit des greffiers, fonctionnaires, pages, policiers. Et devant ceux-là se trouvaient les fauteuils et tables des avocats de la poursuite et de la défense avec entre les uns et les autres, quelques places libres pour y accueillir les divers témoins assignés chaque jour.

Tout à fait à l'autre extrémité, une longue table était à l'usage exclusif des gens de la presse. Quelques-uns seulement, les superstars et leurs experts, car les autres, ceux de la basse presse, occupaient, redisons-le, les enclos réservés aux joueurs de hockey lors de leurs parties. D'ailleurs, parce que des journalistes étrangers s'y trouveraient, on avait fait nettoyer l'endroit de gomme à mâcher séchée collée sous les bancs, de crottes de nez séchées, de crachats séchés, de condoms séchés, de beaucoup de sang séché et même de cire d'oreille séchée.

Certains de la basse presse pourraient se joindre à l'occasion en tant qu'analystes à ceux de la haute où siégeraient en permanence les Derome, Bombardier et même, parfois, Jean-Cul Migraine qui avait carrément refusé d'agir comme Procureur dans cette affaire.

D'autant qu'il avait soumis sa candidature comme exécuteur de hautes oeuvres au cas où le roi serait condamné à mort, et s'attendait d'obtenir la place grâce à ses nombreux contacts et des promesses à des députés peu connus de les passer à son stupide show télévisé appelé **L'heure à Guguste**.

L'espace central du quadrilatère situé entre les bancs des députés longitudinalement et les tables de la Présidence et de la presse latéralement, logeait deux structures essentielles: la fosse de l'orchestre puis, le point focal de l'ensemble, un box haut juché, ouvert de tous les côtés à mi-taille d'homme, et qui attendait son unique occupant, le roi Louis lui-même, seul personnage encore manquant dans ce tableau.

La dernière présence mais non la moindre: celle de caméras de la télévision aux quatre coins séparant les bancs des députés des deux autres groupes. Leurs allées permettaient aussi le passage de personnes. Et pour coiffer le décor, un tunnel s'ouvrait derrière la Présidence, depuis l'endroit à peu près où se trouvent les filets du gardien de buts et il pénétrait sous les estrades vers des lieux labyrinthiques.

Arthur regardait tout ça d'un oeil plutôt désabusé. Ventouse prenait son rôle au sérieux, s'adressait à l'un, à l'autre, faisait approcher des pages, leur confiait à l'oreille des tâches secrètes de dernière instance, alla s'entretenir avec les avocats, personnages encore drapés de mystère...

La femme s'était particulièrement distinguée dans quelques procès télévisés notamment celui de Édith Butler, et on la disait bien meilleure dans ce nouveau rôle qu'elle ne l'avait jamais été de toute sa carrière artistique médiatique: elle s'était tue.

François quitta sa rêverie et se mit à une observation respectueuse. Il se produisit bientôt deux choses qui lancèrent son coeur en avant: il crut entendre le flic flac des pales d'un hélicoptère, signe de l'arrivée du roi; et d'autre part, il aperçut la Charlotte-Bombardier qui, l'oeil un peu douteux et la couette en alerte, prenait place aux côtés de Fâcheux et Derome. Il y avait avec eux une vedette montante du journalisme québécois, Normand Winchester aux grands yeux ronds, qui avait dévoilé au public l'affaire Mirabeau-Lévesque et tiré plusieurs coups en direction de crapules vivantes ou mortes. Au fond, c'est son scoop qui avait déterré et privé de son oreille gauche le petit père de la nation.

Suzanne Ventouse répondit à son téléphone sans fil; aussitôt, elle frappa la planche avec son maillet. Entré dans son micro et enflé, le bruit fonça aux quatre coins du Colisée pour demander un silence qui se trouvait déjà là en ces esprits retenus, en ces coeurs en haleine, en ces corps en attente...

—Citoyens, citoyennes, le général Charron arrivera dans quelques secondes avec le prisonnier Capeté. À leur entrée, nous vous prions de ne pas vous lever. Restez assis afin de ne pas influencer le jury par votre geste ou même les téléspectateurs qu'un sondage de Gelé-Léger évalue à trois millions de personnes, ce qui dépasse Les Filles de Caleb et Lance et compte réunis. Incidemment, je ne sais pas si vous le savez, mais il y aura reprise de ces émissions après les fêtes et ça promet beaucoup comme toutes les reprises. J'en parlais avec Marina Ors...

Arthur s'empara du maillet et rappela Ventouse à l'ordre d'un coup sur sa planche et d'un oeil lourd et hautement tanné.

—... donc celui qui fut le roi du Québec et qui est toujours roi du pays voisin que vous connaissez sans doute, celui-là fut détenu depuis quatre mois dans la Tour de notre fierté nationale, celle, achevée, du stade qui a accueilli le pape et madame Dion, Mick Jagger et Roch Voisine, les Expos et la Machine...

Arthur saisit le marteau et frappa... Elle coupa:

—Soyez corrects, nous sommes en direct.

Elle achevait ces mots quand parut au bout du tunnel le général Charron qui marchait comme de Gaulle se dirigeant au balcon d'un Hôtel de ville, et qui salua la foule froide. Il ramena son bras salueur avec son autre et se le fourra dans la poche d'uniforme. Des gardes suivaient. Puis les gardes personnels du roi. Et enfin, menton devant, mollets devant, revers des mains devant parut dans sa grandeur tragique et ses petits pas timides et concrets, le roi.

Louis avait quitté une Mitsou-Antoinette en larmes une heure plus tôt pour monter dans l'hélico personnel de Jacques Proulx loué par l'État québécois pour la circonstance.

Entre l'air bleu du ciel et l'eau bleue du fleuve, tout le long du court voyage, il avait prié Dieu, son vieux 'chum'– et celui de Pierre Lacroix itou– pour son peuple et pour sa tête. Il arrivait confiant. On ne pouvait le déclarer coupable, le condamner à quoi que ce soit: il avait patte blanche en tout sauf en ce qu'il ne l'avait pas mais cela, personne ne le savait...

Dans la foule, beaucoup de royalistes désobéirent à la présidence et se mirent à acclamer:

–Vive le roi! Vive le roi! Vive le Canada! Vive Ottawa!

Des souverainistes leur répondirent aussitôt:

–Mort au roi! Mort au rat! Mort au Canada! Mort à Ottawa!

Le co-président ne se rendit pas compte de ce qui arrivait; couché sur son bras, il roupillait. Sa voisine frappa du maillet à une quinzaine de reprises avant de parvenir à ramener de l'ordre. Arthur ne broncha pas. Il se levait à trois heures du matin pour enregistrer d'avance son émission puisque durant l'avant-midi, il devait présider ce foutu procès... et ça ne lui laissait pas une grande énergie.

Marat-Mouchard tressaillit un peu quand son regard rencontra celui de son vieux copain d'études; des ombres impassibles du passé passèrent. Le roi lui fit un sourire. L'autre tourna la tête et laissa son regard se perdre de l'autre côté, vers Charlotte-Bombardier.

Parizeau-Dalton resta coi, réfléchissant à des choses lointaines, perdu dans sa défaite électorale bien que lui-même ait été élu à bonne majorité dans L'Assomption.

Au moment de monter dans la boîte des accusés, le roi vit Robert-Pierre et voulut aller le saluer de chef à chef. Mais le général Charron l'en empêcha en disant de sa voix de velours, un petit peu complice et presque suppliante, bref, hypocrite:

—Je regrette, citoyen Louis, mais tu n'as pas le droit de fraterniser avec quiconque... et c'est pour ta propre protection... Si tu salues l'un, tu t'en mets deux à dos...

Louis se borna à un geste amical de la main et chacun des Chauvinistes le prit pour lui-même, la plupart avec déplaisir. Parvenu dans le box, le monarque salua aussi les deux autres partis puis la foule et enfin la presse. Il désignait de ses mains ouvertes qu'il levait ensuite puis il bénissait. Gestuelle empruntée à son idole, le pape radoteux Jean-Paul 2 et ça lui attirait de la sympathie en ce pays aux atavismes et velléités d'un catholicisme particulier.

Un long suspense allait bientôt prendre fin. Personne ne connaissait encore l'identité des deux avocats dans la cause. Personne sauf les membres d'une Commission spéciale créée à cette fin et où avaient siégé et délibéré Pierre-Marc Brissot, Parizeau-Dalton, Robert-Pierre Bourassa, Croûton-Béland et ce jeune député fougueux qui entrait sur la scène nationale comme une comète, Saint-Just Lapierre, grand ami de Marat-Mouchard.

Eux donc savaient et les co-présidents.

Étant donné l'immense importance de la télévision dans ce procès, on fut unanime à croire que des hommes d'image pèseraient bien plus lourd que des hommes de loi. Les représentants de la Royauté furent d'accord. Après un très long débat, on s'entendit sur un choix de personnes. Les candidats choisis furent contactés; ils acceptèrent. Il y aurait bonne paye et cela leur vaudrait notoriété mondiale car c'était la toute première fois dans l'histoire de l'humanité qu'un roi serait jugé à la télévision. Le monde entier avait les yeux rivés sur la jeune république du Québec; on s'attendait pour le vote final sur la culpabilité et la sentence imposée ensuite, à deux milliards de téléspectateurs. Plus qu'aux Jeux olympiques de Séoul et Barcelone réunis.

On voulut tenir secrète leur identité jusqu'à la toute dernière minute afin d'éviter les pressions toutes catégories et pour empêcher des débats interminables à la Convention même. Et puis, cela augmentait considérablement l'intérêt du grand public. Tous les médias supputaient, éditorialisaient... Lise Bissonnette fut d'une surprenante éloquence dans le Devoir en disant NON sur moyen fond blanc suite à l'annonce de la veille du choix, d'avocats non avocats de profession. Et surtout non à cette cachotterie publique... Le peuple a droit de savoir, dit-elle à la télé, il est souverain. On sut qu'elle se faisait avare de mots dans son papier bien moins par manque de jarnigoine que par manque de lévécus dans ses coffres. Un NON pareil économisait encre, espace et temps. Le public adora cet éditorial et en redemanda d'autres. Le tirage du Devoir augmenta considérablement. Enfin le journal se mettait à la portée du peuple; mais, coup de génie, il parlait avec verve à tous les publics dans un langage universel, universitaires y trouvant leur compte tout autant que les retardés intellectuels.

La semaine suivante, elle servit un OUI. L'autre, un ?. Dans une réunion des meilleurs penseurs de la boîte, on rédigea des éditoriaux pour trois mois d'avance soit: NON-NON, OUI-OUI, ???, !!!, ..., Ah!, Oh! Ouf!, Miaou!, Ouf-ouf!, Aie!, Christ! (ce dernier texte suggéré par Lévy-Beaulieu collaborateur occasionnel du journal ouvrait grande la porte sur une cinquantaine d'autres éditoriaux au moins). Lévy qui adore Hugo avait déjà lu du semblable chez le grand écrivain français: une lettre envoyée à son éditeur concernant son dernier manuscrit et contenant un simple ? et à laquelle l'éditeur avait répondu par un !. Qui hors du Devoir aurait pu en un pareil trait de génie épargner un salaire de soixante-quinze mille dollars par année et combler le public en même temps, tout le public, bas de gamme, moyen de gamme et haut de gamme? Des rumeurs voulaient que Jacob Péladeau fût à composer de nouvelles tounes sur le même modèle. Singe botté!

Les avocats s'étaient revêtus de leur toge par-dessus laquelle ils avaient enfilé une robe de boxeur avec large capuchon et chacun portait des verres très fumés. Ils restaient assis sagement comme deux moines, les bras croisés, la pensée sereine. Peut-être s'adonnaient-ils à de la méditation transcendantale, comme le vieux roi Trudeau en faisait toujours, disait-on, avant les grandes performances?

—Avant de procéder à l'assermentation de l'accusé, nous allons dévoiler l'identité des avocats, citoyens et citoyennes, fit la présidente. Chacun va venir auprès de moi et dira pourquoi on l'a choisi et pourquoi il a accepté la tâche qu'on lui demandait d'accomplir pour sa patrie, et cela vaut autant pour l'avocat de la défense... Notez que l'accusé Louis lui-même a préalablement accepté chacun des avocats en question.

Pour la défense tout d'abord, poursuivit-elle, sous protection de la France, le défenseur du citoyen Capeté...
—Maître d'occasion, levez-vous et montrez-vous— voici Maître Roch Superstar Voisine... Approchez, s'il-vous-plaît, Maître d'occasion...

Dans un timing spectaculaire, le chanteur avait fait revoler sa capuche et ses lunettes. Il sauta comme un pugiliste sous les vivats unanimes moins ceux des anti-royalistes de la députation. Puis en deux enjambées, il eut le nez tout droit dans le micro de la présidente qui le questionna:

—Pourquoi, citoyen Voisine, avoir accepté de défendre le citoyen Capeté?

—Parce qu'on me l'a demandé... La Convention s'est adressée à mon pays d'adoption, la France, et la France qui, comme vous le savez, a toujours respecté sa royauté, m'a demandé de venir... Ça me permet un petit crochet d'un mois entre Paris et Hollywood...

—Votre popularité au Québec ne risque-t-elle pas d'en souffrir?

—Le Québec?

—Au Québec, oui... ici...

—Euh! non, puisque c'est le gouvernement du Québec qui m'a demandé via celui de la France.

—Entendez-vous tout faire pour gagner votre cause?

—C'est gagné d'avance, madame le président.

—Ah?

Le chanteur se bomba le torse:

—L'avocat de la partie adverse ne fait pas le poids.

L'avocat de la Couronne —en fait du peuple—, se leva d'un bond et foudroya son collègue de ses verres noirs.

—Il ne semble pas de cet avis...

—Vous savez, madame le président, personne ne me résiste. L'affaire, que dis-je, la victoire est dans le sac...

—Merci et regagnez votre place... Maître d'occasion de l'accusation, voulez-vous nous montrer votre visage s'il-vous-plaît? Et approchez.

Le personnage défit gravement le laçage de son vêtement, au cou, à la taille, écarta les pans noirs puis, d'une même venue, tira sur le capuchon d'une main et ôta les verres fumés de l'autre.

La foule émit de longs 'oh' et des 'ah' prononcés. Puis des 'bon'... Chez les gens de la presse, Lise Bissonnette écrivait les réactions du peuple. En sténo pour ne rien manquer... Elle venait de s'offrir trois éditoriaux de génie en dix secondes. Cependant, pour le jour suivant, elle écrivit simplement un texte de stupéfaction inspiré par la personne qui soutiendrait l'accusation: **Louis est mort!**

Quel Québécois était donc en mesure de battre Roch Voisine à la barre? Trichant sur la consigne, Péladeau venait d'ordonner le roulement du tambour, un son que le roi trouva sinistre... François avait la vue obstruée par des têtes; il se redressa un peu et sortit de ses réflexions sombres. Alors il sut comme tous savaient déjà tandis que le pas solennel, l'avocate —car c'était une femme et on ne s'y attendait généralement pas vu l'ultime importance de la cause—marchait tête haute, oeil plein de feu et de la détermination la plus farouche, jusqu'à la Présidence.

La présidente hésita, bégaya, fort impressionnée elle aussi:

—Mmm... Maître... Pauline Martin, dites-nous donc, pourquoi avoir accepté les devoirs de votre charge que l'on peut appeler, féminisme oblige, celle de Procureuse?

L'avocate énonça clairement, l'air classique, le ton classique, la pensée classique:

—Citoyenne, si la mort d'un homme signifie la vie de milliers de femmes... et d'autres hommes, quel est le devoir de toute personne sérieuse appelée à appeler cette mort? Ma question est votre réponse, madame citoyenne.

—Ne craignez-vous pas de vous mettre à dos la... minorité royaliste du Québec?

—À dos, certes... En fait, là où le dos change de nom.

—Vos connaissances légales sont-elles... suffisantes devant un Roch Voisine qui d'exprime si bien en autant de langues, soit l'acadien, le français international, le parisien, le québécois, le joual?

—Je suis plus polyglotte encore: je parle de la bouche, je parle du nez, je parle des mains, du cerveau, des yeux et parfois même, citoyenne, de mon pied droit.

—Très bien... Vous êtes priée de retourner à votre table, Maître Martin, le procès s'ouvre.

A la télévision, Jacques Fâcheux s'émerveillait en toute discrétion pour la caméra:

—Quelle sagesse profonde de la part de nos élus! A la défense, choisir une star à pensée internationaliste, grand polyglotte, enfant de cinq pays! Le citoyen Louis n'aurait pas pu être mieux défendu. Et de l'autre côté, quelqu'un qui fera la preuve qu'ici, on prend les choses au sérieux. Le citoyen Louis n'aurait pas pu être mieux accusé... Déjà la planète entière doit nous envoyer le bon oeil... Eh bien, disons un bravo égal à Maître Voisine et à Maître Pauline, mais un double bravo à la Convention: c'est simplement génial!

Pas loin sur sa gauche, le Derome et la Bombardier discutaient en battant la mesure avec la tête, et sans jamais les mains... Avec eux deux se trouvait Saint-Just Lapierre venu pour une entrevue.

—Mais Bernard, s'étonnait la journaliste, a-t-on idée de prendre la citoyenne Martin pour accuser le roi: c'est rire de la justice.

—Mais bien au contraire, citoyenne Charlotte, c'est par l'humour qu'on peut le mieux se payer la tête de quelqu'un... Qu'est-ce que vous en dites, vous, là, citoyen Saint-Just?

Saint-Just Lapierre qui avait un incomparable don pour la pensée lapidaire déclara:

—Un peuple qui rit est un peuple libre.

—Tout de même, tout de même, la Royauté n'est pas encore guillotinée que je sache! s'indigna Charlotte qui détestait les formules creuses.

Le jeune politicien reprit:

—Citoyenne, sachez que **le bonheur est une idée neuve au Québec.**

Derome dit:

—Vous savez, pour faire contrepoids à Maître Voisine qui jouit quand même d'un prestige international et d'un coup d'oeil, ma foi, qui joue en sa faveur, il fallait quelqu'un capable d'aller loin au fond des tripes des Québécois... On peut dire d'ailleurs que déjà, dans ses premiers mots, Maître Martin y a fait allusion parlant de la minorité et du bas de son dos... Comme entrée de jeu, on peut dire que c'est assez pénétrant...

—C'est le moins qu'on puisse dire, Bernard. Mais... mais derrière Maître Voisine, c'est la voix de la France que nous entendrons... Et qu'est-ce qu'on en a à cirer, nous, de cette France pleine de mecs même pas foutus de parler français? Alors là, à la fin...

—Le Québec doit se juger lui-même! trancha Saint-Just avec un geste de la main qui descend comme un couperet de guillotine.

Sur ce, Charlotte décrocha de la conversation et les deux hommes poursuivirent entre eux. C'est que son regard accrochait à celui de Marat-Mouchard. Un de ces échanges bourrés de nostalgie qui les ramenait dans le bain à Paris au temps d'une jeunesse si vite envolée...

François surprit l'échange mais à cette distance, il ne sut y lire que la menace de Charlotte adressée à l'appréhension de Marat-Mouchard. Via des réflexions approfondies, il en était venu à penser que de rencontrer Charlotte serait entreprise futile et inutile. Elle aussi le prendrait pour un Cassandre. Tuer Marat-Mouchard de ses propres mains: l'Histoire l'en empêcherait. Mais peut-être pourrait-il créer une distorsion à la toute veille du 13 juillet 1993 pour être sûr qu'une distorsion de l'histoire n'empêche pas la mort de ce criminel atroce.

C'est au bord des choses qu'il pouvait agir avec espoir d'y changer quelque chose...

Je dois terminer ici ce chapitre sinon je risquerais de me perdre à fouiller indûment l'assistance à la place de l'imagination de mon lecteur. Où voyage le cerveau de Parizeau-Dalton? Pourquoi Robert-Pierre hoche-t-il sans arrêt la tête? Quelle est cette manie de Croûton-Béland de faire avancer et reculer son Desjardins roulant (fauteuil)? Avec quel instrument Frulla-Hébert se fait-elle un manucure? Quelle concoction sentimentale agit sur le coeur navré de Louis: ennui, angoisse, sentiment de rejet, espoir, amour de Mitsou et des enfants, force du droit divin?...

Le procès se déroulera donc au chapitre suivant. Je dois dire cependant que je ne saurais en relater que quelques bribes puisqu'il est censé durer un mois et qu'il faudrait donc des milliers de pages pour le raconter par le détail. Et puis, je ne voudrais pas faire goûter à mon lecteur le supplice que j'endure quand je me rends jusqu'à la fin d'une émission Perry Mason...

Chapitre 20

André Arthur ronflait maintenant. Quel besoin de rester éveillé puisqu'il assisterait au procès en différé le soir à la télé?

La présidente frappa du maillet, accompagnée d'un **ra** d'un musicien jacobin pendant qu'un page grimpait dans le box de l'accusé, qu'il déboulait et se reprenait.

Louis se pencha pour prendre la Bible qu'on lui apportait. Il se redressa, tint le livre entre ses deux mains et salua la foule dans les quatre directions par un petit signe sec de la tête et une secousse des bras. Même certains des membres du groupe des Enfargés mené par Frulla-Hébert trouvèrent du cran au pauvre homme.

—Accusé, citoyen Louis Capeté Mulroney, jurez-vous de dire la vérité, toute la vérité, rien que la vérité? Dites je le jure...

—Je le jure, je le jure, je le jure...

—Objection! s'écria Maître Martin. Ob–jec–tion! On ne jure qu'une seule fois, pas trois. Et puis voyez le citoyen jurer à deux mains: n'est-ce pas là déjà un signe de culpabilité?

Maître Voisine réagit aussitôt et il lança d'un ton foudroyant une phrase qui claqua comme un fouet:

—Pas de question, votre Honneur!

—Maintenant que ce procès est ouvert, que vous êtes tous sous la protection de ce Tribunal révolutionnaire, chacun pourra s'adresser à quelqu'un en utilisant les vocables qu'il voudra bien. Les mots monsieur, roi, Sa Majesté ne sont pas exclus mais les mots citoyen et citoyennes ne sont pas obligatoires. Voici lecture du premier acte d'accusation. Il y en aura sept au cours de ce procès. C'est sur l'ensemble que la députation aura à voter ensuite. Le vote se fera à l'aide des pitons que chaque député a devant lui sur sa console à pitons. Il y a six petits pitons soit **coupable** qui s'allumera rouge, **non coupable** qui s'allumera vert, **acquitté** qui s'allumera jaune, **prison** qui s'allumera bleu et... –la présidente soupira– **la mort** qui s'allumera noir...

—Et la mort avec sursis? demanda Maître Voisine.

—En gris, Maître. J'oubliais, merci!

Le regard dans les lunettes, la présidente poursuivit:

—Sur recommandation fraîche du député Laferrière, il se pourrait que la Cour ajoute un septième piton à la console à pitons, celui d'une sentence de déportation en Haïti... avec déguisement en père Aristide...

—Et quelle sera la couleur du voyant du piton Haïtien? demanda Maître Martin, l'oeil au doute prononcé voire au soupçon proche avoué.

—Bigarré, Maître.

Le coeur de Louis saignait. Lui, pourtant ami des Noirs et voilà qu'un Noir faisait planer sur sa tête une menace pire que la mort. Il ignorait que Laferrière avait une nouvelle idée de roman derrière la tête et un titre magnifique: *Comment se débarrasser d'un roi sans se fatiker*... D'ailleurs c'était lui, la voix secrète derrière les éditoriaux de Bissonnette à qui il avait glissé au festival de jazz: *Comment écrire un livre sans se fatiker*... Ce qui n'était pas tombé dans l'oreille d'une carpe.

—On remarquera que les accusations seront distribuées par ordre de gravité en commençant par la moins criminelle. Et voici la première... Louis Capet, vous êtes accusé de vous être livré à l'arbitraire et au népotisme dans l'attribution de subventions, de deniers publics et cetera, et cetera. Coupable ou non coupable.

De sa voix la plus riche et caramélisée, le roi dit à mains ouvertes:

—Non coupable, voyons, madame votre Honneur.

—Maître Martin, procédez...

L'avocate marcha lentement, le regard silencieux et froid, vers le box de l'accusé, fixant le roi droit dans les yeux:

—Expliquez-vous!

—Mais madame, j'ai toujours eu plaisir à donner à ceux qui en avaient besoin.

Maître Pauline jeta:

—Je n'ai rien de plus à dire, il s'est déclaré coupable lui-même. Il s'est mis la tête droit sous le couperet de la guillotine...

Croûton-Béland fit un tour de roue complet en avant puis à reculons.

—À vous maître Voisine.

—Népotisme, qu'est-ce que c'est? Comment on dit ça en France?

—Attendez que je me renseigne, dit la présidente qui chercha aussitôt dans un dictionnaire Robert. Voilà... Népotisme: abus qu'un homme en place fait pour procurer des avantages à ses amis...

Arthur leva un peu la tête, entrouvrit les yeux, les referma, tourna la tête et la remit sur son autre bras.

—Autrement dit: favoritisme?

—Voilà!

—Mais, madame le président, est-ce parce que la télévision française donne plus d'images à Roch Voisine qu'à disons Serge Laprade qu'elle doit être accusée de népotisme? Le star-system veut cela. Si le peuple de Joliette a élu un autre Roch tout aussi célèbre que moi au Québec, il s'attendait à ce que ce Roch-là profite aussi des dons de Sa Majesté... Qui l'en blâmerait et qui blâmerait la main qui donne? Coupable de quoi, le roi? De bonté? De générosité? De mains ouvertes? De coeur ouvert?

Le roi se mit à chanter, un sanglot dans la voix et un second dans son micro:

—Seul sur le sable, les pieds dans l'eau...

Maître Martin coupa:

–Objection! Comparaison z-oiseuse! Une station de télévision n'est pas un gouvernement, une royauté!

Maître Voisine rétorqua:

–Les ondes n'appartiennent-elles pas à tout le monde et pourtant, on ne les donne pas aux premiers venus? Demandez aux écrivains québécois! Non, ce qu'il faut comprendre, votre Honneur, c'est que dans toute société, il y a des gens plus populaires que d'autres, donc plus méritants... C'est un choix de société. Qu'y peut-on?

–Qui dit le contraire? fit la présidente suavement.

Jacob Péladeau qui 'drummait' ce jour-là ne put retenir un autre **ra**. Une partie de la foule lança une ligne de *Ça ira!* tandis que l'autre brouillait leurs cartes avec le *Na na na na hey hey goodbye!*

Arthur sursauta au bruit et se rendormit dur.

Jacques Fâcheux glissa en douce à ses téléspectateurs:

–Pour le moment, Maître Voisine a très nettement l'avantage sur la Procureuse mais attendons d'entendre les témoins à charge...

La boîte des témoins était située entre la fosse de l'orchestre et le box de l'accusé. Il fallait y monter aussi afin que les témoins puissent être aperçus par les co-présidents par-dessus la tête plutôt haute du roi.

On avait voulu la mettre autre part, entre les Robert-Pierristes et l'estrade de la Cour, mais la partie royale s'était objectée, la Royauté n'aimant guère, argua-t-on, les dispositions asymétriques.

Ainsi, quand le roi s'asseyait, pas de problème mais quand il se tenait debout, la présidente devait étirer le cou pour le contourner de son regard et apercevoir le premier à se présenter: Marat-Mouchard.

François fut sur le point de se précipiter au micro du citoyen pour dénoncer cette intervention qu'il savait devoir être ombrageuse, rageuse, orageuse...

–Eh moi, je brûle de parler! lança péremptoirement le témoin qui repoussa vainement de son front sa grosse couette hitlérienne.

–Parle pas trop, tu pourrais te brûler! dit le roi avec un air de dire: 'tu sais ce qui t'attend, mon sacrement'...

Aveuglé par sa colère noire, Marat-Mouchard était emporté par le besoin de dénoncer, sauf qu'il avait omis de penser à la nature même de l'acte d'accusation soit le népotisme. La menace du roi lui suggéra tout à coup de réserver ses tirs pour des accusations beaucoup plus graves à venir.

L'on ne disposait que d'une Bible et elle se trouvait dans le box du roi. La présidente demanda au page-porteur, –fils lunetté et lunatique d'un des membres des Enfargés– d'aller la prendre pour faire jurer Marat-Mouchard. L'adolescent myope débuoula deux fois dans l'escalier, ce que voyant, le bon Louis héla son copain d'études dans le box des témoins en disant:

–Attrape, Maramou...

Maramou était un surnom de collège.

Et le roi lança la Bible que l'autre ne manqua pas.

–Jurez de dire la vér...

Le témoin interrompit la présidente:

–Votre Honneur, j'ai hélas! perdu mes notes... Je me récuse donc moi-même... Mais... le roi perd rien pour attendre...

Aucun politicien ne le suivit à la barre des témoins. Pas un ne se sentait les lames capables de le tenir debout sur la très dangereuse patinoire du favoritisme. Robert-Pierre avait la vertu mais il lui manquait les preuves à donner, les faits... Et il refusait d'utiliser le ouï-dire...

Parizeau-Dalton se rongeait les ongles.

Croûton-Béland restait immobile.

Toujours présent à la table des grands journalistes, Saint-Just Lapierre écrivit en grosses lettres noires sur un papier recyclé:

"Un peuple qui n'est pas heureux ne saurait être libre." Puis: "De peuple à roi, nul rapport naturel."

Faute de matière et propos juteux, la Présidence dut passer à l'acte d'accusation numéro deux, plus grave que le précédent mais moins que le suivant. Il y eut entracte au cours duquel l'orchestre livra son désormais célèbre "La patrie d'abord", paroles de Berneur Landru et musique de Georges Brassens puisque c'était l'air de "Les copains d'abord". Péladeau lui-même chantait tout en jouant de la 'batterie'. Des gens se rendirent aux cantines. On but. On mangea. On parla. On s'étonna. Puis l'audience reprit:

—Citoyen Louis Capeté Mulroney, levez-vous... Acte d'accusation numéro deux: vous êtes accusé d'avoir négocié et surtout conclu un traité de libre-échange avec Haïti... Coupable ou non coupable.

Voix fudge (fondant) du roi:

—Non coupable, voyons, madame votre Honneur!

Le premier témoin fut le député noir Dany Laferrière qui prit la défense du roi au grand dam de sa gang:

—Voyez, je faisais partie de la négociation et ma foi, ce n'est pas si mal. Depuis que je suis au Québec que je montre aux Québécois à faire toutes sortes de choses sans jamais se fatiker... En retour de moi, vous savez ce qui fut exporté dans mon pays? Non? Vraiment, vous ne le savez pas? J'aurais cru que vous auriez pu me le dire parce que je ne le sais pas moi non plus... Ha! Mais ne riez pas trop vite, hein! Dans mon pays, on donne à tous les Québécois qui le veulent des cours gratuits, oui, oui, à l'université du vaudou... Plusieurs ont fait un stage là-bas... Et je vais vous en nommer quelques-uns si vous ne me croyez pas... Y'a Michel Gaucher, eh oui, et quand il est revenu, il a acheté tous les marchés Steinberg... Et la citoyenne Ginette Reno qui à son retour a **remisé** sa carrière pour se spécialiser dans quelque chose de bien plus rentable: les ventes de garage... Ha! Et Suzanne Lapointe itou... et à son retour, elle a accepté de faire l'amour sans jouir et sans rire avec le petit fatikant à Latulippe. Et Jean-Pierre Coallier et vous savez ce qui lui est arrivé en revenant? Il est resté le même: aussi cabochon qu'auparavant...

—Bon, bon, huhau, huhau, huhau, ordonna Maître Martin. Ob–jec–tion! Répondez à ma question, député Laferrière. N'est-il pas vrai itou que votre pays nous a envoyé du noyer, de la réglisse pis des whippets secs, des beignes créoles, des taxis pis des pimps, des Barbies envoûtées, des grosses BS pis le père Aristide?

—S.O.S. racisme!

—Répondez!

—S.O.S. racisme!

—Votre Honneur, ce témoin est partial. Il a fait partie de la transaction et son propos est donc irrecevable.

—Maître Voisine, quelque chose à ajouter? demanda la présidente.

—Haïti nous a simplement envoyé ce qu'il y avait de mieux là-bas...

—Ob-jec-tion! C'est là une opinion subjective...

—Votre Honneur, si on leur envoie ce qu'on a de meilleur et qu'ils nous retournent ce qu'ils ont de mieux, le libre-échange est donc juste: du mieux pour du meilleur. Qui dit mieux? Dans un ménage québécois, qu'est-ce que l'on s'échange? Du meilleur et pis du pire. L'homme apporte le meilleur tandis que la femme, elle, apporte le pire...

—Objection retenue! fit sèchement la présidente Ventouse. Autre chose, maître Voisine?

—Ou vice-versa, j'avais pas fini... Une fois sur deux, ça mène au divorce, aux chicanes, aux tensions, aux injustices, à la bagarre, à l'échange de coups... Mais, entre nous et Haïti, c'est un échange du mieux pour du meilleur: qui blâmerait le roi pour ça?

Arthur se réveilla une seconde et marmonna:

—Le roi? Qui parle de roi? Y'a qu'un roi à Québec et c'est moi...

Et se rendormit...

La présidente mit fin au témoignage puis elle appela les applaudissements du public. Une jauge impartiale appelée le **claquomètre**, située sur le tableau électronique du Colisée, atteignit sept à l'échelle de Richler, échelle baptisée du nom d'un auteur juif, grand ami des Québécois qui écrivait sur eux de grandes choses très choquantes imprimant de grosses secousses telluriques à leur fierté nationale.

Le match était donc de sept à zéro puisque pas un clan n'avait compté de points au premier engagement.

—La Cour appelle un spécialiste en questions économiques et de libre-échange, le citoyen Parizeau-Dalton...

L'homme exposa pourquoi il eût mieux valu que la royauté passât un accord de libre-échange avec les États-Unis plutôt qu'avec Haïti. Il expliqua longuement que les États-Unis était un pays plus grand que Haïti et plus proche du Canada. Surtout moins noir. Et plus juste. Pour faire sa brillante démonstration, il se basa sur de nombreuses études réalisées dans diverses universités québécoises et publiées grâce à des subventions de l'État québécois.

—Devant de pareilles évidences, conclut-il, je me dois d'appeler un verdict de culpabilité, le roi fût-il déclaré innocent sur tous les autres chefs d'accusation. Celui-là qu'on accuse de 7 meurtres et qui n'est trouvé coupable que d'un seul est-il moins meurtrier pour autant et sa tête doit-elle être sauvée parce qu'il n'a coupé qu'une seule tête?

Son implacable logique valut huit points contre le pauvre Louis sur l'échelle de Richler.

Les choses allèrent si vite dans le premier avant-midi que François ne put intervenir une seule fois. D'ailleurs, le micro du citoyen demeura fermé. On donnerait au public l'occasion de s'exprimer vers la fin de l'audience en après-midi alors que tous seraient fatigués et que personne n'aurait plus l'envie d'écouter.

Car si le peuple possède le droit sacré de parler, il ne possède aucunement celui de se faire entendre.

Lors de périodes de relâche, il croisa des têtes avec lesquelles il s'était déjà entretenu, Robert-Pierre et Jacob Péladeau mais chacun était fort bien entouré. Il rencontra leurs regards. Quelque chose d'étrange se produisit dans le cas de l'un, Robert-Pierre, mais rien du tout quant à Péladeau.

Robert-Pierre, disait-on, et il en eut démonstration, n'oubliait jamais un visage; Péladeau, lui, n'en retenait jamais un. Question de tempérament, d'attention au moment présent ou peut-être un sens de la tragédie par lequel le premier citoyen sentait, à travers des êtres comme François, sa fin tragique dans même pas deux ans tandis que l'autre, parce qu'il exerçait chaque jour sa créativité d'artiste, promettait de vivre longtemps après la Révolution et l'an 2000!

Révolution, quel vain mot, se disait-il en sirotant un Coke et quelques idées aux abords d'un comptoir-lunch. Pourquoi donc personne ne l'utilisait-il jamais? Ou si rarement? Alors que durant la vraie, celle de France, chacun en parlait dix fois par jour, ici, on ne parlait que de république, d'indépendance, de souveraineté, de séparation, de césure du lien avec la royauté... Peut-être que s'il n'avait jamais mentionné le mot tabou lors de ses rencontres d'avertissement, on l'aurait plus cru...

–Relish, moutarde s'il vous plaît!

Une voix féminine au timbre familier était là, juste derrière, en biais... Il se tourna: son coeur se retourna. Depuis le temps... depuis le temps... Il eut du mal à avaler une bouchée de beignet... Il devait lui parler. Le devait-il? Elle était là, plus femme qu'à la télévision. Plus vraie aussi, et ce fin 'relish moutarde' en était la preuve. Elle sentit qu'un regard pesait sur sa personne et repéra son guetteur. Il la trouva belle dans son âge certain, et frêle dans cette attente d'un simple hot-dog, et vulnérable dans cette banale réalité d'une grande foule anonyme...

Lui annoncer qu'elle tuerait Marat-Mouchard de toute façon, et que donc valait mieux tôt que tard? Le taire et que survienne une distorsion de l'histoire, et donc qu'elle ne le poignarde jamais, et que ce boucher sanguinaire continue à réclamer des têtes, encore des têtes, toujours plus de têtes? Avec Marat-Mouchard dans le décor après le 13 juillet 1993, jour arrêté par l'histoire pour sa fin, le Québec rougirait de tout son réseau hydrographique: Chaudière, Yamaska, Saint-François, Saint-Maurice, Saguenay, Richelieu, Outaouais et même la rivière Mingan deviendraient couleur de sang. Si Charlotte Corday n'avait pas éliminé l'exterminateur ce jour-là, deux cents ans plus tôt, que serait-il advenu de la pauvre France? Peut-être rien de pire après tout!

Charlotte-Bombardier avait autant l'air d'un assassin que Marat-Mouchard d'un pape ou Roch Voisine d'un défenseur de la royauté. Mais Charlotte Corday, timide et douce, tremblante et innocente, paraissait bien moins tueuse que son fantôme moderne en chair et en os. L'époque fait la femme. Ou plutôt l'époque fait le geste de la femme. La jeune française avait embrassé les idées et même l'action révolutionnaires au départ puis, quand le sang avait trop coulé, pour sauver des milliers de vies, elle s'était enfin décidée à en prendre une seule. L'histoire implacable condamnait Charlotte-Bombardier à l'héroïsme du 13 juillet à venir...

Que le destin trace donc lui-même ses insondables arabesques! Il baissa les yeux.

Les releva. Elle venait vers lui en souriant. Quoi, la célèbre journaliste délaissait-elle son hot dog pour venir lui parler? Quel honneur! Mais elle le contourna et rencontra quelqu'un d'autre. Il regarda, faillit tomber à la renverse devant le tableau. C'était Marat-Mouchard qui la serrait dans ses bras.

Alors bêtement, stupidement, il comprit pour la toute première fois que l'histoire ne subissait pas comme il le croyait, de distorsions mais qu'elle était simplement réincarnée avec toutes les contraintes que cela suppose. L'histoire avait quitté le corps d'un pays d'une certaine époque pour épouser un nouveau corps, plus petit, plus jeune et deux siècles plus tard. L'histoire était l'âme de pays successifs qui en étaient la chair et le sang tour à tour.

Malgré cette belle découverte libératrice, une main oppressante reviendrait s'emparer de son cerveau et le mot distorsion regagnerait son vocabulaire tout comme le mot révolution s'entêtait à ne jamais vouloir exister autrement qu'en langage métaphorique dans celui des Québécois.

L'audience reprit donc. François n'intervint pas. Des royalistes se présentèrent au micro du citoyen et défendirent le libre-échange avec Haïti. L'un osa parler de sida mais il fut aussitôt décrété de coup bas et dut se taire; on alla jusqu'à l'expulser pour 'racisme d'ordre épidémiologique'.

À ce rythme, le procès finirait sûrement dans trois jours puisqu'il ne restait que cinq accusations. Mais la gravité augmentant à chacune, peut-être se rendrait-on à une semaine de débats et pourrait-on offrir au peuple du Québec en guise de merveilleux cadeau de Noël le ramenant à ses jeux d'enfance, la tête du roi.

Croûton-Béland et son grand associé dans l'affaire des guillotines en discutèrent ce soir-là. On se fit des graphiques, des idées chiffrées, des rêves colorés... Si le roi devait être guillotiné vers le vingt décembre par exemple, les ventes de guillotines-jouets pourraient être multipliées par cent. Quant à la vraie, celle-là qui couperait la tête sous le couperet, on se contenterait d'un vieux modèle français non modernisé...

On se frotta les mains d'aise. Mais quelque chose chicotait Croûton. Il était homme de flair autant que de raison. Il fallait en parler à Robert-Pierre. Sans l'appui du premier citoyen, les débats risquaient de dépasser les fêtes. On l'appela donc depuis le bureau même de Daniel Amusement où partout où un espace libre avait pu servir de support, se trouvait quelque chose en rapport avec la guillotine.

—C'est la meilleure manière de sauver le roi, fit le premier citoyen en détachant mots et syllabes.

Croûton émit un soupir de haut étonnement et l'autre poursuivit:

—Vous qui prétendez connaître les Québécois... Vous savez pourtant très bien qu'à Noël le peuple se vendrait au diable, se tuerait, assassinerait pour pouvoir exercer sa compassion. Guignolée, Noël du pauvre, émissions de télé sur la pauvreté, Centraide chauffée à blanc et quoi encore. Au contraire, en janvier, le peuple revient à la normale et même que le balancier va dans l'autre sens. Voyez les femmes s'entre-détruire au boxing day! Ça tombe sous le sens. Écoeuré de la charité, le peuple retrouve son égoïsme foncier et destructeur. C'est là qu'il faudra voter la culpabilité et la mort du roi. Jamais avant Noël! Citoyen, réfléchissez, voyons! Un peu de bon sens! Un homme d'affaires comme vous, manquer autant de psychologie!

On comprit pourquoi Robert-Pierre était premier citoyen et pas un autre. Il avait le bon sens du peuple québécois, lui. Après un moment sombre, la discussion s'ensoleilla à nouveau.

—Nous finirons de moderniser nos guillotines.

—Nous envahirons le marché haïtien avec plusieurs longueurs d'avance sur tous...

—Quand la tête du roi sera tombée, ce sera plus facile d'obtenir d'autres têtes pour entretenir la publicité de nos produits.

—Les enfants américains vont se ruer pour acheter nos produits.

—On leur en vendra des modèles pour adolescents avec de vrais couperets.

—Dans les villes, ça se vendra comme des lignes de coke...

—Ah! les affaires, les affaires, les affaires! Comme c'est beau! Faire de l'argent! Bâtir un pays!

—Et Desjardins qui finance tout ça!

—Ah! Desjardins, notre Big Brother de chez nous!

—Si Jacob Péladeau était moins plaignard avec cette histoire d'holocauste, on pourrait peut-être l'associer à nos affaires...

—Pour un Jacob, l'argent est plus puissant que le gaz.

—Je vais l'approcher, je vais l'approcher...

—Attention, avec ton Desjardins roulant pour pas tomber dans la fosse de l'orchestre.

—C'est une chaise automatique: tu peux pas tomber dans le trou avec ça, elle t'avertit avant... Suffit que tu aies le mot de passe pour l'opérer... Ton NIP fleurdelisé.

Au matin de la deuxième journée, on passa au troisième chef d'accusation. Arthur s'était rendu directement de sa station de radio au Colisée. Il avait mangé à une cantine, roté, pété, chié et pris place le premier à la table de la présidence.

Quand Jacques Fâcheux, premier arrivé chez les gens de la presse, l'aperçut, il glissa aux téléspectateurs matineux:

—Monsieur Arthur semble en pleine possession de ses moyens et facultés aujourd'hui. On sait déjà qu'il sera question de taxes royales. On peut s'attendre à des interventions magistrales de la part du président. C'est une journée qui promet beaucoup. Peut-être un match mémorable entre l'accusation et la défense?

Quand tous furent à leur place, que tout fut en place pour le début des audiences, Arthur ronflait et les coups de maillet de Ventouse à un pied et demi de sa tête n'y changèrent rien.

–Citoyen Louis Capeté, levez-vous pour entendre lecture du troisième chef d'accusation... Citoyen, vous êtes accusé de crime de... TPS.

–C'est tout, votre Honneur?

–Coupable ou non coupable?

–Mais... coupable, voyons, madame votre Honneur.

La présidente leva son regard haut au-dessus de ses lunettes et reprit:

–Vous avez bien dit coupable?

–Si l'imposition d'une taxe aussi agréable pour tous que celle-là constitue... un crime, eh bien oui, je suis coupable!

–Dites seulement coupable ou non coupable...

–Je l'ai dit une fois, votre Honneur et si je me répète, madame la Procureuse y trouvera matière à insister...

–Ob-jec-tion! lança Me Martin. Votre Honneur, à quoi sert une Procureuse dans ce procès si l'accusé est autorisé à plaider coupable? Je suis là pour gagner mes lévécus...

–Et moi, mes écus! interrompit Me Voisine qui reçut pour ça un foudroyant regard de jalousie de la part de sa collègue.

–Me Martin, suggérez-vous une modification à la procédure?

La Procureuse soupira profondément, aspira en longueur, étira une marche de long en large, promena de grands regards panoramiques sur toute la foule et se rendit même jusqu'à la fosse à Péladeau, lequel ne put s'empêcher d'échapper un petit **ra** peu appuyé et répété trois fois. Elle revint devant la Présidence, retroussa ses manches et dit:

–Oui.

–Quoi?

–Qu'à chacune des accusations désormais, l'accusé soit appelé à déclarer **non coupable ou... non coupable**.

Ventouse hocha la tête, ôta ses lunettes, disant:

–Cela dépasse la compétence de notre tribunal. La Convention doit en discuter... Que les citoyens députés demandent la parole à main levée!... Que l'on installe un microphone devant les deux côtés de la députation afin qu'on puisse se livrer avec célérité à des exercices rapides de démocratie.

Un quart d'heure plus tard commença un débat qui durerait trois jours entiers... Croûton avait passé la nuit à convaincre des députés de la nécessité de prolonger le procès jusqu'en janvier. On définit légalité, précédent, libre-choix, image de la justice, équité...

Même Fâcheux roupilla à l'occasion.

Le premier à s'exprimer sur la question fut Robert-Pierre. Il s'avança, le veston largement ouvert, les bras ballants. Son nez heurta le micro qu'il dut ajuster à sa taille (celle du nez). Il parla, le ton mou:

–Tout le monde sait mon idée et *je n'ai pas changé là-dessus*, la culpabilité n'est pas fonction des aveux de crime mais fonction des preuves établies. Un citoyen n'a pas le droit de s'incriminer lui-même, et de le faire constitue un crime pour lequel il sera jugé et puni. En d'autres termes, si un citoyen par exemple avoue qu'il a tué quelqu'un, il pourra être condamné à mort non pas pour avoir tué mais pour avoir avoué avoir tué... La Convention doit donc en toute logique se rallier au voeu de notre brillante Procureuse...

Me Martin lorgna hautement du côté de son voisin Voisine qui sortit une liasse d'écus et entreprit de les compter en portant son doigt à sa bouche entre chaque coupure. La Procureuse lui sourit, le copia un peu. Elle porta aussi son majeur à sa bouche puis d'un geste sec et à ressort, elle le brandit droit devant elle vers lui, à l'insulte de son collègue trop riche, trop prétentieux et trop maudit Français.

Au cinquième jour de l'audience, le 17 décembre que d'aucuns parmi les Enfargés appelaient le 2 Mackanaw en raison du projet non encore adopté du nouveau calendrier, le Colisée s'était vidé de moitié. On fit appel à Arthur pour réveiller la plèbe mais l'homme refusa: ce procès ne l'intéressait aucunement.

Les journalistes étrangers quittèrent pour les fêtes. Tous se sentaient si éloignés du sang que la platitude habillait tout et que chacun se sentait habité par une grande lassitude.

C'est dans cette atmosphère flaccide que se déroula le débat sur le crime de TPS. Pourtant, on était en pleine époque où les citoyens en payent le plus. Mais, ainsi que le comprenait Robert-Pierre, à l'approche de Noël, ce n'est pas l'avarice qui délie le cordon des bourses mais le bon coeur dont tous faisaient état dans les médias, même Marat-Mouchard attendri qui écrivit dans L'Ami du Québec:

"Pardonnons à Louis... jusqu'au premier janvier!"

Contrairement à toute attente, Louis gagna beaucoup de points à l'échelle Richler et on lui donna même gratuitement des multi-points en guise de cadeau des fêtes. Les téléspectateurs du monde entier en furent touchés.

La quatrième accusation fut expédiée à la hâte le 21 décembre, dernière journée des audiences avant la relâche des Fêtes. Le roi fut accusé d'avoir fait de l'État une ploutocratie. Son gouvernement, dit-on, favorisait les riches, les fortunés, les gagnants...

Me Voisine brilla à la défense de l'accusé. Une fois de plus, il utilisa la tactique de défendre le crime et non le criminel.

—Je veux me donner en exemple à cette Cour et à ce peuple. On m'a donné $75,000. pour chanter à la fête du Canada l'été dernier. Voyons ce qu'il est advenu de cet argent.

Il brandit un papier bourré de chiffres et signé par la main d'un C.A. de la firme qui surveille les boules de Loto-Québec:

—Je dépose cette pièce comptable en tant que pièce à conviction... Renouvellement d'équipement: $3,000. Entretien d'équipement: $2,000. Salaires de l'équipe: $47,000. Frais de transport de Paris à Ottawa: $7,000. Commission de mon agent: $11,000. Impôt: $5,000. Total préliminaire des dépenses: $75,000. Mais ce n'est pas tout, ce n'est pas tout... Une nouvelle frock de cuir: $1,000. Elle fut achetée sur les Champs-Élysées... Coupe de cheveux et maquillage: $500.

Grand total: $76,500. d'où une perte nette et sèche de $1,500. Voilà, j'ai donc investi $1,500. de mon argent durement gagné en France pour venir me produire ici.

Ce n'est qu'un exemple. C'est le même sûrement pour Jacob Péladeau ici présent, je le sais, j'en suis sûr...

Sur ces mots, des dizaines de feuilles comptables jaillirent de la fosse de l'orchestre, mélangées à des feuilles de musique. L'avocat poursuivit:

—Ce sont les riches qui donnent du travail aux moins nantis et qui font vivre les anéantis. C'est eux qui payent le plus d'impôt. Ce sont les puissants qui donnent de l'énergie aux impuissants. Sans les rois, pas de lois. Sans les rois, pas de foi. Sans les rois, pas de toit. Sans les rois, pas de joie. Sans les rois, pas de... pois... dans le gâteau des rois... Là-dessus, finissons-en, Noël arrive! Joyeux Noël Amérique! Joyeux Noël Planète! Joyeux Noël Seigneur!

À la télévision, Fâcheux annonça le résultat final de l'ensemble des quatre premières périodes: 67 points pour le roi et 32 contre lui. Me Martin quitta les lieux en rageant. Dans le tunnel de sortie, Jean-Cul Migraine tout sourire voulut lui serrer la main pour lui prodiguer de l'encouragement mais elle le frappa au bon endroit d'un direct du pied droit, son pied le plus éloquent et qui savait donner l'heure juste.

Me Voisine put prendre l'avion le jour même pour Paris. Le roi fut emmené à Montréal auprès de sa chère Mitsou-Antoinette qui durant son absence avait fait l'amour avec tous les gardes du mât.

Il ne resta au Colisée, une heure encore, que deux êtres solitaires. François Langlois qui jonglait, qui se demandait si le moment n'était pas venu de se révéler aux siens de Pohénégamook, et un ronfleur à la table de la présidence.

Tout comme moi, le lecteur devra attendre deux chapitres avant de connaître la suite. Nous devons faire relâche aussi pour les Fêtes. Passons-les en compagnie de François à qui il arriva une chose bien étrange, et bien triste. Noël n'est-il pas le temps par excellence pour vibrer aux plus belles émotions? Le gros rire gras du Père Noël qui fait croire à tout le monde que la vie est belle et que chacun est riche à se péter la ceinture. Le petit rire argenté des enfants sages qui saute d'une bebelle à l'autre, sort par les cheminées (quand le vieux fou est pas là) et se répand par toute la terre et remplit de bonheur tous les petits Somaliens qui s'envolent alors vers le ciel en s'accrochant joyeusement l'âme à ces rires des enfants riches et beaux et que le bon bon Dieu aime et choie beaucoup beaucoup. Ou en se laissant traîner en grelottant (pas de froid mais comme de joyeux grelots) derrière la carriole du vieux pédé qui comme le bon bon Dieu est partout dans le monde quand c'est pas le temps... partout dans les pays développés... Le pauvre ne peut tout de même pas risquer de manquer de foin pour ses rennes au Sahel ou de se faire voler ses poches de bebelles par les enfants voleurs de Rio ou de se faire enculer par un Zambien sidéen... et ricaneux... (ce qui pourrait lui faire perdre son gros rire épais et attraper la ricanerie)

Émotions joyeuses certes, mais aussi splénétiques... Tous ces pleurs de solitaires, de divorcés qui ont pas réussi à accrocher en décembre, de célibataires qui s'en fichent jusqu'à la dernière minute et alors se réveillent en peine, de vieilles personnes attachées à leur lit avec des fils de téléphone...

–Hallelujah! clama le télévangéliste Pierre Lacroix dans une prêche pathétique du 24 décembre. Jésus, mon chum, est grand...

Ce jour-là, l'homme de Dieu s'aspergea la braguette d'essence à briquet et y mit le feu pour punir cet organe petit coquin qui avait trop péché. Le Québec tout entier lui pardonna alors toutes ses fautes. Son jack-strap en amiante tint bon. Dès son retour dans sa loge d'artiste, il s'en défit pour ne pas risquer de poigner un cancer du cul...

Chapitre 21

Le midi du vingt-trois décembre, François Langlois reçut la pire claque de sa vie. En plein su'a'yeule comme l'eût dit le vieux joual québécois.

Il hésitait encore dans son intention de se rendre à Pohénégamook. Car les troupes Newfies s'étaient toutes retirées du territoire national après avoir signé une trêve avec les troupes républicaines du Québec, trêve qui permettrait à tous de reprendre les mêmes positions le six janvier pour la poursuite de la guerre; on mit partout des drapeaux de golf, on fit venir des casques bleus Mohawks d'Oka commandés par le capitaine Lasagne pour garder les positions afin d'éviter la tricherie de ceux qui voudraient s'emparer de morceaux de territoire la nuit venue. On avait été informé au quartier-général du général Charron de la présence aux frontières du Nouveau-Brunswick, côté acadien bien sûr, de divisions de l'armée fédérale, dont l'une sous le commandement d'un colonel bloqué et boqué qui n'était deux ans plus tôt que le simple soldat Cloutier, héros de la guerre d'Oka.

Le jeune homme en peine, François le faux prophète, promenait sa dure et très solitaire errance de par les avenues commerciales bondées et lumineuses de Place Laurier. Une fois de plus, l'histoire vint à lui comme un bulldozer silencieux et qui se révèle, tous bruits et tout grattoir dehors, au dernier moment... Il aperçut à une table d'un restaurant ouvert sur le mail, une tête qu'il connaissait bien. Et il ne put s'empêcher de s'approcher.

—Si c'est pas Gilles, Gilles Charron de Cabano!...

L'homme interpellé, un être assez costaud d'environ quarante-cinq ans se dessina un point d'interrogation au-dessus de chaque arcade sourcilière et il tendit la main, incrédule.

—Tu me reconnais donc pas? François Langlois de Pohénégamook... J'ai enseigné un an à la polyvalente de Cabano sous ta direction...

—Je n'ai jamais été directeur là-bas... mais on s'est peut-être vus quelque part...

—Ben voyons donc!...

—Je suis bien directeur à Pohénégamook, mais pas à Cabano...

François réagit aussitôt. Encore un mauvais tour de l'histoire revue. Il ne s'entêterait pas mais en profiterait pour obtenir des renseignements.

Appuyé au dossier d'une des trois chaises libres, le jeune homme questionna:

—Connais-tu Untel?

—Sûr!

—Et Untel?

—Ah! oui!

—Unetelle?

—Une ancienne étudiante.

—Et les troupes là-bas?

—Une guerre civilisée...

—Les civils?

—Personne de touché pas même par des projectiles égarés. Pas une maison endommagée... Juste du sang dans l'eau mais on a ajouté du chlore...

—Une guerre qui fait honneur au Québec!

—Exactement! Un exemple dont on peut être fier. Nos soldats ont les mains nettes: ils tuent des soldats, pas du monde... C'est pas comme en Serbie...

—Une guerre, ça se fait bien à deux, tout comme un enfant. Les Newfies...

—Il a fallu négocier serré avec le premier ministre Clyde Wells, et durement...

—Ah!

—C'est notre général Charron qui s'en est occupé. (Aucune parenté avec moi, je tiens à le préciser!) Il a dû passer à la pire menace pour leur faire faire une guerre humaine... Nos enfants étaient rendus qu'ils trouvaient des hameçons partout sur le bord du lac... Des bouteilles de Molson à moitié remplies d'huile de foie de morue... Des malades: ils auraient pu en montrer à Saddam...

—Ah! bon, et la menace fut quoi?

—Il les a menacés d'un Match de la vie. Bedang! Il leur a dit: "Si vous avez le malheur de vous écarter encore de l'éthique professionnelle du bon soldat, on va envoyer des espions à Terre-Neuve avec des caméras cachées du Match de la vie sous la direction de Marcel Béliveau et on va prendre un gros échantillonnage de quotients intellectuels un peu partout... On diffuse ça au procès du roi: ça va se répandre dans le monde entier y compris en Serbie et le monde entier va vous condamner y compris la Serbie..." Tu peux être sûr qu'ils ont changé de face, les Newfies...

Quelqu'un arrivait par derrière François. Il le vit dans les yeux de son interlocuteur. Il se tourna et ses mains tombèrent en bas du dossier de la chaise. Il sentit son coeur fondre comme neige au printemps ou comme un coeur dans le sucre qu'on jette dans l'eau bouillante. Elle était là en chair et en os, la belle Manon du sieur Perron, sa femme devant Dieu et les hommes, derrière un cabaret contenant hot-dogs pour deux et beignets ainsi que les breuvages, son breuvage préféré, à la Manon, du chocolat chaud.

—Bonjour, excusez-moi si je vous dérange!

—Tu connais-tu ma femme, citoyen? C'est quoi, ton nom, déjà?

—Ffff... Ffff....Ffff.... François... Lllll... Llll... Llll... Langlois...

—Enchantée! dit-elle d'une voix pimpante et d'un oeil sautillant.

—Tu... tu... tu... t'es... t'es... t'es remariée?

–Ah! tu dois être mêlé dans tes souvenirs, citoyen, dit l'homme. On fête aujourd'hui notre dix-septième anniversaire de mariage et c'est notre premier mariage à tous les deux...

Elle prit place puis tendit la main pour aconnaître le visiteur du midi.

–Manon, je te présente François Langlois.

–Enchantée!

–Mmmm... Mmmm.... Man... Man... Manon?

Le pauvre homme, pensa la femme, il est encore plus affligé qu'un soldat Newfie.

–Mmmm... Mmmm... Manon qu... qu... qui?

–Manon Perron...

–Et moi Gilles Charron...

–Vous avez... tren... tren... trente ans?

–Tu connais des gens flatteurs, Gilles, dit-elle, me faire enlever 10 ans comme ça, d'un coup sec. Merci, monsieur citoyen, mais j'ai 40 ans.

–Tttt... Tttt... Trente.

–40

–3r...3r...30.

–Si vous voulez, mais j'ai 40... Et Gilles en a 45 et notre grand garçon en a 18...

Elle rougit:

–On l'a fait avant l'heure... c'était la mode...

François regarda à droite et à gauche:

–Illll... est... pas là?

–On est en ville pour un anniversaire de mariage, tu comprends, citoyen...

–Illll... illl... s'appelle...

–S'appelle Simon, tu l'as peut-être connu? On a l'habitude de l'appeler le petit Simonac, ha, ha, ha...

Sidéré, contrefait, le coeur empalé, l'esprit en fusion, François quitta sans rien dire.

–Bizarre, le bonhomme, hein, avant que t'arrives, il ne bégayait pas du tout et il parlait avec aplomb... Les jolies femmes de 40 ans, ça doit pas lui faire...

François n'avait plus ni rage, ni colère, ni le moindre ressentiment à offrir au ciel. Plus que de l'ennui et de la tristesse.

Tout le jour de Noël, il écrivit des vers à la molle douceur et à la folle douleur. Sur la table, il avait posé une carte routière du Québec. Et entre chaque vers pleureur, il traçait un trait sur la carte et toujours au même endroit: sur ce satané nom Pohénégamook qu'il chasserait définitivement de ses pensées les plus claires comme les plus floues. Définitivement...

Avant de s'endormir, la dernière image qu'il eut en tête lui apporta du regret. C'était celle du bon docteur Bananier disant qu'il savait, lui qui connaissait tout aussi bien Val-Racine, Falardeau que Palmarolle, que ce Pohénégamook n'était que pure invention du double indésirable de la personnalité de son malade.

Chapitre 22

Les audiences reprirent le lundi, quatre janvier 1993 à neuf heures du matin.

Tous les officiels et journalistes montraient un gros air taciturne sauf Jacques Fâcheux qui lui, jamais noir, paraissait seulement embêté et hébété.

Et André Arthur qui à neuf heures et deux minutes exactement sombra dans la somnolence, tête couchée sur le bras et bras couché sur la table.

Maître Voisine fut fort acclamé. Il était à gagner son procès tout comme il avait gagné son pari à Paris en y remplissant le parterre de l'Olympia tous les soirs du temps des fêtes. En vedette américaine, il avait eu Céline Dion dont l'interprétation de la Charlotte prie Notre-Dame resterait à l'égale de celle de Charles Laughton dans Quasimodo. Un soir de grand rhume, Céline avait été remplacée à pied levé par Diane Tell qui garda quand même le public avec *La Légende de Gros-Louis.* Un Gros-Louis qui se promenait seul dans la grisaille des faubourgs en pompant son calumet à la recherche d'un bolide et d'une fille, à belles carrosseries.

Quant à Maître Pauline, elle arriva super bougonne. Une rumeur voulait qu'elle soit sur le point de divorcer à cause de cette maudite échelle Richler sur laquelle elle n'en finissait pas de jeter des regards exorbitants. Son mari disait qu'elle ne valait pas cher pour faire monter la tension et soulever des vagues de fond...

Robert-Pierre et Croûton-Béland se serraient la main à travers leurs échanges de regards. On frapperait dur, sec, solide... Saint-Just Lapierre serait de la fête pour les aider à assommer le roi. Et Marat-Mouchard tirera le chevillette et le couperet cherra... faisant de Louis un grand chapon rouge (*relire deux fois*).

Le même rituel recommença. Ce fut tout d'abord la lecture du cinquième acte d'accusation.

–Citoyen Louis, vous déclarâtes en riant à vous en décrocher la rate, que la parade de la Saint-Jean à Saint-Janvier de Mirabel ne comptait pas 100 personnes et cela est considéré par la Convention comme un crime anti-républicain de type mathématique si trois preuves sont établies hors de tout doute raisonnable –nous sommes une justice civilisée–:
1) qu'il y avait plus de cent personnes à la parade,
2) que vous déclarâtes qu'il n'y avait pas 100 personnes à la parade,
3) que vous le fîtes de mauvaise foi en vous bidonnant.

Voilà là, pourquoi l'accusation comprend: en riant à vous en décrocher la rate...

Maître Martin, à vous...

–J'ai préparé avec soin mes dossiers, **moi**, durant les vacances. Me suis pas pris le cul à Paris en me cachant le devant derrière une guitare...

Un coup de maillet éclata dans tous les micros d'un Colisée à nouveau plein et le peuple sursauta y compris la présidente. C'était Arthur qui déclara ferme avant de se rendormir:

–Continuez, Maître Pauline, vous allez dans la bonne direction.

–Comme pièce à conviction numéro un, j'ai ici une découpure du journal La Voix des Mille-Iles de Ste-Thérèse. Un éditorial signé de la main de madame Hélène Alexandre. Elle a assisté en personne au défilé de Saint-Janvier. Je lis ceci: "Une foule de plus de cent personnes assistait hier au défilé de la Saint-Jean dans les rues de Saint-Janvier de Mirabel..."

La Procureuse se rendit au greffier et déposa le papier puis, revenant l'estomac haut, elle dit:

—Que dites-vous de ça, grand Maître Voisine?

—Cent personnes, Me Martin, c'est moins que le nombre de celles qui font la queue leu leu à la porte de mes salles remplies à craquer. D'ailleurs, cette madame Alexandre pourrait s'être trompée. Il pourrait s'agir non d'une parade de la Saint-Jean mais d'une file d'attente devant un magasin de disques qui vient de recevoir mon dernier compact... C'était l'époque...

—Ab-jec-tion! Je dis bien abjection et non objection! Me Voisine insulte la nation tout entière.

—Je regrette, coupa la présidente, mais il est sous la protection de la Cour... cependant si des gros bras veulent lui casser la gueule à la sortie du Colisée, ça, le Tribunal ne saurait l'empêcher...

—Que comparaisse maintenant le citoyen Parizeau-Dalton, demanda la Procureuse.

Le gros politicien s'avança. La présidente intervint:

—Citoyen Parizeau-Dalton, si vous pouvez garder sur vous vos pistolets à la Convention, vous ne pouvez le faire ici, dans l'enceinte de ce tribunal.

L'homme regarda à droite à gauche, hésitant à les confier à l'un ou à l'autre. Puis, sur une démarche non-chalante et avec une moue à l'insouciance, il dégaina et confia ses armes à Pierre-Marc Brissot de l'autre côté. Sans aucun malaise, l'homme les brandit et obtint les vivats des souverainistes de la foule.

Ayant juré pour toute la durée du procès, P.-D. s'affala dans le fauteuil du box et fit la tête bête penchée sur le côté. L'homme ne s'était pas encore remis de cette affaire Mirabeau-Lévesque et il passait tout son temps à crachoter cet inexpugnable et affreux goût d'oreille pourrie, là, dans toute sa bouche...

—Dites-nous, citoyen, entama la Procureuse, n'étiez-vous pas à Saint-Janvier à la parade, le 24 juin dernier?

—Ouais.

—Seul ou avec d'autres?

—On était une centaine.

—Plus d'une centaine ou moins d'une centaine?

—Une centaine.

—Plus de cent ou moins de cent.

—Cent.

—Vous êtes sûr?

—Sûr!

Me Martin se pencha et dit à l'oreille du politicien:

—Dites une tête de plus au moins qu'on retranche celle du roi...

—Ob-jec-tion! s'écria Maître Voisine. La Procureuse souffle ses réponses au témoin.

—Retenue, fit la présidente.

—Citoyen, n'auriez-vous pas une déclaration à faire pour résumer votre pensée sur cette parade?

—Ce que je peux dire avec toute la force de ma sincérité, fit-il en frappant l'air du poing, c'est que les 100 que nous étions là-bas vous confirmeront tous que nous étions bel et bien 110. Un et un, ça fait deux, non?

—Je n'ai pas d'autre question, votre Honneur.

L'échelle Richler vibra à 10 contre le pauvre Louis déconfit.

—Maître Voisine?

L'avocat s'approcha du témoin:

—Monsieur, saviez-vous que le journal La Presse a dit qu'il y avait mille personnes à Saint-Janvier pour le défilé?

—C'est un grand journal, ils donnent des grands chiffres. Leurs photographes ont des caméras bien plus grosses et ils captent donc plus de monde. Tandis qu'une mini caméra de La Voix des Mille-Iles, par exemple, ça peut poigner dans le plus cent, cent dix personnes à la fois... D'où l'éditorial de madame Alexandre...

—Pourquoi dites-vous 110, vous, et non pas 1000 comme La Presse? N'êtes-vous pas pourtant un ardent souverainiste?

—Citoyen Voisine, un ardent souverainiste, j'en suis un justement. Un souverainiste est honnête homme et n'enfle pas les choses demesurément pour le plaisir féroce de voir le roi se faire...

Parizeau-Dalton éclata de son gros rire épais:

—... dé-ca-pi-ter... Et puis quelle différence, 800 têtes de plus ou de moins? Mais monsieur citoyen, toute la nation vibrait devant la télévision... En ce sens-là, c'est un million de personnes, que dis-je, quatre millions qu'il y avait en fait à Saint-Janvier ce jour béni où nous aurions pu chanter tous ensemble en choeur sous la direction de notre grand Vigneault national: "Regarde avec amour sur le bord du grand fleu eu ve. Un peuple jeune encore qui grandit triomphant... Tu l'as plus d'une fois consolé dans l'épreu eu ve." Et puis, monsieur citoyen, la nation était prête à entendre ce jour-là le message caché de Fatima, celui intitulé Pauvre Canada et que la papauté n'a jamais voulu divulguer pour ne pas influencer les sondages! Et puis, souvenez-vous de la bénédiction papale à tout le Québec via Céline Dion au grand stade. Elle lui a baisé la tiare, la crosse, l'anneau papal, tout ce qui était encore baisable, les pieds qu'elle a lavés avec ses larmes... Ah! elle est devenue sacrilège depuis, je ne le sais que trop hélas!, mais... quand elle reviendra s'agenouiller et demander pardon à son peuple eh bien on verra quoi faire avec sa peau... Même sa mère à la petite gueuse, est de notre bord...

Voisine leva les mains, bénit le témoin à plusieurs reprises pour qu'il se taise car il marquait trop de points à chaque mot qu'il disait maintenant debout, le bras porteur d'une flamme, d'une épée, de la toute-puissance d'une armée nationale. Il fit s'enregistrer neuf points contre le roi à l'échelle Richler.

D'autres témoins se succédèrent. Plusieurs citoyens ordinaires défendirent des chiffres différents au micro du public. L'un déclara qu'il y avait deux cent dix-huit personnes à la parade de St-Féréol-les-Neiges mais un royaliste lui en contesta vingt-cinq. Fabien Roy venu exprès de Saint-Georges-de-Beauce montra 15 affidavits assermentés qui tous disaient que la parade de Saint-Georges ouest avait réuni la moitié de St-Jean-de-Lalande, les deux tiers et des poussières de St-Éphrem, les trois cinquièmes de St-Benoît-Labre et le quart de St-Honoré. Cela intéressa beaucoup de gens. Il reçut une ovation debout. Il péta le 8 à l'échelle Richler contre le triste roi de plus en plus abattu et qui restait le plus souvent assis dans son box en jouant avec son taquet bas.

La cinquième période se termina sur 67 points à 67. Maître Martin avait gagné 35 points et l'infortuné Me Voisine aucun.

François ne put intervenir sur la question. Il avait tendance à toujours croire les chiffres les plus élevés tant il voyait de fleurdelisés partout.

Le sixième chef d'accusation parlait précisément du drapeau mais de façon plutôt inattendue.

C'était le jour suivant.

La Présidente lut:

—Citoyen Louis Capeté Mulroney, vous êtes accusé de crime de lèse-drapeau. Cette accusation tient à un fait précis qui vous est reproché et qui est le suivant: à une fête de la pomme à Kelona en Colombie-Britannique, vous auriez offensé gravement le drapeau fleurdelisé en vous promenant en public presque nu et affublé du porte-drapeaux installé sens devant derrière. De sorte qu'au lieu d'arborer les fanions du Québec et du Canada chacun de son côté sur vos hanches et ce, en respect du principe de l'égalité biculturelle et bilinguistique, vous avez déplacé le ceinturon de façon à tenir devant vous l'unifolié tandis que le fleurdelisé fut laissé pour compte à la hauteur de votre... derrière. Plaidez-vous coupable ou non coupable? Avant de répondre, songez que cette accusation est l'avant-dernière en gravité avant la pire, les faits à vous être reprochés ici portant directement atteinte à la sécurité **morale** de la nation —sa fierté— tandis que le septième chef portera sur la sécurité **physique** de la nation comme on le verra. Il sera donc question de **fierté**. Ce crime ne vous serait pas imputé si vous n'étiez un Québécois de naissance... Mais laissons aux avocats le soin de démêler tous ces écheveaux... Coupable ou non coupable?

—Non capable, votre Honneur.

—Non coupable?

—Je dis non capable. Je serais bien incapable d'un tel geste de mon propre chef.

—À la Cour de statuer! Maître Martin, à vous...

La Procureuse s'approcha du box du roi. Pour la première fois depuis le début de ce procès, elle souriait. Un demi-sourire de bisc-en-coin. Elle cachait quelque chose à demi sous une manche de sa toge. Rendue près de son but, elle sortit l'objet et le brandit dans un geste théâtral:

—Ah! mon coco de petit coquin, on montre son porte-drapeaux* sens devant derrière?

(*Drapeaux au pluriel car l'appareil était constitué d'une ceinture unisexe de type cow-boy mais fancy à rejoindre la lingerie féminine, avec deux gaines plus fines que celles de pistolets et capables de recevoir chacune la hampe d'un drapeau. Le roi portait donc cet ornement parfois dans ses présences sur les réserves des premières Nations de l'ouest et du nord afin de lancer aux Québécois via la télé des messages de **fierté**. Il portait alors l'unifolié à droite et le fleurdelisé à gauche ainsi que le drapeau local dans sa bouche. Un portrait touchant! Une triple **fierté**! Il semblait qu'un jour, à la fête de la pomme de Kelona, après la présence officielle et le départ des médias, le roi se soit promené presque nu aux abords d'une piscine tout en portant le ceinturon de travers de telle sorte que les drapeaux apparurent l'un devant (son sexe) et l'autre derrière (son derrière)... Un paparazzi à l'affût avait croqué la scène en croquant une pomme et il avait vendu sa photo au Devoir. Mais Lise Bissonnette ne l'avait pas publiée pour deux raisons: économie d'espace d'une part, mais surtout, elle l'utilisait pour obtenir des subventions de survivance de la part de la royauté fédérale... Mon lecteur croira que c'est là une histoire à dormir debout, saugrenue, ridicule et pourtant... Voyons la suite...)

—Et... comment ça, incapable?

—Il faut, madame la Procureuse, des points de soutien comme les hanches pour empêcher le ceinturon de tomber.

—Ah! oui? Je demande à la Cour la permission de procéder à une démonstration.

L'avocate fit signe à son collègue de la défense et l'on alla discuter à voix basse avec la présidente.

Pendant ce temps, Fâcheux glissa à son public de la télévision:

—Il se pourrait, me semble-t-il, que le roi Louis soit appelé à se mettre... tout nu devant la nation... Mais, comme on le sait tous, il est tout à fait naturel à la justice de déshabiller son homme... Voyons voir...

Assis sur de vives inquiétudes, le roi bougeait sans cesse d'une fesse à l'autre, tirait la langue par petits coups selon sa vieille manie par temps de stress, savait que d'une part, Maître Martin possédait beaucoup de relations dans le milieu des danseurs nus —ce qui la dépossédait d'une certaine pudeur de bon aloi— et que, d'autre part, son côté féministe l'inclinerait à chercher à chosifier l'accusé, à le réduire à l'état d'objet sexuel...

Le suspense dura une bonne minute.

Le Colisée respirait tout juste.

Péladeau avala sa dose quotidienne de lithium.

Quant à Charlotte-Bombardier et Marat-Mouchard, ils se fusillèrent avec des regards pénétrants bourrés de fougueuse nostalgie.

Pierre-Marc Brissot, l'air effaré, regardait ses deux mains qui avaient tenu rien qu'un moment les pistolets 'souveraineté' **et/ou** 'indépendance'...

Croûton-Béland crayonnait des guillotines et encore des guillotines.

Et Robert-Pierre se tenait droit comme une chandelle pour la première fois de ce procès. On pouvait exécuter le roi, et il le souhaitait comme on se doit de souhaiter un impératif national, cependant la plus élémentaire décence, la vertu elle-même commandait de respecter l'intégrité de sa personne, sa dignité. Car s'il y avait gloire à perdre la tête, il y avait honte à perdre le face!

La Présidente déclara:

—Accompagnée par Me Voisine, Me Martin va se rendre dans le box de l'accusé afin de démontrer qu'il est possible de tenir un porte-drapeaux de travers sans le soutien des hanches. Que l'accusé se dénude!

Le roi baissa la tête un moment. Puis la releva, une larme à l'oeil. Il dit à l'adresse des caméras de télé:

—Pardonne-moi, Mitsou mon minou, mais... mais le Canada d'abord!

Les Royalistes de la foule étaient pétrifiés.

Beaucoup de choses se produisirent alors de façon simultanée: Me Voisine aida sa collègue à grimper dans le box en l'y poussant car l'escalier était raide et ardu; il y parvint lui-même puis reçut du page maladroit une boîte de danseuse nue sur laquelle le roi aurait à monter pour se montrer à la Cour, à la foule, à la nation, à la planète... Puis un ceinturon à drapeaux et les drapeaux du Canada et du Québec...

La présidente essuya les verres de ses lunettes.

Frulla-Hébert serrait les mâchoires.

Charlotte-Bombardier esquissa un sourire.

Pour déglacer l'atmosphère, Péladeau commanda à ses gens et les premières notes de musique entraînèrent la partie souverainiste de la foule dans le chant bien connu maintenant:

> *Ah! Ça ira! Ça ira! Ça ira!*
> *La beauté du diable disparaîtra ah!*
> *Ah! Ça ira! Ça ira! Ça ira!*
> *Notre grand pays se démêlera!*

Assommé par le coup de massue du 23 décembre et jamais remis, François Langlois surveillait tout ça avec désabusement. L'intéressait davantage l'observation de deux petits trous au pied d'une bande de patinoire en bas de la draperie noire, et par lesquels circulaient deux petites souris ayant l'air de s'amuser comme des folles à se poursuivre et sans doute à s'aimer...

Coïncidence, instinct, toujours est-il que le président Arthur se réveilla. Il devait garder l'oeil brillant jusqu'à la toute fin de la démonstration. Mais se rendormirait ensuite.

Personne ne pouvait voir la nudité du roi plus bas que la ceinture à cause du box, personne sauf les avocats. Le regard de Me Martin durcit et celui de Me Voisine resta au beau fixe quand l'assistance comprit que le slip venait de tomber.

Me Martin prit alors le ceinturon et ceintura le roi de travers. La foule comprit que le ceinturon ne tenait pas et glissait à terre. L'avocate recommença. En vain. Me Voisine commençait à arborer un sourire de triomphe qu'il distribuait aux quatre coins du Colisée. Sa collègue lui lança un regard bourré de malice puis elle se mit devant le roi et s'agenouilla lentement. On ne vit plus que le dessus de sa tête... Le roi montra une réaction très prononcée: il leva son avant-bras et cacha sa honte et ses yeux. La Procureuse se releva et montra ses doigts en V avant de dire dans le micro:

—Que l'accusé se montre au peuple!

Et le pauvre Louis grimpa sur la boîte à gogo. Il avait devant lui à angle de trente degrés l'unifolié tandis que le fleurdelisé pendait tristement à quarante-cinq degrés au-dessus de son fessier.

—La voilà, la honte, la voilà! lança Me Martin.

Au banc de la presse, Lise Bissonnette écrivit un immense AH! NON! sur son calepin sténo...

André Arthur éclata de rire en se flattant la bedaine.

Me Voisine s'empara du micro et s'écria:

—Qu'est-ce que ça prouve? Je pourrais démontrer la même chose si j'étais à la place du roi, et en mieux qui sait. Pourtant, je ne suis jamais allé manger de pommes à Kelona, moi...

Le pauvre roi se sentait flagellé, couronné d'épines. On crucifiait sa dignité. Mais quelque chose riait en lui malgré tout: on ne prouverait rien avec cela comme le clamait son avocat.

Me Martin fit un signe vers la fosse de l'orchestre. Un roulement de tambour se fit entendre. Et alors émergea du tunnel à l'arrière de la Présidence, et qui marchait à grands pas lourds en la contournant jusqu'à parvenir au vu de tous, la marquise de Lapayette portant des jambières de gardien de buts et arborant au-dessus de sa tête la photo agrandie du roi en Colombie...

Consternation générale! Silence respectueux! Tous comprirent qu'elle venait de signer l'arrêt de mort de Louis par son témoignage aussi éloquent que silencieux.

—Du pareil au même! dit la Procureuse en désignant la photo puis le roi.

Louis dut retenir son ceinturon, le sentant glisser.

—Vous pouvez descendre! lui dit poliment Me Martin.

Les Payettistes de la foule se mirent à applaudir. Le mouvement s'enfla et l'échelle Richler grimpa à huit. Il faudrait un miracle à la septième période pour sauver la tête du monarque.

Croûton-Béland fut inondé de joie. Il poussa sur le bouton maximum de son Desjardins roulant mais la chaise ne disposant pas de dispositif anti-blocage, une roue resta fixe et l'appareil se mit à tourner en rond, ce qui augmentait le plaisir de l'infirme.

Et le sept janvier 1993 eut lieu la finale des débats. L'accusation suprême en était une de complot entre la Royauté et l'agresseur Newfie dont les troupes avaient repris leur place la veille sur tous les fronts face aux soldats républicains, en accord avec les conditions de la trêve du temps des fêtes.

Louis marqua quelques points.

Il était bien moins responsable que le Québec lui-même qui lors de la tumultueuse négociation d'une entente constitutionnelle avait obtenu des pouvoirs pour toutes les provinces, y compris celui de lever des troupes et de défendre l'intégrité de son territoire. La faute en revenait donc au foutu partage des pouvoirs imposé par Québec.

Le raisonnement fut combattu par tous. Se défendre n'était pas attaquer le voisin. Robert-Pierre, Parizeau-Dalton, Marat-Mouchard, Croûton-Béland, Saint-Just Lapierre et plusieurs citoyens au micro du public: ce fut un joyeux massacre.

Le compte final à l'échelle Richler fut de 102 points contre le roi et de 81 en sa faveur. La députation réunie trancherait dans quelques jours. Il ne restait plus que l'adresse de la Présidence au jury. Le moment venu, quand le dernier témoin fut entendu, dans l'après-midi, la présidente réveilla son co-président et lui fit part de ce qui arrivait.

Alors Arthur décrocha le micro de son trépied et il se leva. Il ordonna le silence à main ouverte tendue vers les quatre coins du Colisée puis parla:

—C'est pas drôle d'être obligé de subir une mascarade pareille. Vous avez vu ça! Juger le roi! Juger? Faudrait qu'il y ait de quoi à juger, de quoi avec du jugement... C'est comme si un tas de navots décidaient de juger un sacrement de poireau... Louis Capoté, déchet de Baie Comeau, pas bon au coton, pas brillant plus qu'il faut...

Pis le minou à Mitsou dont il parle tout le temps: il devrait nous expliquer un peu à quoi il sert, le minou à Mitsou... Pis regardez-moi l'avocat Voisine: espèce de carapatte à poils qui a passé son temps à se vanter pis à excuser le crime... Une société poignée avec des vedettes de même, c'est une société sans aucun avenir... Pis la Procureuse, sacrée vicieuse de poigne-en-cul, même pas capable de se rendre à cent cinquante points à l'échelle de Richler... Elle peut ben être sur le bord du divorce, celle-là!. De la maudite scrap comme témoins à charge pis des niaiseux comme témoins de la défense. Robert-Pierre, premier citoyen qu'on devrait appeler premier bon à rien... Parizeau-Dalton, mangeux d'oreilles de christ... qu'est-ce c'est que toi pis Brissot, vous nous avez servi hein, durant le procès: des âneries pis des conneries... Regardez-moi la Lapayette là-bas en bas: gnochonne au cube avec ses maudites pads de goaleur: une vraie folle aux yeux de la planète... D'ailleurs, c'est une maudite planète de fous-braques qui est même pas foutue de tourner dans le sens des aiguilles de ma montre...

Pis toi, la Frulla-Hébert, c'est que t'es venue faire icitte? T'as même pas levé ton gros cul une fois pour dire quelque chose, n'importe quoi. As-tu de la Crazy Glue dans le fond de culottes. Espèce de catin Enfargée!

Marat-Mouchard: un autre beau cadavre diplômé. Poigné par la tordeuse des bourgeons. Despote de népote empoté! Croûton-Béland, l'homme aux longs couteaux, parasite à mille-pattes, Juif errant, empoisonneur aux yeux creux!

Votez la non culpabilité, la culpabilité, la mort, la vie, la prison, l'exil en Haïti: c'est que vous voulez que ça me sacre, à moi? Dites-le moi...

Dis-moi le, toi, Dany Laferrière, branleux d'Africain de Port-au-Prince, dis-le moi, toi, là, là-bas, la Charlotte-Bombardier, espèce de Lada blêmette qui tousse à vie à Radio-Canada, pis toi, là, Jacques Fâcheux...

Fâcheux questionna du regard et de la main posée sur sa poitrine...

—Toi, le questionneux limoneux... Ah! et pis l'autre en bas dans son trou, tu penses que tu vas t'en sortir,

Péladeau, en te cachant en arrière de tes musiciens? Un tribunal de caves: c'est pas autre chose! Oui, c'est autre chose, c'est une Cour à vidanges... Qui c'est qui a eu la lumineuse idée de me donner pareille énergumène comme co-présidente? Ça ferait longtemps que ce procès-là serait fini si on l'avait pas eu tout le temps dans nos pattes... Tèteuse de microphones! Ça aura coûté quoi? Combien? Deux, trois millions de lévécus? Qu'on me le dise! Christ! Calvaire! Viarge! Étole! Chasuble! Lunule! Hostie! Ordures! Matières fécales! Crotte! Caca! Étron! Chiasse! Bouse! Purin! Chiures!

—Pas si vite, on n'a pas le temps de tout noter! coupa Lise Bissonnette dans le micro de la presse...

Fatigué, Arthur se tut et jeta le micro à Ventouse. Il se rassit et se rendormit.

La Cour ajourna jusqu'au seize.

Ce serait alors le vote sur la culpabilité ou non puis, le premier cas échéant, sur la sentence.

Le seize, Louis Capeté Mulroney fut déclaré coupable à majorité.

Puis condamné à mort!

Sans sursis!

Mitsou-Antoinette se mit au jeûne au bout du mât.

La partie de la foule qui chantait d'habitude *Ça ira* se lança alors, par dérision, dans le *Na na na na hey hey goodbye!*

Ce même jour, Jean-Cul Migraine décrocha le poste de bourreau en chef. Il jubila. C'est lui qui procéderait à l'exécution du roi le jeudi 21 janvier 1993, à onze heures du matin sur les Plaines d'Abraham devenues Place de la Séparation.

La mise à mort serait télédiffusée à travers le monde entier; on prévoyait deux milliards de téléspectateurs donc beaucoup plus qu'à la remise annuelle des Oscars.

Les plus grandes gloires sont aussi, hélas! les plus sanglantes!

Il y aurait des appareils jusque dans les camps de Somalie et les ruelles de Rio afin que les enfants de

301

partout puissent se rendre compte qu'il y a encore une justice en ce bas monde.

Pétitions, protestations, grand déchaînement dans les médias de partout: ça n'avait pas le moindre sens, cette exécution, à onze heures du matin. La Convention se rendit à la volonté populaire et il y eut décalage de dix heures. L'exécution aurait donc lieu à neuf heures du soir.

Chapitre 23

Mon pays, ce n'est pas un pays, c'est l'hiver!

21 janvier: ou bien on serait balayé par une tempête à boucher ciel et terre, ou bien on figerait sous un froid de Canada... Il fallait avoir mal à la tête pour procéder à une exécution capitale dehors. Le Colisée était là, on eût pu s'en servir. L'idée avait été débattue mais rejetée: cela ferait trop de sang à nettoyer de glace à gratter.

Toute la Convention éclata de rire quand on lui parla d'hiver. La planète oubliait l'ingéniosité du Québec. En trois jours, on fut fin prêt.

On avait tout le nécessaire, tous les éléments pour garantir au monde entier un spectacle inoubliable et confortable. De l'électricité en quantité. La chaîne de magasins **La Foire du ventilateur**. De l'équipement à déblayage. Du sel. Des rails abandonnés. Le super génie à Croûton-Béland. De l'équipement électronique. De l'esprit d'organisation. Du capital...

Le général Charron reçut la mission d'organiser l'événement. Dès le 17, on négocia les droits de télévision avec tous les plus grands réseaux internationaux qui les revendraient à d'autres. Plus de 100 millions de dollars! C'était autrement plus que les Jeux olympiques puisque l'exécution prendrait une heure d'antenne soit 200 fois moins que la grande orgie sportive. Cela compenserait un tant soit peu pour les immenses pertes subies par le Québec aux mains du despote canadien depuis un siècle et plus.

On mit dix mille billets à cent dollars en vente via le réseau Desjardins. Ils furent écoulés en deux heures. Plus de mille tombèrent entre les mains de scalpers qui, le soir de l'exécution, les revendraient dix fois le prix à des Américains et surtout des sheiks arabes. La rumeur voulait que Saddam vînt déguisé en père Aristide. Mais cela resterait à vérifier.

Le Québec fit pleurer le monde. Tout l'argent des billets d'entrée soit un million de dollars irait à Mitsou-Antoinette et ses enfants. La reine pleura moins dès lors et elle passa aux pleurnichements. Si jamais on voulait la renvoyer du mât, elle tâcherait de louer la place.

À neuf heures le premier jour, on nettoya donc le terrain. À dix heures précises, on sala le terrain pour le débarrasser de la glace. À onze heures le premier jour, on éleva l'estrade de la mort. À une heure de l'après-midi, on installa mille grands ventilateurs autour du terrain. À deux heures de l'après-midi, on installa des grillages chauffants en avant des vire-vent de tous les ventilateurs. À trois heures de l'après-midi, on eut un 'break'. À quatre heures de l'après-midi, on posa des rails aux abords de l'échafaud sur demande de Hollywood qui filmerait l'exécution sous divers angles et avec effets spéciaux. Une commande de Spielberg.

À neuf heures le second jour, on installa des ventilateurs à air chaud au-dessus de l'estrade afin que le roi puisse avoir une fin tout confort. À dix heures, on amena l'eau froide via deux tuyaux d'arrosage. À onze heures, ce fut l'eau chaude. À une heure de l'après-midi, ce fut une visite d'un fonctionnaire envoyé par la Convention: un inspecteur de travaux **inachevés**. À deux heures, il fut remplacé par un inspecteur de travaux **moins inachevés**. À trois heures, le général Charron vint lui-même et déclara à la presse: on se croirait au stade Québec lors de la construction... du mât... On peut être **fier**...

À neuf heures, le troisième jour, on amena la guillotine. Tous la devinèrent sous sa longue robe noire qui lui traînait aux chevilles. À dix heures et le reste de la journée, ce fut l'installation de l'équipement électronique requis. L'état de santé du roi serait suivi depuis l'hôpital de l'Enfant-Jésus par un groupe de spécialistes réunis. Un tensiomètre prendrait sa pression chaque cinq minutes jusqu'à la fin. Il aurait sur la tête une couronne d'électrodes pour que l'on suive l'intensité des ondes du cerveau. Toutes les données seraient compilées par ordinateur. Qu'il survienne quoi que ce soit au roi et aussitôt, le médecin de garde sur l'estrade verrait à lui administrer un remontant pour qu'il puisse voir sa mort de près.

On mit tout en place aussi pour la télévision.

Des remorques furent placées à l'arrière et sur les côtés. Y logeraient les officiels et certains privilégiés de la presse comme Charlotte-Bombardier qui jouirait de sa demi-remorque pour elle seule. L'une, mauve, avait été conçue les jours précédents selon les spécifications du bourreau; elle était en partie cachée par le mur derrière l'instrument du supplice.

À neuf heures du matin, le vingt de janvier, deux personnages importants se présentèrent sur les lieux. Tout d'abord un inspecteur des travaux **achevés** envoyé par la Convention. Puis le bourreau, Jean-Cul Migraine qui avait le fin mot quant aux installations. Il exigea aussitôt la pose d'un rideau noir tout le tour de l'estrade. Ce fut fait, et à onze heures, il donna sa bénédiction à l'inspecteur qui retourna à la Convention.

Enfermé dans son royaume de la mort, le bourreau fit travailler son nouvel instrument tout l'après-midi. Des journalistes venus furent décrétés d'interdiction de s'approcher et durent se contenter d'entendre le sinistre fracas du couperet glissant dans les longues coulisses et claquant sur la bûche d'en bas... Chaque dix minutes, Migraine faisait frissonner la presse. S'il n'y avait pas de problèmes mécaniques en ce lieu, il devait certes s'en trouver dans la tête de celui qui les cherchait!

L'éditorial du Devoir fut très long le jour suivant. Entourés d'une large banderole noire, perdus au milieu d'une page entière tramée gris, deux mots parlaient à la nation québécoise: **Dies irae!**

Le roi qui avait refusé de revoir sa famille pour des raisons que la presse entière supputa bonnes et belles, avait été gardé au dernier étage du Hilton. La dernière nuit, il dormit profondément. À midi, il lui fut servi un repas princier. Le repas royal, ce serait pour sept heures du soir. Un réputé chef de Paris recruté par Maître Voisine vint préparer ce déjeuner qui se termina à deux heures. Il se déroula en compagnie des deux avocats du procès.

Et pour le dernier repas, le choix du chef avait été arrêté par celle qui avait gagné le procès, la Procureuse, Me Pauline Martin. Son choix fit l'unanimité de même que ses raisons fort bien pensées. Pour honorer les communautés culturelles, les communautés religieuses et Guy Boucher, il était tout naturel qu'elle désignât soeur Angèle afin de bourrer Louis jusqu'aux oreilles. D'autant que Me Martin connaissait bien l'émaciation de l'anatomie du roi pour l'avoir vue de fort près...

Puisque le repas serait préparé devant les caméras de la télé et montré partout dans le monde, à commencer par la France, on voulut y faire un petit brin de politique. Réussirait-on le coup? On le réussit et le chef Max Gros-Louis accepta se quitter l'état de guerre froide de sa réserve afin d'assister soeur Angèle. Il ne posa qu'une seule petite condition: que la cheffesse fût empanachée à l'amérindienne.

Menu québécois sophistiqué: divers plats prisés par le roi —qui avait déjà goûté à soeur Angèle— avec comme pièce de résistance, sa très célèbre *poutine flaubée.*

Entre le plat principal et le dessert, pour laisser descendre tout ça, le roi s'accorda son dernier entretien téléphonique avec les siens. Il parla avec chacun des enfants, les bourra de recommandations pour leur vie entière et sécha leurs pleurs par divers baisers en alexandrins. Puis ce fut au tour de la reine. Il la cajola, la minoucha de métaphores frisées, brodées, colorées. Elle minauda, susurra puis, en guise d'adieu ultime, s'accompagnant elle-même au piano du maire Doré, elle chanta *Bye bye mon cow-boy*. Le roi ne put souffrir la chanson jusqu'au bout et il raccrocha. D'autant que le dessert était servi par Gros-Louis. qui profitait de chaque minute que la télévision pouvait lui donner pour vendre sa Huronie à l'humanité.

Vint l'heure.

Le général Charron en personne sonna le premier glas. Le roi et lui partirent comme deux vieux ennemis qui s'aiment... Chacun aimait le peuple québécois à sa manière, mais Louis s'était égaré, s'était trompé de manière simplement. Destin cruel et tragique!

François lirait tout cela dans les semaines suivantes dans des magazines américains qui achèteront leurs souvenirs de ces moments ultimes à soeur Angèle, Max Gros-Louis et le général Charron.

Pour l'heure, il se rendit à la Place de la Séparation fort de son billet acheté tôt le jour de la vente. En grand nombre, des soldats de la Sûreté nationale entouraient un immense périmètre autour de la tribune d'exécution comprenant ce vaste terrain qui recevrait les dix mille personnes assistant à la décapitation. C'est que la ville de Québec grouillait de royalistes. Il en était venu de partout. Entre autres, au moins un millier du fin fond de la Beauce fédéraliste. Seule une armée pouvait sauvegarder la Séparation et assurer l'exécution. Seule une armée pourrait encore empêcher l'exécution. Or les troupes fédéralistes étaient stoppées sur tous les fronts par le patriotisme, le nationalisme voire le fanatisme de groupes de volontaires à tuque auxquels s'étaient jointes des colonnes entières de sans-cheveux.

Le gouvernement et l'entreprise privée (Desjardins) avaient acheté pour plusieurs millions de dollars de temps d'antenne afin de diffuser un solennel message d'avertissement. Les soldats tireraient sans pitié sur quiconque voudrait empêcher la justice de suivre son cours.

François fut ébloui par la Place.

307

Un vent doux produit par tout cet équipement au demeurant pas si bruyant, caressait la peau. Il faut dire que la température sur la région, sans trop abdiquer de sa réputation d'un 21 janvier, ne mordait pas la chair si sévèrement en dépit d'un ciel étoilé allumé par une lune superbe.

François évalua la foule à trois mille personnes déjà. Il consulta sa montre: vingt heures. Une seule séparait encore le Québec et le roi de leur Séparation définitive.

Des gens avaient apporté des chaises. Que des adultes sur le terrain! Presque tous de vingt à soixante ans. On pouvait supposer par leurs habits que plus de la moitié étaient des fédéralistes. Mais personne n'avait envie de sauter à la gorge de l'autre comme cela s'était souvent produit au Colisée durant le procès du roi. On était grave. On se savait à la fin d'une époque et au début d'une autre. On aurait le même sentiment sans doute au soir du 31 décembre 1999: prise de conscience d'une fin, nez dans l'irrémédiable. Il y avait beaucoup de nostalgie dans les coeurs, même les plus farouches et les plus durs. La décollation du roi ferait tomber dans le panier une partie de l'âme de chacun. Même des plus excessifs qui néanmoins resteraient sur leur soif de sang. François eût tout ignoré de l'avenir qu'il aurait su que la mort du roi n'était que le début de la Terreur.

L'échafaudage donnait l'allure d'une sorte de tribune de concert rock malgré le rideau noir qui entourait toute la scène. Et grâce à lui puisque des projecteurs-couleurs y créaient des portions d'arc-en-ciel.

Surprise: le rideau bougea puis glissa et s'ouvrit!

En même temps, une musique bourrée de coeur et d'amour gras se répandit: du Gerry Boulet.

Ce qui frappait en tout premier lieu et avec pas mal d'horreur, c'était la haute guillotine. Ou plutôt ce qu'on imaginait d'elle puisqu'elle portait toujours sa longue robe funèbre à la pudeur totale. Elle se trouvait sur le côté droit de la scène et se dressait, théâtrale et atroce, sur fond argent d'un mur semi-polygonal implacable.

Le rideau tiré, c'est la télévision qui entrait en action.

Un panel d'experts, tous des journalistes neutres et non engagés, se livrerait à la nation: Derome (l'éternel),

Bombardier (la sempiternelle), Fâcheux (l'immortel), Lysiane Gagnon, Normand Girard, une autre tête... Aucun Anglophone n'avait voulu assister à cela.

Fâcheux n'était là que pour boucher les trous au début, au milieu et à la fin, mais aussi pour livrer des messages publicitaires. En effet, la Convention avait jugé bon éviter toute la publicité conventionnelle (sans calembour): tout en reflétant la réalité, il fallait quand même le maximum de dignité.

La télé américaine bougeait partout. Les caméras mobiles circulaient sur les rails. Et maintenant, les gens affluaient par les deux voies d'accès à la Place.

La musique d'entrée cessa. L'émission commença. Fâcheux, la tête entourée de cache-oreilles-écouteurs présenta puis il céda la parole à Derome.

Le débat tourna autour du procès, du jugement, de la non-ratification par le peuple, de la présence nombreuse de Royalistes et des risques d'émeute, des mouvements de troupes sur les frontières etc...

François hochait la tête à les entendre et à mesure que la foule s'agglutinait autour de lui. S'ils savaient donc, si seulement ils voulaient savoir, se disait-il.

Il y aurait de la musique avec orchestre autour de l'exécution. En fait avec homme-orchestre puisque Jacob Péladeau serait le seul musicien sur scène; mais il utiliserait vraisemblablement plusieurs instruments de ceux qui se trouvaient déjà entre le panel et l'échafaud: tambour, violon, guitare, guimbarde, cuillers...

Quelqu'un émit l'opinion près de François que la Édith Butler pourrait être là en guise d'expiation pour certains de ses péchés passés.

Quand François se remit à l'écoute de l'émission en direct, c'était Jacques Fâcheux qui livrait un message commercial:

—Cette émission est rendue possible grâce à la participation du mouvement Desjardins. Où est Desjardins? Desjardins est partout. Desjardins, citoyens, citoyennes, est un partenaire actif dans le devenir du Québec. **Ne pensez pas sans lui!** Et surtout, ne dépensez pas sans lui! Desjardins qui vous offre les REER les moins pourris sur le marché financier. Alors... amis, puisque

Desjardins vous aime autant, aimez donc Desjardins! Desjardins un jour, Desjardins toujours! Chantez avec moi, oui, vous tous à la maison: "Regarde avec amour sur les bords du grand fleu eu ve... Ce peuple jeune encore qui grandit... avec Desjardins..." Ah! là, je vous ai eus, n'est-ce pas? Mais je suis sûr que vous le saviez! Ha, ha, ha... De retour à nos experts...

Il fut question de toutes les mesures de protection quant à la santé et la vie du roi que certains fanatiques menaçaient de mort avant l'heure de sa mort. Toutes affiches étaient bannies de la Place, qu'elles disent 'Mort au roi!' ou 'Vive le roi!'.

On parla des mesures de sécurité entourant les personnes des officiels et particulièrement du bourreau qui, paradoxe, ne paraissait pas haï. Les royalistes eux-mêmes disaient qu'il en fallait un de toute manière et que le choix de Jean-Cul Migraine donnerait plus de réconfort au supplicié que n'importe quel autre grand sinistre. 'Entre roi-vedette et bourreau-vedette, grand rapport naturel,' eût pu déclarer Saint-Just Lapierre.

Détecteur de métal aux entrées pour repérer toute arme à feu ou blanche. Le général Charron savait qu'un match de la mort, ça se gagne en y mettant les mêmes précautions que pour emporter un match de la vie.

À vingt heures et quarante-cinq, il y eut une grande commotion dans la foule assemblée. Après un détour par Grande-Allée, boulevard Laurier, un arrêt de cinq minutes devant Place Laurier pour saluer les gens, retour vers le centre par le chemin Ste-Foy, sur un lent parcours le long duquel s'étaient massés des centaines de milliers de Québécois (et Québécoises), les véhicules du long cortège arrivèrent finalement à la Place de la Séparation.

Deux chars roulaient devant suivis de la 'pape-mobile' du roi, véhicule ainsi appelé parce qu'il était une copie conforme de celui, universellement connu, de Jean-Paul 2. Le char blindé du général Charron suivait. Homme brave, le petit général, monté sur les épaules d'un soldat debout à l'intérieur, gardait la tête sortie afin de tenir l'oeil sur tout.

Tandis que les véhicules allaient se garer derrière les semi-remorques, la foule muette et bête regardait le général qui soutenait le courage du roi en montant sur l'estrade. Là, Louis s'arrêta un moment et eut l'air de saluer la grande Noire, qui lui donnerait la mort, certes, mais en même temps libération de ce foutu pays.

Le Convention n'aimait guère les prêtres, aussi avait-elle désigné le télévangéliste Pierre Lacroix pour soutenir le spirituel du roi jusqu'à la fin tandis que le général s'occupait de son moral. Il était derrière le dernier garde, humble, priant son chum Djezous...

Pendant ce temps, les journalistes émus se taisaient. Seul Fâcheux tenait l'antenne grâce à une litanie de billevesées débitées à mi-voix: sa spécialité.

Péladeau sortit de son semi-remorque et entra en scène. Il portait tuque rouge et ceinture fléchée. Le roi le salua d'un geste de la main; l'homme répondit en agitant haut ses baguettes de tambour.

Tous aimaient bien le supplicié et c'était cela qui rendait la soirée si tragiquement belle.

Trois immenses caméras oeuvraient sur scène. Paraît qu'il s'en trouvait une dizaine, mobiles, çà et là dans la foule.

Le banc du roi était en biais sur la droite, tout à fait à l'opposé de la table des journalistes. La Convention avait défendu tout contact entre les deux.

Louis fut invité par le général à y prendre place et il s'y assit aussi puisque c'était un banc pour quatre et que l'espace utilisé par un roi est celui de deux, tout autant d'ailleurs que celui-là nécessaire à un général.

Pierre Lacroix s'installa derrière...

–Ça ira? lui demanda le général.

–J'aime mieux derrière.

–Moi aussi, mais parfois, faut être en avant.

–Je comprends.

Le général portait ses habits kaki de général. Le télévangéliste lui, était cravaté. Et le roi était revêtu d'un habit bleu royal à rayures avec une chemise à col ouvert: si on avait refusé qu'il portât cravate, c'était moins par considération politique que par une crainte que l'homme n'attente à sa propre vie pour éviter la mort.

Des gardes bien policés encadrèrent le banc, mais en retrait afin de ne bloquer la vue de personne, surtout d'aucune caméra. Derrière eux et le banc du roi, dans l'ombre, se tenait le médecin de garde qui vérifiait sur un ordinateur le bon fonctionnement de la couronne d'électrodes...

Tout était proche prêt.

François remarqua à trois pieds de la guillotine un meuble ou bien ce qui semblait en être un, enveloppé d'une housse noire. Un bahut sans aucun doute. Puis il se moqua de cette déduction par trop gratuite et basée seulement sur la forme. Bien sûr qu'il devait s'agir là du cercueil. On n'aurait pas idée de ramasser un cadavre avec une charrette en plein bord du 21e siècle. Une ambulance? Non puisque le roi serait porté en terre immédiatement tout comme le vrai Louis XV1 ce jour-là, se disait l'observateur impuissant dans ses regards contrôlés par tous ces événements spectaculaires se déroulant sous ses yeux.

Le roi, Lacroix et le général jasèrent en toute amitié.

Derome consultait sa montre et, n'ayant pas trop l'air d'y croire, l'horloge sur le mur argenté, à chaque minute. Neuf heures moins deux minutes, moins une minute et demie...

Quelque chose d'incroyable se produisit alors. Cela frappa comme un immense coup de tonnerre prolongé. Les journalistes et la foule en furent médusés et se turent. S'installa sur Québec et sur la Place une chose inconnue depuis Jacques-Cartier...

Le silence.

Tous les ventilateurs s'arrêtèrent. Plus personne ne parla, ne bougea d'une ligne. Et comme toute la ville était rivée à son petit écran, aucun bruit de circulation n'émanait de la capitale de la République. Même les caméras se figèrent. Derrière les écorces des arbres, de nombreuses mouches se réveillèrent: inquiètes.

Ce fut une minute imprévue, spontanée, surprenante et dont on parlerait longtemps. En réalité, l'arrêt des ventilateurs seulement avait été mis au programme par le général et son équipe...

La voix de Fâcheux mit fin au recueillement. Mais si peu pour encore plusieurs secondes. Il glissa comme une confidence aux téléspectateurs:

—Citoyens, citoyennes, la tâche qui m'incombe est pénible et grandiose. L'histoire a rendez-vous ici ce soir. Nous avons intitulé l'émission de l'heure qui commence **Madrigal triste**, d'après un superbe poème de Charles Baudelaire. Chaque six ou sept minutes, je vous en lirai une strophe. Voici justement la première:

> *Tu ne pourras, esclave reine*
> *Qui ne m'aimes qu'avec effroi,*
> *Dans l'horreur de la nuit malsaine*
> *Me dire, l'âme de cris pleine:*
> *"Je suis ton égale, ô mon Roi!"*

Une jeune femme, de toute évidence régisseuse, vint souffler un mot à l'oreille de l'animateur qui reprit:

—Mes excuses, citoyens, citoyennes, j'ai fait une petite erreur... C'était là la dernière strophe du poème... Mais qu'importe puisque nous y serions arrivés de toute façon, n'est-ce pas?

Il était neuf heures et trente secondes. Un gong se fit entendre: lointain, grand, funèbre comme le glas. Une partie des lumières vives disparut, ne laissant que les reflets de circonstance dans les tons de mauve, de vert foncé, de violet... Le général se rendit aussitôt derrière un microphone devant l'orchestre, en plein milieu de la scène immense et il annonça doucement sur un ton suave et sombre:

—Citoyens, citoyennes, au troisième son du gong, apparaîtra celui qu'on appelle l'exécuteur des hautes oeuvres, le citoyen Migraine élevé à ce poste récemment par la Convention nationale. Et puisqu'il s'agit d'une première mondiale ce soir, que cette exécution télévisée, nous allons...

Le deuxième son du gong retentit: caverneux, autoritaire, impressionnant...

—... nous allons vous expliquer à l'avance ce qui va se dérouler. Tout d'abord, au-dessus de l'estrade pour ceux qui sont ici, se trouve un écran géant sur lequel passera

313

un film d'animation réalisé par celui-là même qui a gagné un Oscar avec son chef d'oeuvre L'Homme qui plantait des arbres... vous savez, ce cinéaste qui porte un **match** de pirate, pardon, une patch de pirate sur l'oeil droit... ou gauche... Enfin... Le voici justement, ce film. Non attendez... un peu plus tard...

Le troisième son du gong se fit entendre; mais, déjà usés, ses effets ne se reproduisirent plus, d'autant que venait, dans sa grandeur infernale, son émaciation macabre, sa pâleur funèbre et sa moustache ridicule, bref, dans sa majesté cadavérique, le filiforme Jean-Cul Migraine, oeil devant, revêtu d'une toge d'avocat, celle qu'il avait portée au procès de Édith Butler.

Il s'avança, solennel et théâtral, marcha au roi, le salua d'un geste de la tête puis se rendit devant où, à trois reprises, il salua de la même manière jusqu'à parvenir à la table des journalistes. Il répéta son geste muet et ensuite passa devant un Péladeau béat pour se rendre entre la guillotine et le meuble drapé. Là, il se tint au garde-à-vous. Son heure n'était pas encore là.

–Ouf! un personnage immense! dit Derome aux téléspectateurs en hochant la tête.

–Oui, c'est assez impressionnant! avoua Charlotte-Bombardier qui hochait la tête dans l'autre sens.

–L'humanité verra bien qu'on est capable de faire les choses ici aussi expertement que n'importe qui ailleurs, commenta Normand Girard de sa voix à gravois.

–Mais toute cette mise en scène pourrait rendre le supplicié mal à l'aise, dit Lysiane Gagnon. Peut-être qu'un bourreau moins ritualisé et plus psychologisé...

Le général reprit la parole:

–Voici maintenant un court film d'animation qui montre comment ça va se dérouler. Nous, sur scène, ne pouvons pas le voir et c'est heureux puisque ceci pourrait perturber le roi...

C'est Fâcheux qui commenta le film. On vit les étapes de la construction d'une guillotine, l'histoire fascinante de l'instrument depuis son inventeur le Dr Antoine Louis (oui, oui et pas le Dr Guillotin qui comme les gens de Laniel Amusement ne fit que le perfectionner), ses avantages sur la corde, la chaise électrique et même la fusillade au sujet de laquelle on inséra des images réelles des cadavres de Ceaucescu et de sa femme.

–Comme on le voit: peu esthétique. Tant qu'à faire, aussi bien y mettre de l'art et c'est ce que la République du Québec veut montrer au monde.

Quand cela fut terminé, le général reprit la parole:

–Maintenant, vous tous, citoyens et citoyennes, le citoyen bourreau va dévoiler la guillotine. Sachez qu'elle est beaucoup plus sophistiquée que celle dont parlait le film d'animation. Oh! je veux vous dire tout d'abord que le maître absolu sur scène, ce n'est ni la télévision, ni moi, ni les soldats, ni personne d'autre que le citoyen Migraine. Il a à toutes fins pratiques droit de vie ou de mort sur nous tous. Car nous sommes ici dans SON royaume.

Le public en eut la preuve quand le bourreau consulta sa montre et l'horloge du mur argenté et qu'il fit un signe de tête positif au général. Alors il s'approcha de l'échafaud et, comme s'il se fut agi d'un drapeau que l'on hisse, il tira une corde attachée à la housse, et qui révéla l'instrument dans sa monstrueuse splendeur. Le tissu se plissa, monta... Les montants de base, rouges et fleurdelisés, apparurent... Le général fit la description:

–Chers citoyens et citoyennes, cette guillotine fut entièrement reconstruite ici, chez nous, au Québec. Nous l'avons grandement sophistiquée, soit simplement automatisée. C'est une guillotine électronique. Sur le côté, il y a une glissière dans laquelle il faut introduire la **carte d'assurance-mort** du condamné, qui lui fut émise par le Tribunal révolutionnaire. Il y a aussi une console à boutons qui permet de composer le NIP du supplicié, son numéro d'identification personnel. Ainsi, chacun de vous ne sera pas trop dépaysé. Il fallait à tout prix démystifier l'instrument. Le Québec l'a fait: le Québec sait faire! Même le roi l'apprivoisera mieux ainsi. Impossible de faire fonctionner le couperet sans la carte d'assurance-mort et le NIP!

L'instrument fut bientôt tout à fait désabrié, dégagé et la housse retomba sur le sol. Aussitôt, Migraine dévêtit ce meuble bas à sa droite, que François croyait être un cercueil. Erreur majeure! C'était un appareil de télévision dont l'écran était tourné vers la guillotine. On comprit en même temps que Charron expliquait:

—En haut, tout en haut, vous pouvez apercevoir une caméra dirigée vers le bas et qui va filmer l'exécution sous un angle inusité. Toutes les images de l'exécution seront reproduites sur l'écran du téléviseur, celui-ci comme ceux du monde entier, et ainsi le roi pourra être pour ainsi dire aux premières loges pour assister à sa propre décollation... Pour ceux qui ne sauraient pas, décollation veut dire décapitation... Et ceux-là qui ne connaîtraient pas le mot décapitation peuvent toujours dire: cou coupé... Et ceux qui ignorent ce qu'est un cou coupé peuvent aller chier... Si ce n'était de la gravité de l'heure, citoyens, citoyennes, nous pourrions applaudir fort nos ouvriers, nos bâtisseurs qui ont su donner à l'humanité quelque chose de mieux pour ne pas dire le meilleur en son genre: la **guillotine fleurdelisée**.

Un aide du bourreau enleva les housses. Migraine fit un signe à Péladeau qui prit son violon et se tint devant son micro. Un deuxième signe reçu, il se lança dans la première toune sur laquelle Fâcheux lut la troisième strophe de **Madrigal triste**. Contraste saisissant entre cette musique, un reel de Ti-Blanc Richard, et la funèbre beauté des vers de Baudelaire.

> *Je t'aime quand ton grand oeil verse*
> *Une eau chaude comme le sang;*
> *Quand, malgré ma main qui te berce*
> *Ton angoisse, trop lourde, perce*
> *Comme un râle d'agonisant.*

Même le roi applaudit respectueusement.

Au bout de la toune, Migraine fit quelques signes de receveur de baseball, et alors de tout partout, affluèrent comme une armée de petits rats, des photographes qui 'flashèrent' pendant cinq, six minutes. Un seul avait exclusivité sur la tribune, un dénommé G-Claude Morin qui prit pour la postérité et sa prospérité le banc du roi de même que la guillotine et le bourreau dans un ensemble à l'effrayante grandeur.

Y figureraient pour les générations futures le roi au sourire mourant, le général Charron saluant, le télévangéliste priant, Migraine tapotant quelque chose dans sa poche de pantalon sous sa toge.

Lorsque Charron fut de retour au micro après la séance de photos, le bourreau sortit cet objet qu'il taponnait. Il le souleva à hauteur des yeux et le montra à tous. C'était un galon à mesurer dont il sortit le ruban de quelques pouces pour mieux faire voir ce que c'était.

—Là, on m'étonne, dit le général. Voilà un objet dont je ne connais pas l'usage ici. Un secret du bourreau sans doute. Mais, répétons-le, le maître à bord ici, c'est lui. C'est sans doute pour prendre les mesures du cou du roi afin de procéder à des ajustements du couperet... Ou plus probablement du collier du trou afin que Louis soit confortable jusqu'à la fin et qu'il puisse regarder la télévision sans devoir se forcer. Citoyens, citoyennes, le moment de la toune ultime arrive. Citoyen Migraine, est-ce l'heure?

Le bourreau montra une demi-minute en tranchant symboliquement son index avec son autre index. Cela suggéra une pensée au général Charron qui devait boucher trente secondes:

—Dommage que le roi Trudeau ne soit pas là pour précéder Louis. Il y a beaucoup de lui dans cette lame brillante que vous voyez là-haut... Mais, qui l'ignore, il a élu domicile près de Gander... pour pouvoir déguerpir plus vite quand nos vaillantes troupes républicaines repousseront l'ennemi Newfie jusque dans ses derniers retranchements...

Migraine fit un signe. Péladeau se rendit à son micro avec une brillante guimbarde. Sa performance fut haut de gamme. Tout le Québec reconnut Jos Monferrand. La moitié de la foule pleurait; l'autre baissait la tête. Quand ce fut terminé, le musicien eut ces simples mots touchants et mystérieux car on ne savait pas trop qui ils concernaient du roi, de Jos Monferrand, du peuple Québécois ou de lui-même:

—Un géant!

Alors le bourreau marcha jusqu'à Louis et lui mit simplement une main sur l'épaule en disant du regard:

"Sire, le Canada a vécu!"

Louis embrassa Pierre Lacroix, serra la main du général, des gardes, sortit un papier et voulut se diriger vers le micro mais...

–Hélas! la Convention l'a défendu, jeta sourdement Charron.

Alors le roi déchira le papier en petits morceaux qu'il confia aussitôt au général. Quand les ventilateurs se remettraient à souffler, il les jetterait aux quatre vents à la foule curieuse et cueilleuse de souvenirs inoubliables qui pourraient prendre du prix avec les décades comme de vieux lévécus de première heure tout usés par les transactions.

Louis ôta son veston qu'il confia à un garde. Il refusa de porter la cagoule et Migraine, bon prince, l'accepta. Alors il se coucha lui-même sur la planche que les aides firent glisser. Le collier de bois fut ajusté à son cou. Il put voir sa propre image à la télé. Péladeau fit rouler le tambour mais pas avec une baguette: avec ses mains sur le rythme amérindien. Il jouait pour la planète...

Le médecin de garde prit le pouls du supplicié puis lui ajusta la couronne d'électrodes. Migraine inséra la carte d'assurance-mort dans la glissière. L'écran lui demanda le NIP du roi: 1-1-1-1-1.

Pierre Lacroix en pleurs se jeta à genoux près du gibet. Austère et morne, le bourreau le toléra là. Ayant d'une main le déclencheur automatique et de l'autre son galon à mesurer, Migraine, rendu au sommet du flegme, surveillait d'un oeil fixe et froid l'horloge du mur argenté. Et les longues secondes tombèrent une à une, interminables et implacables...

À Houston, les gens de la NASA rivés à leur écran faisaient le décompte en choeur. À l'Élysée, à Paris, devant son téléviseur, François Mitterrand repoussait loin de lui sur sa table vide un livre plat de la petite histoire de France. À Washington D.C., le président Clinton téléphonait à sa nouvelle maîtresse, Céline Dion. Boris Eltsine à Moscou se demandait si un gros cou comme celui de Mikhaïl Gorbatchev entrerait dans le trou de la faucheuse de têtes made in Quebec.

À neuf heures et vingt-deux pile, Migraine pesa sur le bouton. En voyant le couperet partir vers lui, le roi hurla à pleins poumons un cri qui se répercuta sur les bois, les neiges, les forêts, les montagnes jusqu'à se perdre dans l'eau lourde du majestueux Saint-Laurent:

–**Je me souviens!**

Un fracas mat et ce fut tout. La tête bascula doucement dans le panier, précédée et suivie d'un flot de sang foncé.

Migraine se précipita alors auprès du corps qu'il retourna sans pudeur sur la planche. Il descendit la braguette et mesura l'érection du supplicié. Il savait déjà qu'un pendu bande comme jamais dans sa vie au moment de mourir; on lui avait dit qu'il en serait probablement de même pour un guillotiné puisque le coeur, par réaction à la perte subite de la tête, cherche à pousser au maximum le sang pour sauver la vie perdue.

On avait raison, le pauvre corps était terriblement dur mais le résultat restait quand même modeste. Le bourreau se releva et montra à la foule les quatre pouces et quart de ruban... Il promena la mesure aux quatre coins de la scène, lentement, gravement et tristement. Puis il adressa à la caméra les trois mots les plus pathétiques à jamais avoir été prononcés à la télévision où que ce soit dans le monde:

–Pauvre, pauvre Mitsou!

Et immédiatement, Péladeau et sa musique barbare furent remplacés par Gerry Boulet sur bande avec "Les yeux du caueur!" Bizarrement, la partie coeur du cadavre bougea une dernière, dernière fois...

Dans le panier, la tête eut une dernière pensée et ce fut pour contester Saint-Exupéry et son trop célèbre: "On ne voit bien qu'avec les yeux du coeur!"

Et la voix fondante mourut en disant:

–Fait noir en joual vert!

Voici mon premier dessin depuis mon dernier en 1949. C'est que mère Marie-Stella m'avait donné une claque su'a'yeule pour mon manque de perspective, tuant ainsi dans l'œuf une grande carrière de peintre.

Je fus étonné de voir que mon ordinateur s'est fortement inspiré de celui-ci pour concevoir la couverture.

R. Mathieu

— J'avais 7 ans en 49 —

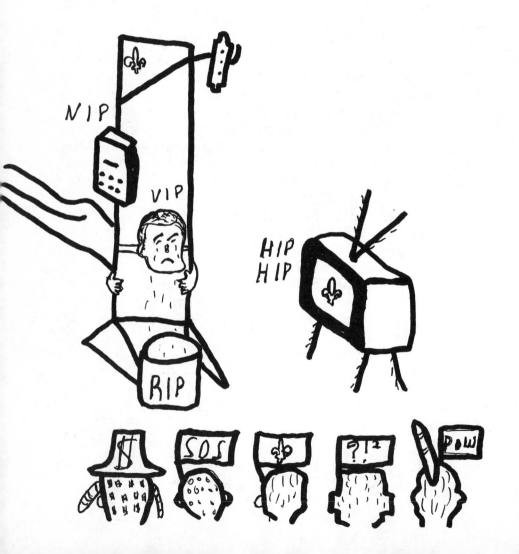

NIP

VIP

HIP HIP

RIP

Chapitre 24

Dès lors, la folie sanguinaire se répandit comme un virus de grippe asiatique. Elle trouva justification dans la menace étrangère qui s'appesantissait aux frontières, péril conjugué à l'action fort dangereuse des ennemis intérieurs.

Sur le front ouest, le général Du Maurier avec l'aide de Mohawks traficants de cigarettes, trahit la cause républicaine et Hull fut prise. Les Anglos assiégeaient maintenant Gatineau. Par chance, beaucoup de jeunes Ontariens qui avaient épousé la cause des sans-cheveux québécois, entraînés par toutes ces nuits où naguère, ils avaient semé la pagaille au coeur de Hull, vinrent prêter main forte à leurs amis d'outre-frontière... Un sans-cheveux n'est pas concitoyen de quelqu'un par la langue, par la religion, par la culture mais par les cheveux.

Le général Charron fut battu près de Cabano et il s'en fallut de peu qu'il ne soit fait prisonnier et envoyé dans un camp de déconcentration de Terre-Neuve.

François s'engagea.

Il n'avait plus le sou.

Son éditeur, une crapule d'éditeur, lui dit que son manuscrit était impubliable, invendable. Le Québec s'aimait trop lui-même pour s'imaginer un futur aussi sanglant.

Il fut envoyé dans la Beauce.

Son idée était bien arrêtée: il ne tirerait sur personne. Plutôt, il tirerait mais à côté des gens. Et si devait se produire le 'lui ou moi', ce serait le moi. Qu'on le tue, il s'en moquait!

Il ne survivait que par curiosité.

Et pourtant, c'est la violence qui le récupéra et lui redonna une volonté d'agir encore.

Tout d'abord la violence générale, d'atmosphère, présente partout et prête à bondir pour détruire, violence à l'affût de bête à la chasse, violence gouvernementale, violence médiatique, celle de Marat-Mouchard surtout, violence s'institutionnalisant...

En avril, la Convention mit sur pied le Comité de salut du drapeau, un tribunal primaire capable de faire arrêter n'importe qui comme suspect sur simple dénonciation ou selon l'humeur de ses responsables.

Dans la Beauce, il y eut des razzias à Beauceville, St-Martin, St-Prosper, St-Côme et surtout St-Georges. Une école désaffectée située près de la rivière Chaudière aux abords du barrage Sartigan fut réquisitionnée et transformée en prison. En juin, on acheva de la remplir de suspects. Des Veilleux, des Lacroix, des Chabot, des Fortin, des Morin, des Nadeau, des Paquet, des Maheux, des Lessard, des Labbé, des Doyon, des Champagne: le commandant des troupes, un jeune homme de Lévis du nom de Jean-B. Caron, semblait vouloir frapper toutes les familles du secteur.

Par tout le Québec, des milliers et des milliers de gens entraient en prison mais les exécutions se faisaient rares et Croûton-Béland se rongeait les ongles. Il lui tardait de voir ses guillotines se répandre partout pour être sûr d'éliminer d'avance toute concurrence.

C'est qu'il y avait grande mollesse à la Convention. Le groupe de Pierre-Marc Brissot tempérait, modérait les transports de gens exaltés comme Saint-Just Lapierre et l'abbé Jacques Proulx devenu l'un des plus excessifs. Les ténors du gouvernement, Robert-Pierre Bourassa, Parizeau-Dalton, Marat-Mouchard et Frulla-

Hébert complotèrent contre les brissotins dont on finit par obtenir la proscription.

En avril, Marat-Mouchard avait été arrêté, jugé et acquitté. Cette victoire multiplia sa force et sa rage. Et mit de l'acier dans les gants de Robert-Pierre.

François suivait les événements par les journaux, la télévision et le bouche à oreille. Tout augmentait, enflait comme durant la vraie Révolution française.

Un événement affreux survenu dans la Beauce le décida à tenter à nouveau d'agir pour empêcher pire que ce pire qui n'était pourtant que rose encore...

Un soir, au bord de la brunante, le commandant Caron, homme gros-gras, huileux et bas sur pattes, fit sortir cinquante prisonniers, mains liées derrière le dos, et les fit conduire au barrage Sartigan, sur la voie qui l'enjambe et enfarge la Chaudière pour l'empêcher de trébucher comme jadis chaque printemps dans les rues de Saint-Georges.

Lui-même et une dizaine d'hommes montèrent dans des barques à moteur sur lesquelles on avait pris soin de mettre deux paires de rames.

Alors il cria aux prisonniers et aux soldats:

—Prisonniers, vous avez la chance de vous libérer. Vos liens seront desserrés et vous plongerez à l'eau. Si vous atteignez la rive, vous êtes libres comme l'air... Foi de Caron!

Les sentinelles jaunes jetaient une lumière oblique tombant sur les hommes et les quelques femmes aussi pour en faire des spectres noirs et sales.

—Mais je ne sais pas nager, se lamenta une femme qui semblait dans la soixantaine.

On le jeta aussitôt à l'eau sans desserrer ses liens et la pauvre se noya devant tous après avoir poussé des hurlements de terreur.

—Chance qui passe, on la ramasse! cria Caron après l'événement. Si vous voulez que vos liens soient relâchés, taisez-vous.

François assistait à cela depuis une rive où il avait été placé avec d'autres soldats pour repousser ceux qui d'aventure y parviendraient. Il aiderait plutôt ceux-là à s'en sortir.

Une fois de plus, il fut déchiré dans le plus cruel dilemme. Intervenir en tuant ce gros Caron? L'histoire l'en empêcherait. Ou sinon, s'il parvenait à éliminer ce bourreau impassible et féroce, il gaspillerait peut-être une immense chance ultérieure de modifier le cours des événements d'une façon qui sauve des milliers de gens. Ici et maintenant, même en abattant le tueur, il ne sauverait sans doute personne.

Et le carnage eut lieu.

Tous les prisonniers avaient le dos tourné au lac de retenue du barrage et ne pouvaient donc voir ce qui s'y déroulait. Et puis, ce fut rapide. On relâchait leurs liens et on les poussait à l'eau. La moitié coulèrent sans avoir pu se libérer. Les autres furent assommés à coups de rame. Un seul atteignit la rive opposée. Il fut exécuté à coups de crosse de fusil.

Le jour suivant, François écrivit deux lettres.

L'une à Migraine disant simplement: "Je connais l'avenir. Je voudrais travailler à vos côtés."

L'autre s'adressait à Marat-Mouchard.

Elle disait tout aussi simplement que la première: "Si vous voyez Charlotte-Bombardier le 13 juillet, vous serez tué par elle."

Laisser l'homme mourir ne serait pas intervenir dans le cours de l'histoire. Il devait donc tenter de le sauver. Parce qu'un individu anonyme sauvait sa vie, à condition bien entendu que les intentions de la tueuse soient démasquées, et alors, le journaliste réfléchirait, s'adoucirait peut-être. Ou bien provoquerait la chute prématurée de Robert-Pierre etc... Il ne pouvait émerger de cela que des choses positives.

À son grand étonnement, il reçut une réponse favorable de Migraine et retourna à Québec après avoir obtenu sa libération de l'armée afin dit-il, **'de servir les intérêts supérieurs du Québec'**, ainsi que l'eussent gueulé Marat-Mouchard et Saint-Just Lapierre dans leur démagogie délirante.

Et il posta son autre lettre le 8 juillet pour être sûr qu'elle atteigne son but à temps.

La plupart des messages téléphoniques ou épistoliers parvenant au bureau du journaliste-politicien étaient filtrés et ceux trop éberlués prenaient la direction d'une section enquête, car la plupart ne portaient aucune signature, les correspondants, même les plus favorables à l'action destructrice du député, sachant trop bien qu'ils pourraient se faire désigner comme suspects et emprisonner.

François avait signé le sien.

Pour cette raison peut-être, il parvint devant les yeux de Marat-Mouchard la veille du prétendu assassinat. L'homme se souvint vaguement de cet illuminé qu'il avait rencontré il ne savait plus quand... Le mot le fit s'esclaffer. Certes, Charlotte-Bombardier n'approuvait pas sa pensée, ses appels à la justice des masses, et elle allait jusqu'à le dénoncer à la télévision, mais...

Tiens, pensa-t-il, mais quelle belle occasion de la rencontrer justement et peut-être de la neutraliser. En tout cas, rire et se souvenir de toutes ces folies à Paris...

C'est ainsi que François provoqua très exactement ce qu'il avait voulu éviter. Que ces deux-là se voient, que la nostalgie les conduise dans une même chambre avec salle de bains et une fois de plus, l'histoire triompherait.

M.-M. ne fut pas long à rejoindre C.-B.

"Comment vas-tu?... Moi, oui! Dur? Non, juste... Et que dirais-tu d'une rencontre sans holà demain? Pas superstitieuse? C'est le 13... On devrait aller dans un petit endroit pour faire... peuple... et se rappeler mieux les petits bistrots de Paris... Allons dans une petite boîte populo et ensuite on ira dans une boîte intello!"

Quand Montréal se met à la mode de quelqu'un ou de quelque chose, personne n'y échappe. Cela se dessine d'abord dans les médias: une dose d'humour, une dose de nécessité, une dose d'aubaine, une dose de nationalisme et voilà la chose ou la personne qui devient gourou.

On l'a vu, c'était le cas des beignes dans cette ville que les autres Québécois appelaient un peu par dérision la **ville-beigne**, réputation qui s'était considérablement élargie après cette grande 'émeute des beignes' dont le monde entier avait parlé.

Leur choix pour commencer la journée fut donc tout naturellement une beignerie. Et parmi la multitude de beigneries, on choisit un Beigne-Bec dont la chaîne appartenait à des intérêts locaux mais surtout parce qu'on y fabriquait sur commande et devant le nez même du client, des beignes immenses, gros comme un annuaire de téléphone.

On y fut vers onze heures. L'endroit était bondé. Pas une place disponible. Des clients du comptoir en U qui comprirent de qui il s'agissait libérèrent leur place et les arrivants s'y assirent.

La femme avait avec elle une grande bourse blanche et profonde qui fit dire à Marat-Mouchard quand ils furent installés:

—As-tu apporté des couteaux de cuisine avec toi ou bien si tu vas m'assassiner avec un couteau d'ici?

Elle pencha la tête vers lui, sourit énigmatiquement et dit:

—Des journées, j'aurais le goût...

Gonflé, il dit:

—Comme à Paris?

—Non... le goût de t'assassiner.

—Non! Pourquoi? Parce que je crie justice pour mon peuple? Parce que je dis aux démunis de s'emparer de cette société à laquelle ils ont droit autant que les autres?

—Maramou, tu sais bien que les besoins ne sont pas les mêmes pour tous et pour chacun. Beaucoup de gens adorent se faire exploiter: c'est tout aussi naturel que la prédation l'est... Isole dix personnes sur une île déserte et assigne-leur une parfaite égalité de biens et de territoire et tu verras dans un an: l'un n'aura plus rien et sera endetté, sept vivoteront, un sera gardien de l'ordre et bien payé et le dixième vivra comme un pacha.

Il prit sa petite main fragile entre ses deux grosses baluches poilues en disant suavement:

—Charlotte, ma belle Charlotte, parlons du passé joyeux, veux-tu?

—Je me demande si c'est encore possible.

On commanda deux choses: d'abord un petit beignet pour chacun et du café puis un Super-Beigne-Génial comme on l'appelait pour faire jeune. Il arrivait ceci. Le pâtissier installait la couronne de pâte sur une grande assiette et la posait devant le client qui pouvait y mettre la main. Ainsi, il savait mieux ce qu'il mangerait et pouvait y injecter des ondes et du coeur. Moderne, l'idée avait pourtant un sens de l'autrefois.

Par la suite, on faisait frire la grosse chose dans une marmite transparente et le client pouvait voir. Enfin, on remettait le beigne sur son assiette et on remplissait le trou de fruits variés coupés en morceaux.

Cela constituait un repas complet à bon compte et avec participation de la clientèle. Bien sûr qu'on n'en vendait pas à la douzaine mais c'était une bonne idée-gadget qui avait fait la manchette des médias et accru la réputation de la chaîne.

—Suffit d'essayer!

—D'essayer?

—Oui, de se parler du passé... On reviendra aux choses plus sérieuses ensuite...

Elle se laissa persuader:

—Ici, on rit et au prochain bistrot, on gueule.

—Ça ira, ça ira!...

—Tu vois, tu redeviens politique... ça ira, ça ira...

—J'ai pas dit ça pour ça...

On fut vite servi des petits beignets. Les bouchées succédaient aux rappels de bons souvenirs. Les plus croustillants se disaient tout bas à l'oreille et valaient parfois de larges éclats de rire de la part de chacun.

Le pâtissier, un jeune Chinois à large sourire bien accroché à ses dents en or, parut, croyant que l'heure du pétrissement était venu, ignorant que Marat-Mouchard avait commandé un second petit beignet. Il posa devant lui l'assiette et la grande couronne de pâte blanche luisante, un petit plat de farine d'un côté et un récipient d'eau avec essuie-mains de l'autre.

—J'aime bien les rituels... pourvu que ça ne dure pas longtemps, dit M.-M. qui mordit dans le petit beigne tout juste arrivé avant le gros gluant...

Charlotte se pencha à son oreille et susurra:

–Rituels et préliminaires, c'est proche parent, non?

Cette réflexion leur parut drôle à tous les deux en raison de souvenirs croustillants que la pudeur nous empêche de révéler ici à notre lecteur.

Marat-Mouchard se rejeta la tête en arrière et s'esclaffa comme il le faisait parfois pour peu de chose; puis il rebondit en quelque sorte vers l'avant. Mais, ironique destin, au même moment, encouragée par ce rare rire fait à ses farces monotones, entière à son plaisir, Charlotte administra une claque superbe dans le dos de son compagnon qui poursuivit sa course en avant et s'écrasa la face dans le grand beigne.

Un coup du sort en entraîne souvent un autre. Il s'étouffait avec le morceau qu'il avait dans la bouche, la pâte collante lui boucha les narines, il se mit à manquer d'air, leva la tête, les mains pour débloquer quelque chose. Peine perdue.

–Mais qu'est-ce qui se passe, mon ami Maramou? On ne perd jamais sa dignité quand on a la puissance, voyons... Réagis... ça ira...

Un client comprit avant elle et vint se mettre derrière le malheureux, lui fit de son puissant avant-bras le ciseau de corps de Pierre Lacroix, et entreprit de lui donner les fameuses pressions à l'aide de son empoigne de l'abdomen.

Après trois minutes de vains efforts, il s'arrêta et la tête retomba dans la pâte.

–Tu l'as tué, tu l'as tué, dit à Charlotte un client sombre à tuque de nylon clair.

D'autres le rabrouèrent:

–Tu vois bien qu'il est mort de rire.

François se ferma tout à fait aux médias ce jour-là. Ce n'est qu'au matin suivant qu'il se résigna à voir le journal. Le Soleil titrait en banderole noire: Marat-Mouchard tué dans un **beigne**...

"Ils sont malades, c'est dans son **bain** qu'il fut tué..."

Mais la réalité lui mit les yeux vis-à-vis des trous.

Le samedi suivant, la pathétique cérémonie funèbre fut télévisée. François écouta. Vigneault chanta: "Mon turban, ce n'est pas un turban, c'est un beigne..."

Et l'abbé Jacques Proulx fit l'oraison qu'il finit dans le grandiose:

—... il a enduré trois années de cachots, de tourments là-bas, chez l'ennemi anglo, pour sauver la patrie. Voilà le fruit de ses veilles, de ses travaux, de sa misère, de ses souffrances, des dangers qu'il a courus! Eh bien! Marat-Mouchard, Maramou comme l'appelaient les intimes, restera parmi nous pour braver la fureur étrangère et la fureur intérieure. Le bien bon n'est qu'un excitant du mal; le bien efficace doit être pur, dur et fort comme celui que pratiquait notre ami, notre frère, notre modèle à tous...

Chapitre 25

Deux éléments intrigants entrèrent en ces jours-là dans la vie de François. Il devint tout à fait impuissant sexuellement. Après Julie et surtout quand il s'était senti délivré de son serment de fidélité à Manon, il avait fréquenté deux femmes, mais à aucune ne s'était jamais confié quant à ses impossibles et effrayants secrets.

Le deuxième fait troublant, c'est que l'on n'avait pas arrêté Charlotte-Bombardier, ce qui constituait encore une déformation de l'histoire —tout comme la manière de mourir de Marat— mais qui pourrait s'avérer la porte espérée depuis si longtemps et qui lui permettrait de s'évader de cette réalité cauchemardesque.

À son émission de télévision, la Charlotte continuait d'interviewer des intellectuels enculeurs de mouches et ratiocinant sur le premier sujet venu à l'aide de tout ce qu'ils pouvaient imaginer d'abscons et de con.

Le travail du jeune homme en était un de fossoyeur et gardien de la guillotine (surnommée La belle Manon) à Place de la Séparation. On lui avait attitré une remorque voisine de celle du bourreau et d'une autre plus petite qui permettrait de garder quelques prisonniers la veille, la nuit et la journée de leur décapitation.

Croûton-Béland se frottait les mains d'aise puisque pour faire peur aux ennemis intérieurs, la Convention avait ordonné l'érection d'échafauds dans toutes les villes importantes: Sherbrooke, Trois-Rivières, Granby, Drummondville... Pour desservir toute la rive sud de Montréal, il y en avait une à Boucherville, une autre à Longueuil et une troisième à Brossard. En tout, une trentaine furent vendues à l'État québécois. Un contrat de plusieurs millions de lévécus sans compter le profit sur entretien.

Partout, Croûton fut présent à l'inauguration. Il fut loué à chaque endroit par un officiel local à cause de tous ces emplois créés: petits bourreaux locaux, fossoyeurs, gens d'entretien de l'équipement et, bien sûr, au départ, gens de construction de l'estrade et des dépendances. Une vraie belle industrie nouvelle pour le Québec.

Il y eut un petit nombre d'exécutions réparties un peu partout et chaque fois, ce fut Migraine qui se rendit procéder à la mise à mort. Mais il y allait seul et utilisait le personnel sur place pour assumer les petites tâches, le ramassage des têtes et des corps et l'ensevelissement.

Début septembre, le C.S.D. (Comité de salut au drapeau) décida de régler le sort de Céline Dion, laquelle n'avait jamais été jugée pour sa déclaration royaliste du premier juillet 1992. Mais comment lui mettre la patte sur le corps puisqu'elle avait trouvé refuge aux États-Unis et y flirtait avec le nouveau président.

On savait que l'extradition serait chose impossible. La faire enlever là-bas ne réussirait sans doute pas. Alors le C.S.D. décida d'utiliser un moyen de pression. La mère de Céline et sa soeur Claudette furent arrêtées et emprisonnées dans un congélateur avec des quartiers de boeuf et un appareil de téléphone.

Devant les caméras de ABC, NBC et CBS auxquelles se joignirent celles de CNN et PBS, la jeune chanteuse déclara, morfondue:

—Non, je ne peux pas accepter ça, je ne peux pas, je dois rentrer.

Claudette avait les mâchoires presque figées quand Céline mit le pied à Mirabel dans des habits en verre mou fumé. Elle fut cueillie par les troupes républicaines et aussitôt emprisonnée. Dès le lendemain, au Tribunal de Montréal, on la jugea.

Elle fut déclarée coupable.

Mais on voulut montrer toute la noblesse et la grande magnanimité de la République; aussi, la sentence fut raisonnable. Il faut ajouter que le président Clinton avait conversé avec le citoyen Robert-Pierre la veille du prononcé de la sentence.

La jeune chanteuse fut condamnée à donner des concerts gratuits par tout le Québec pendant deux ans et en chant grégorien exclusivement.

Le cinq septembre, la Terreur fut rendue officielle par la Convention. Fallait faire travailler les guillotines. Et dès le jour suivant, l'abbé Jacques Proulx fut arrêté. On lui reprochait de prêcher trop d'égalité entre les classes sociales et de le faire avec une violence pire que celle de Marat-Mouchard.

Vers la fin du mois, Parizeau-Dalton et son groupe s'en prirent avec très grande férocité au C.S.D. Dès lors, ils devinrent des morts en sursis.

Les choses se bousculaient et François ne prenait plus le temps de s'arrêter à chacune pour l'analyser, la comprendre, la décortiquer, l'autopsier: il se contentait, aidé d'un sourd-muet, de transporter les cadavres depuis l'échafaud aux fosses communes à l'autre bout du terrain de la Place, de les y enterrer puis de nettoyer la guillotine et les environs.

Il ne s'intéressait en fait qu'à Charlotte-Bombardier. Son image lui trottait sans arrêt en tête. Elle devint son obsession et il fallut un moment très fort pour le ramener au présent. Ce moment fut celui de l'exécution de Mitsou-Antoinette le 16 octobre.

Elle se montra obéissante, résignée, raisonnable, digne. Pas un cri, pas une hésitation: une reine! Il y eut reprise de son exécution le dimanche suivant à la télévision. On présenta l'émission à TVA de front avec Surprise sur prise de Radio-Québec 2 (nouveau nom de Radio-Canada) et Marcel Béliveau frappa un mur. Près de quatre-vingt-dix pour cent des Québécois virent la tête de la reine rouler dans le panier. Sous-payée et en lévécus par-dessus le marché, la maison de production de Surprise devait cesser sa production québécoise et ne plus travailler qu'en France.

Les corps des suppliciés devant être dénudés et mis dans des draps, François aperçut enfin cette partie de l'anatomie de la reine qu'il avait voulu voir depuis tant d'années. Mais il n'y songea même pas, trop pris qu'il était par sa fixation sur Charlotte-Bombardier...

Le vendredi 31 octobre 1993, eut lieu à l'échafaud une véritable boucherie. Une fournée de 32 Brissotins y fut conduite. Pierre-Marc Brissot lui-même fut le dernier à subir la décapitation. Il dit au bourreau: "Ne montre pas ma tête au peuple, elle n'en vaut pas la peine!"

Dès lors, le Comité de salut au drapeau ne chôma guère. Les condamnés à mort arrivaient à raison de deux ou trois chaque jour. La neige de la Place, en dehors du périmètre immédiat, était souillée de sang dans toutes les directions.

Fin mars, au bord du printemps, Frulla-Hébert et ses Enfargés furent zigouillés alors même que Parizeau-Dalton subissait son procès. C'est grâce aux demandes de cette femme que la Convention vota l'argent pour un semi-remorque salon de beauté. Et elle put obtenir un manucure et se faire refaire un maquillage avant de se présenter à Migraine.

Parizeau-Dalton, lui, fut guillotiné le 5 avril. En se couchant sur la planche, il crâna un peu pour en faire découdre à cet intrigant de Brissot parti avant lui, disant au bourreau: "Montre ma tête au peuple même si elle n'en vaut pas la peine!"

Le Québec commençait à en avoir dîné de la guillotine et de tout ce sang versé. Les cotes d'écoute des émissions de mise à mort baissaient. Par bonheur, Migraine faisait venir les suppliciés un jour à l'avance et il leur passait des entrevues de dernière instance. Le public s'y reconnaissait mieux que de voir les têtes tomber. Et puis, il en avait plus pour son argent puisque les questions-couperets de Migraine se succédaient toute la demi-heure.

Une bombe secoua la République le 15 juillet: on fit l'annonce de l'arrestation Charlotte-Bombardier à sa résidence d'Outremont. Excepté Céline Dion en raison de considérations diplomatiques (avec les U.S.A.) les suspects de renom passaient tous par Québec pour y être jugés. Cela avait été obtenu de la Convention nationale par le maire L'Allier de la puissante Commune de la vieille capitale.

On l'y envoya. Elle dut comparaître devant le Comité du salut au drapeau en marge de la mort de Marat-Mouchard. Une plainte étoffée y avait été déposée par Jean-Cul Migraine en personne sur la foi de plusieurs témoignages obtenus de quelques témoins de la tragique disparition du brillant député de fer.

Migraine préparait aussi un dossier important sur Robert-Guy Scully qui se faisait appeler Bob Scolly quand il traversait la frontière québécoise, une attitude que, dans les milieux nationalistes, on disait frôler la haute trahison. Enfin, l'on scrutait à la loupe le passé de Jean-Pierre Coallier, un peu trop québécois, le bonhomme, pour ne pas être hautement suspect.

S'il pouvait arriver à abattre ces trois animateurs-monuments, Migraine dormirait sur ses deux oreilles pour vingt ans à venir.

Le jugement fut rendu le seize au soir après une longue journée de délibérations lesquelles allèrent toutes dans un sens: l'accusée avait eu l'intention avouée de tuer sa victime, elle avait comploté pour l'emmener à une beignerie, c'est sur son instigation que l'on avait commandé un Super-Beigne-Génial, le pâtissier chinois était sûrement de mèche puisqu'il était chinois —lui-même serait décrété d'accusation et exécuté avec d'autres restaurateurs chinois dans le quartier chinois sur une guillotine spécialement aménagée et portant des caractères chinois— et enfin, elle avait frappé la victime d'un violent coup dans le dos qui s'était avéré fatal dans ses conséquences.

Cou-pa-ble! clama fort Croûton-Béland suivi des autres membres du Comité.

Mort. Mort. Mort. Mort. Mort.

Le 19 juillet.

Merde! pensa François quand il vit la date. Charlotte Corday avait été exécutée le 19 juillet mais l'année même de la mort de Marat soit il y aurait un an exactement à la mort de Charlotte-Bombardier à quelque 199 ans près... Enfin, il se comprenait dans ses pensées.

L'annonce du verdict souleva grande indignation et beaucoup de réprobation à Radio-Québec 2 dans tout l'entourage de l'animatrice-vedette mais tous se turent par goût très prononcé de garder le goût du pain. On ne badinait pas depuis un an ou deux avec les petits esprits réfractaires dans la République du Québec. Même si le peuple commençait à retrouver son sens de la vie, la Convention resterait barbare encore quelques jours.

La condamnée à mort coucherait donc deux nuits dans la remorque des prisonniers gardée par six soldats vingt-quatre heures sur vingt-quatre.

François qui avait accès partout sans contrainte lui rendit visite le soir après le repas de la condamnée. Il sonna à sa porte.

—Qui est-ce? grogna-t-elle.

—Bah! un rien...

Elle eût refusé d'ouvrir à quiconque mais ce mot de présentation de l'inconnu la toucha et elle ouvrit en disant:

—Ce sont les petits riens qui ont le plus d'importance quand la mort est sur votre seuil. Entrez...

L'intérieur était sobre, bien aménagé, discrètement meublé. Une sorte de roulotte de terrain de camping. François fut invité à prendre place sur un divan du salon devant la télé; et l'hôtesse se cala dans un lazy-boy et croisa la jambe.

—Je vous ai aperçu par la fenêtre aujourd'hui, vous travaillez ici.

—En effet! Je suis... fossoyeur... Ça vous... répugne?

—Beaucoup.

—Je peux m'en aller...

—Pas du tout! Vous me répugnez tout de même moins qu'un politicien, qu'un banquier, qu'un délateur à la Migraine, qu'un sans-cheveux, que le général Charron, que les Super-Beignes-Géniaux...

—Vous qui êtes femme et sentez donc les choses, vous qui êtes star et savez donc les choses, vous qui êtes intellectuelle et sentez et savez donc les choses, pourrez peut-être m'expliquer ma pensée?...

—Vous savez, après avoir entendu tous ces délires durant des années, le vôtre ne saurait être que de la petite bière... À propos, vous buvez quelque chose? Un 'bloody Mary'? peut-être.

—Une bière seulement... et comme mon histoire est longue, je vais commencer tout de suite...

—Faites, faites...

Il retourna à ce fatidique 14 juillet 1989 dans la bibliothèque, omettant le chapitre de sa visite au ciel puisqu'il l'ignorait, et cela même s'il lui arrivait de se dire que Dieu s'était mêlé de sa vie ce jour-là...

Puis relata brièvement son long séjour à l'asile, ses pérégrinations chez les politiciens-vedettes pour les mettre en garde contre l'avenir, les tentatives qu'il avait faites pour la rejoindre, les massacres de septembre 1992, ses présences au long procès du roi, leur presque rencontre au stand à hot-dogs, l'horreur vécue en Beauce puis cette impuissance autant physique que psychologique et qui faisait de lui une sorte de zombi décérébré agité parfois d'un sursaut de volonté...

—Zombi décérébré, mais vous devenez un bon citoyen ordinaire, ma foi!

—Ma tragédie n'est pas comme pour la plupart des hommes, que mes rêves ne se soient pas réalisés, mais au contraire que mes réalités soient devenues des rêves, conclut-il. Comment interprétez-vous tout ça?

—C'est très troublant. Vous savez, je me souviens de vos messages à Radio-Canada et j'ai vu la lettre que vous avez envoyée à Marat-Mouchard, enfin il me l'a lue au téléphone la veille de...

Elle le trouvait fort sympathique, ce fou intelligent. Dommage que la vie soit si courte, elle eût aimé le fréquenter, l'avoir pour ami sincère, et qui sait, peut-être même...

Elle secoua la tête et poursuivit:

—Mais monsieur, j'y pense, mais c'est votre lettre qui m'a tuée.

—J'ai voulu sauver le futur du Québec, pas vous tuer.

—Qui sait, peut-être que ma mort ira dans le sens d'un meilleur avenir pour le Québec?

—Je ne crois pas, vous êtes belle en personne. J'ai trouvé quand je vous ai vue au procès du roi...

La femme eut un sourire de petite fille et ajusta sa mèche rebelle:

—Et maintenant?

—Mieux encore! On dit qu'à l'approche de sa mort, une étoile devient super brillante...

—On ne m'a jamais dit quelque chose d'aussi beau: je vous remercie.

—C'est que vous ne fûtes jamais non plus au bord de l'échafaud.

On parla ensuite longuement de désincarnation et de réincarnation.

—Peut-être que je remonterai le temps et deviendrai cette Charlotte Corday de votre rêve? Oui, mais j'en reviendrais bien de me faire couper la tête une autre fois.

—Ce n'est pas douloureux...

—Qu'est-ce que vous en savez?

—Je côtoie les têtes de près. L'idée de voir sa propre exécution à la télévision, c'est génial, ça tient le cerveau occupé jusqu'au dernier moment. En général, la tête fait un simple clin d'oeil et c'est tout...

—Faut dire qu'étant femme de tête, je ne me sentirai peut-être pas si dépaysée que ça.

—Vous serez belle aussi dans la mort: j'y verrai, vous verrez.

La femme redressa sa mèche et bougea la poitrine. Elle entendait pour la première fois quelqu'un dire aussi sincèrement, aussi naïvement, sans rien attendre en retour, qu'elle était belle en vie et le serait aussi même décapitée. Et en fut fort flattée.

La fierté investit toujours pour elle-même et cette impuissance sexuelle du jeune homme lui apparut comme un défi. Et puis, alors même que sa propre vie s'endormirait, quel juste retour des choses que de réveiller la vie d'un homme et ainsi narguer ce destin cruel.

Elle se retint de trop laisser voir son désir montant. Il la prendrait pour une fille de rien. Encore qu'une fille de rien qui fait l'amour avec un rien, cela produirait peut-être des étincelles. Elle qui avait toute sa vie fait l'amour avec sa tête pouvait bien se laisser aller une seule fois à le faire avec son corps, avec ce corps perdu dont on la séparerait le surlendemain, 19 juillet 1994.

Même si l'érection restait loin, François imaginait la nudité de la femme et leur fusion... Mais la répulsion de la pensée elle-même enterrait la beauté de l'image. Abuser d'une femme parce qu'il avait du pouvoir entre les mains et qu'elle n'en avait aucun sinon le dérisoire 'bargaining chip' de la vulnérabilité. Il se sentait une âme de violeur sans âme dans un corps sans corps...

—Vous avez beaucoup de coeur, ça se devine sous votre chemise...

—Pas trop bien repassée, vous savez, depuis que je suis seul...

Elle le savait déjà par son long récit. Quel obstacle s'opposait encore à leur expression... sensuelle? Un moment elle pensa au sida puis en rit.

—Tout ce sang, vous ne craignez pas le sida?

—Madame, quelqu'un qui est infecté par le virus n'est pas guillotiné.

—Ah?

—Puisqu'il est déjà condamné à mort...

—Ce serait lui faire grâce...

—Le citoyen Migraine a ordonné un test sanguin de tous les condamnés. Il couperait en deux lui-même avec des ciseaux la carte de plastique d'un sidéen condamné.

—Il y a quelque chose de pervers là-dedans: priver une catégorie de citoyens du droit à mourir vite et en conformité avec la justice des hommes.

—Dans le cas des sidéens, Migraine soutient que c'est la justice de Dieu qui prévaut.

—Ah! ce Migraine de mes fesses!... Pardon, François, je vais paraître vulgaire...

Il se fit une pause en rire puis la conversation reprit un cours plus doux et sentimental. Les ondes passèrent de mieux en mieux. Il quitta passé minuit. À la porte, il osa l'embrasser sur une joue. Elle lui glissa à l'oreille au nez d'un garde:

—Reviens demain, cher François... On tâchera de se connaître mieux...

Il crut que son corps s'érigeait quand il arriva à sa remorque.

Sans préliminaires, sans préambule, sans préalable, dans une sauvage grandeur, ils s'épousèrent le soir suivant dans le lit de Charlotte. L'homme eut un orgasme à l'heure jusqu'à une heure du matin et elle dix. Entre chaque duel, on roupillait un quart d'heure. Puis c'était une nouvelle explosion, une autre implosion. Les corps n'avaient plus besoin des têtes. C'était le mariage parfait du rêve et de la réalité.

François fut tendre avec elle jusqu'au tout dernier moment. Son mot ultime fut:
—Dans dix jours, je serai avec toi.
Il avait la métaphore si charmante.
—Je t'attendrai, répondit-elle.
Dans ce cas, Migraine fit une exception et Charlotte, plutôt d'assister à l'émission de télévision montrant son exécution, put voir jusqu'au dernier moment l'entrevue qu'elle avait donnée l'après-midi même à ce traître délateur de bourreau.

Aidé de Philémon le sourd-muet, très jeune homme à l'air hébété, François mit le corps dans un sac puis on le transporta sur un brancard jusqu'à un congélateur sis derrière les remorques. On l'y déposa. Alors le fossoyeur fit comprendre par signes à son assistant que lui-même mourrait dans quelques jours et qu'il voulait qu'alors, son corps et celui de Charlotte soient enterrés dans la même fosse, nus dans une même boîte.

Pourquoi dix jours et pas sur l'heure? Manque de courage, report, nouveau report comme l'intention d'un fumeur qui se ment à lui-même et ne parvient jamais à donner le grand coup de barre? Pas du tout! François voulait savoir si la Révolution s'accomplirait jusqu'à sa fin ou du moins la fin de la grande Terreur comme celle qui avait accompagné et suivi l'exécution des plus effroyables terroristes: Robespierre, Couthon et Saint-Just. Or, cela s'était passé le 28 juillet 1794.

Entre-temps, le jeune homme devait obtenir une peine de mort de la part du Comité du salut au drapeau. Il y comparut, s'accusa lui-même de crimes inventés. On repoussa ses dires. Il protesta. Robert-Pierre n'avait-il pas déjà déclaré qu'un citoyen qui s'incriminait lui-même pouvait être décapité pour ça sans autre forme de procès. Peine perdue! Alors il sortit son arme secrète: un Bic et un drapeau du Québec. Et mit le feu: suprême insulte à la nation, grave crime de lèse-Québec, bassesse pure, incommensurable... On le fit expulser. Personne n'aurait pu agir ainsi à moins d'un fou au sens clinique du terme. Et puis Robert-Pierre s'était souvenu de ce dérangé que lui avait envoyé un vieux camarade de collège... C'est ce Gérard Lapierre qui lui avait imposé ce malade que Robert-Pierre décréta d'accusation... On voulut cueillir le bibliothécaire mais il était parti en visite de sa parenté dans un pays étranger: l'Alberta. On aurait bien sa peau l'automne venu. Ce ne serait pas le premier copain de collège que Robert-Pierre aurait joie à faire exécuter.

Le samedi matin, 28 juillet 1994, il y eut beaucoup de grabuge à Québec. La Commune (ville) et ses policiers auxquels se joignirent des détachements entiers de gardes républicains investirent la Convention. Malgré leur absence, on fit un simulacre de procès à Robert-Pierre, Croûton-Béland et Saint-Just-Lapierre, et ils furent condamnés illico à la décapitation. Il fallut s'emparer d'eux dans une salle du Parlement où ils s'étaient réfugiés pour téléphoner et demander de l'aide d'urgence au général Charron et à la marquise de Lapayette qui tous deux firent les parfaits sourds-muets. Le caporal Jalbert dirigeait les troupes. Il y eut très peu d'effusion de sang: le caporal s'y connaissait!

Quand il se sentit perdu, Robert-Pierre monta sur une table et devant tous, y compris les troupes qui venaient de défoncer la porte, il tenta de se suicider en s'administrant sur la gueule un formidable coup de poing mérité depuis tant d'années. Mais un Indien Cri de la garde nationale réussit à retenir son bras et le premier citoyen manqua son coup une fois encore, ne réussissant qu'à se décrocher la mâchoire, ce qui aurait dû se produire voilà plusieurs années...

Toutes les stations de télé furent alertées. On appela Migraine à Sherbrooke. Le bourreau prit son hélico personnel et fonça sur Québec.

À neuf heures du soir, une émisson spéciale diffusée sur tous les réseaux montra l'exécution de ceux qu'on désignait maintenant sous le nom de bourreaux de la nation. Mais ce seraient des exécutions a cappella puisqu'on ne put rejoindre aucun Jacobin et encore moins Jacob Péladeau qui, maintenant associé avec Lise Bissonnette, travaillait à de toutes nouvelles chansons qu'il mettrait plus tard en musique et qu'elle mettrait en éditoriaux...

Saint-Just Lapierre déclara: "Je vois bien peu d'amis ici et beaucoup d'ennemis." Et selon son habitude, il fonça tête baissée vers l'échafaud.

Suite à tout ce qu'il avait appris quant aux récents événements, le bourreau n'avait pas le goût de moisir là et il oeuvra avec célérité sans même se servir de son galon à mesurer comme il l'avait toujours fait, ce qui lui avait permis de découvrir le champion des culs: C. Desmoulins-Ryan...

Croûton-Béland chanta plutôt de dire: "Non, rien de rien, non, je ne regrette rien. Ni l'argent qu'on m'a fait ni le mal, tout ça m'est bien égal. Et privé de mon crédit, je tombe en discrédit. Mais voyez, je m'en vais à la mort, tête haute et tête froide..."

Le bourreau coupa:

—Qu'il cesse de piaffer celui-là, et de ruer dans le bacul... Il cherche encore à gagner du temps pour que les intérêts montent...

On l'empoigna comme il se devait puisqu'il était cul-de-jatte et il fut mis promptement sur la planche où il demanda une faveur ultime au bourreau: être enterré avec son Desjardins roulant.

Mais l'homme n'obtint pas de réponse. François nota mentalement son NIP comme celui des deux autres suppliciés... Il ruminait quelque chose sachant que le bourreau déguerpirait aussitôt le travail expédié et laisserait sans doute un désordre inhabituel dans sa remorque.

Son tour venu, Robert-Pierre marmonna comme il put entre des lèvres serrées:

–La vertu aussi bien que l'argent est funeste et impuissante... quand le peuple devient fou. Je fus un mal-aimé...

Bou wou wou wou... Clac!

La Révolution fleurdelisée avait vécu.

Craignant de plus en plus pour sa propre tête, le bourreau mit aussitôt les voiles et il s'envola en catastrophe: mieux valait s'éloigner vite de la capitale nationale en attendant que les choses se tassent.

Les fossoyeurs disposèrent des corps le soir même. On finit le travail à onze heures. Puis François conduisit son assistant auprès du congélateur où se trouvait le corps de Charlotte. La boîte de l'enterrement était à côté. La fosse était connue des deux: ce serait la dernière remplie. Il répéta ses instructions. Le sourd-muet quitta les lieux en hochant la tête. Il n'y croyait pas beaucoup mais si ça devait se produire...

François trouva un trésor dans la loge du bourreau: le contrôleur électronique de la guillotine plus une dizaine de cartes d'assurance-mort dont celles des trois derniers suppliciés. Il possédait donc trois fois tout le nécessaire pour faire marcher la guillotine puisque qu'il avait noté les NIP de chacun des trois derniers morts.

En un premier temps, il se rendit au congélateur de Charlotte et coiffa sa tête. Puis lui donna un baiser de glace qui lui parut torride.

Ensuite, il se rendit à l'échafaud. Il inséra la carte de Robert-Pierre, composa le NIP puis se coucha sur la planche et ajusta le collier, la main gauche tenant le contrôleur. Le moment venu, sans le moindre regret, il appuya sur la touche en faisant une grimace à sa propre image sur l'écran du téléviseur.

"Erreur de procédure!" apparut en lettres rebondissantes et le couperet demeura immobile.

Il appuya de nouveau. Une main parut à l'écran lui enjoignant de ne pas s'énerver. Puis elle disparut de même que les mots "Erreur...". Il appuya encore. Même résultat. Cinq fois: toujours pareil.

Alors il s'enleva de là en maugréant contre Robert-Pierre. S'essaya avec le nécessaire à Croûton-Béland: rien de mieux. Et blocage semblable avec la carte et le NIP de Saint-Just Lapierre.

Quel était le secret, quel était le mystère? Il jura, pleurnicha, frappa la guillotine du poing. "Erreur de procédure!" Cracha, lança le contrôleur automatique au bout de ses bras: erreur de procédure!

Fatigué, il alla se coucher sur le banc du roi qui avait aussi servi à d'autres condamnés. Et il commença à somnoler en pensant que la nuit porte conseil.

Dans son brouillard, il entendit venir des troupes... Un régiment ou quoi... La cadence, les pas, les pas, un véhicule... C'était loin, si loin...

Chapitre 26

—Monsieur Langlois, François Langlois? questionna
une voix féminine mouillée d'un soupçon anglo...

Il reprit un peu conscience. Son premier réflexe fut
de consulter sa montre. Minuit. Il avait du sang sur le
poignet. C'était inhabituel puisque le travail de fossoyeur
et nettoyeur de la guillotine requérait un uniforme qui
couvrait tout le corps et des gants de caoutchouc allant
aux coudes

Il le cacha aussitôt vivement comme quelque chose de
honteux. Réaction qui le surprit. N'ayant pas de sang
sur les mains, pourquoi cacher celui-là sur le poignet?
Ce n'était ni le sien ni sa responsabilité!

Les pas drus et durs d'un bataillon s'arrêtèrent pas
loin mais impossible de voir davantage que des ombres
puisqu'il ne restait de lumière que quelques projecteurs
de scène aux tons funèbres et blafards. Il leva les yeux et
aperçut près de lui une jeune femme dans un uniforme
militaire de l'armée canadienne.

François se rassit en riant:

—Je comprends, vous voulez Robert-Pierre? Mort et
enterré. Croûton-Béland? Même sacrée fosse. Saint-Just
Lapierre? Au ciel avec ses amis les archanges de la
mort. Quant au bourreau Migraine, il s'est envolé aussi

vite qu'il était venu. Le seul coupable ici, c'est donc moi. Prenez-moi, pendez-moi, crucifiez-moi, fusillez-moi: la guillotine ne fonctionne plus.

—C'est quelqu'un de très important qui veut vous voir, monsieur Langlois.

—Moi?

—Vous, oui!

—Mais qui sait mon nom dans ce foutu pays? Je brûle son drapeau et on me rit au nez. Je n'ai pas d'identité. Je suis un rien, un rien... Même la mort ne veut pas me voir. Cette sacrée guillotine boque quand c'est mon tour.

Des pieds très solides s'engagèrent dans un escalier donnant droit sur l'estrade. Puis deux soldats canadiens apparurent, suivis d'un homme que ses gardes et le clair-obscur tenaient flou aux yeux, par ailleurs pâteux, du jeune désabusé.

À quelques pas de François, les gardes s'écartèrent. Apparut alors un assez grand personnage vêtu d'un bel uniforme noir et coiffé d'un chapeau d'apparat mis en travers de sa tête. Sa main cachée estomaqua François: il la tenait sur sa poitrine dans le revers de son habit comme quelqu'un qui aurait mal à l'estomac.

—Et ça continue! se désespéra François qui se leva.

—Mon p'tit Langlois, c'est moi, le p'tit gars de Shawinigan. Comment c'est que tu trouves mon chapeau? Je l'ai emprunté au gouverneur-général...

La bouche disait Chrétien, la main disait Napoléon.

—Je t'ai fait rechercher par des gens de la GRN. Pour une fois que j'avais mis la patte sur quelqu'un capable de lire dans une boule de cristal... J'ai eu peur que tu sois mort à Montréal...

—Vous ne m'avez pas cru. Absolument personne ne m'a jamais cru.

—Je t'ai dit au téléphone que je te croyais. Si je te dis que je te cré, c'est parce que je te cré...

—Vous vous appelez Jean ou Napoléon?

—Ah! ben varlope! Napoléon, c'est mon deuxième nom. Poléon pour les intimes. C'est pour ça que dans l'intimité, j'ai baptisé ma femme Josèphe-Aline... pour Joséphine, tu comprends... parce que son vrai nom, comme tout le monde sait, ben c'est Aline...

—Pourquoi n'êtes-vous pas intervenu?

—Justement parce que je t'ai cru.

—Mais tout ce sang...

—Pas grave, ça! Ils se sont entre-dévorés... Ils s'en apercevaient pas, mais ils me pavaient la voie... pis celle d'un immense pays, quasiment un **empire**...

François réfléchissait. Comment Chrétien pouvait-il se prendre pour Napoléon? Personne sauf lui n'aurait pu lui parler du véritable empereur des Français, autre personnage absent de l'histoire? Ah! se rappela-t-il, mais dans l'histoire reconstruite, Napoléon et Joséphine avaient bien existé sauf qu'ils n'étaient jamais devenus empereur et impératrice. Ce Napoléon-là de l'histoire revisitée avait été le président de la première république française après l'abdication paisible de Louis XV1... Il l'avait lu maintes fois dans Michelet et d'autres.

—Ah! quel bourbier mental!

—Pardon? fit l'homme politique.

—Je parlais avec mes pensées.

—Ça m'arrive, je comprends.

—Que puis-je pour votre service?

—J'ai pensé que tu pourrais venir travailler à mes côtés. Le parti que je dirige, c'est une grande armée. Pis on a toujours besoin de prophètes de malheur à Ottawa. Disons de malheur pour les autres pis de bonheur pour nous autres...

—Vous pourriez travailler à mon bureau une journée par semaine, fit la soldate à la mouillure anglo. Du côté des sondages...

—Je n'ai pas l'honneur...

Chrétien la présenta:

—C'est la commandante Copps, Sheila Copps... Celle-là que les vieux bleus appelaient la p'tite maudite...

Il y eut bonne poignée de mains. Même chose entre Chrétien et François qui ne l'avaient pas encore fait.

—J'ai d'autres chats à fouetter et je vais vous laisser là-dessus. Je vous donne mon numéro, les coordonnées du parti... On va vous attendre à bras ouverts... Ça nous prend des visionnaires dans un monde à trop courte-vue Plusieurs siècles nous contemplent! termina solennel-lement le politicien-soldat.

–33!

–C'est le chiffre que j'avais sur le bout de la langue. Ce qu'on va faire dans les années prochaines va se parler dans trois millénaires peut-être... Demandez à votre boule de cristal pour voir si on ne nous regardera pas comme des Ramsès ou des Périclès canadiens.

Montrant la guillotine, il poursuivit:

–Ça, ami, c'est comme une épée de Damoclès, tu me débâtiras ça le plus vite possible. Je vais te faire envoyer une subvention, mon p'tit Langlois. Là-dessus, le p'tit gars de Shawinigan te serre la pince, mon p'tit gars de Pohénégamook...

François accepta la main tendue mais demanda, intrigué:

–Comment savez-vous donc que je suis originaire de Pohénégamook?

–Tu me l'as dit au téléphone!

S'adressant à la commandante en même temps qu'il tournait des talons pressés, Chrétien dit:

–Laissez-lui nos coordonnées... Pis salut, mon p'tit Langlois. Le bon Dieu te bénisse!

François fut bientôt seul. Tiraillé comme depuis toujours, déchiré, déchiré. Une fois de plus, il eût voulu s'administrer un coup de poing en pleine gueule comme Robert-Pierre se l'était fait, pour n'avoir pas allumé ses lumières quand il avait parlé avec le couple Chrétien au téléphone.

Après un long stress, il aperçut la vérité. Il n'y avait dans sa vie aucun espace pour le moindre libre-arbitre et quelqu'un dans une autre dimension tirait toutes les ficelles, absolument toutes.

La preuve? Depuis son réveil dans la bibliothèque, jamais une seule fois il n'avait vu la photo de Jean Chrétien dans les journaux ni ne l'avait aperçu à la télévision. Tout ce qui lui était resté dans la tête de lui, c'était son idée d'autrefois: du chef libéral canadien qui se battait pour devenir premier ministre du pays.

Alors le jeune homme rendu à demi fou, commença à rire. Un rire immense, incroyable, à la mesure de tout ce sang versé sur la Place de la Séparation.

Il se sentait libre. Enfin libre!

Quoi qu'il fasse, sa volonté n'avait plus aucune signification. Ce n'était pas la première fois qu'il baissait ainsi les bras devant le destin, mais celle-ci, il y croyait absolument. Tout n'était que déterminisme.

Il courut à sa remorque et y prit des couvertures ainsi qu'un oreiller. Et revint se placer entre le banc du roi et la guillotine.

Il en rit encore un bon coup puis fit son lit sur la planche de la faucheuse de têtes. Puisque la mort ne voulait pas de lui, autant se moquer d'elle. Il réfléchirait à la proposition de Chrétien au matin...

Jamais depuis Adam et Eve, aucun homme sur terre n'aurait dormi plus profondément, plus sereinement, à poings fermés si dur... Comme sur un nuage. Aucun danger ne le menaçait plus. Le couperet resterait bloqué tant qu'il aurait la tête dans le collier.

Il s'endormit en rêvant de course de Formule 1. Il descendrait dans les abysses du Pacifique. Il jouerait au hockey, coucherait avec des dizaines de filles sidéennes. Il deviendrait champion partout: aux Jeux olympiques, en alpinisme, en ski, à charmer des serpents... Il se jetterait en bas d'un avion sans parachute et sa chute serait amortie par des branches de sapin, de l'eau, une pile de vieux matelas peut-être, jetés dans la nature par un vidangeur sans conscience écologique...

Tout était si moelleux, si merveilleux, si douillet.

Le paradis!...

À l'aube, un personnage indécis s'approcha de la Place. Hésitant, inquiet, l'oeil épais, il trouva par terre le déclencheur automatique de la guillotine et aperçut la grande faucheuse sans voir François qui rêvait en souriant, couché sur le côté, une main passée dans le collier lâche et mise sous la tête.

Philémon sourit. Il avait vu plusieurs exécutions et chaque fois, il eût tellement voulu déclencher lui-même le mécanisme mais sans qu'il ne se trouvât personne en bas ou bien que par un truc de magie quelconque la victime s'en fût tirée indemne.

Non, c'était cette sensation de puissance, le plaisir d'émerveiller la foule en même temps que de la contrôler qui l'attirait.

Il fut sur le point d'appuyer sur le bouton mais se ravisa et regarda à droite à gauche. Personne pour voir. Personne à qui livrer un spectacle! À quoi bon?

Comme pour lui répondre, le ciel lui envoya un oiseau matinal qui se percha tout en haut du couperet de la guillotine. Un corbeau qui venait parfois se délecter de grumeaux de sang que par mégarde l'installateur de la housse pouvait y avoir laissé.

Le volatile piqua quelque chose du bec. Au même moment, Philémon qui trouvait en l'oiseau un spectateur, pesa sur le bouton. L'action conjuguée des deux plus une erreur dans la programmation de l'ordinateur qui commandait à la lame scella un destin unique dans la courte et drôle d'histoire de l'humanité.

Wou wou wou wou... clac!

La tête souriante de François Langlois et sa main droite tombèrent dans le panier, poussées par un flot de bon sang.

Le pauvre sourd-muet y mit beaucoup de temps pour comprendre. Et quand cela survint, il fut pris d'un grand respect. Et il accomplit avec dévotion les ordres et recommandations qu'il avait reçus la veille.

Le corps fut enveloppé dans un drap et emmené auprès du congélateur. Puis dénudé et mis dans la boîte. Celui de Charlotte suivit. Philémon fit en sorte de coller les têtes et les sexes. Le couvercle fut cloué. Un monte-charge inséra ses deux longues dents sous la boîte qui fut emportée jusqu'à la fosse ouverte. À force de bras, Philémon l'y descendit. Il revint un peu plus tard avec une pépine et combla le trou.

Il pria un moment puis s'en alla.

On ne devait pas marquer l'endroit: telle était la volonté du défunt. Mais lui s'en souviendrait éternellement.

Le printemps suivant alors qu'il ne restait plus sur la Place de la Séparation que des ombres du passé et des souvenirs tristes, Philémon s'y rendit, entraîné par un remords de conscience.

350

Là où il avait enterré les corps nus, il trouva deux plantes inconnues qui, s'entrecroisant, sortaient de la terre. Bien que sa culture n'incluât point la légende de Tristan et Iseut, Philémon comprit grâce à son parfait sens de l'orientation, que les deux végétaux émergeaient exactement vis-à-vis des têtes, à un bout de la tombe.

Et s'il avait déterré, et suivi la racine première, il eût été étonné de voir qu'elle allait prendre naissance dans les cerveaux en état de décomposition.

Épilogue

J'entends mon lecteur dire que voilà une histoire relevant de la plus pure fantaisie, une de ces histoires à dormir debout comme il s'en passe en politique tous les jours ou bien à la télévision.

Ne faut-il pas être dérangé pour suggérer l'idée que Dieu n'est pas si bon que ça et que Lévesque et Léger ne sont pas forcément des saints!

On me dira avec conviction que l'histoire ne saurait s'inventer, encore moins se réinventer.

Soit!

La vérité crue, la voici et, comme je l'avouerai, elle inclut un **plagiat** dont je me suis rendu coupable.

Mais pour plonger tous en pleine face dans le bain, laissons Bernard Derome de Radio-Canada nous livrer son bulletin spécial d'il y a quelques semaines.

"C'est avec la plus grande consternation que nous avons appris la mort tragique de notre chère consoeur journaliste, madame Bombardier. Un terrible accident impliquant son véhicule lui a coûté la vie tandis qu'elle se dirigeait vers Québec aux petites heures du matin.

L'autre véhicule, conduit par un jeune homme de Pohénégamook au Québec, a quitté sa voie, enjambé le terre-plein et causé l'impact avec la voiture de madame Bombardier. On présume que l'inconnu s'est endormi au volant.

Les restes de la victime furent transportés à Montréal et sont exposés à Outremont où se déroulera demain la cérémonie funèbre..."

Voilà, lecteur, ce qui s'est vraiment produit. Je fus témoin de cet accident tragique puisque je me dirigeais ce matin-là vers Montréal.

Il faisait un petit soleil mouillé et sans prétention après une aube rayonnante... Bref, le conducteur fautif avait l'éclat du matin dans le dos, tout comme moi...

L'éblouissement n'est donc pas en cause.

Je fus le tout premier sur les lieux. Cet inconnu de Pohénégamook vivait encore dans la ferraille. Il me fit une révélation: il venait d'achever d'écrire un livre de facture (type) Nostradamus et se rendait le proposer à un éditeur de Montréal après que son éditeur —car c'était son second livre— eut refusé son manuscrit.

Au fin bord de la mort, on repère vite les gens de confiance. Péniblement, l'homme me dit de prendre son manuscrit et **'d'en faire quelque chose'**...

Eh bien voilà, il est devenu le contenu de ce livre. De l'imaginaire effiloché, j'en conviens...

Madame Bombardier était belle dans la mort. Elle reposait comme un foetus là, sur la banquette arrière, attendant peut-être qu'un prince charmant lui donne le baiser de la vie.

Mêlé de près à tout cela et puisque je devais passer quelques jours dans la grande ville, je me rendis au funérarium d'Outremont à l'exposition du corps.

Le salon grouillait littéralement de superstars québécoises du monde médiatique. Toutes les Judith Jasmin de Radio-Canada s'essuyaient les yeux autour de la tombe noyée dans une forêt de couronnes.

La morte était belle dans la mort même si son sourire en foetus avait été un peu déplié par la pompe funèbre.

Toute la colonie artistique se trouvait là. Charron, sérieux, Orsini, muette, Gagnon, lequel donc, Chantal Jolis, prudente, Marcel Béliveau, surveillé, Ginette Reno, basse, Janette Bertrand, silencieuse, Péladeau, calme, et comme à toutes les funérailles, le grand Doris Lussier, rouge et funèbre...

Je vis même Bob Scolly parlant en allemand avec un représentant de la RFA envoyé par le chancelier...

Puisque ces gens ne me connaissent ni d'Eve ni d'Adam —presque tous mes lecteurs sont des non montréalais— je me suis senti de trop dans ma solitude; et ma pensée s'envola alors vers le petit homme de Pohénégamook incinéré la veille et enterré dans le plus strict anonymat sur une crête près du lac là-bas...

Je vis aussi des hommes politiques impressionnants —comme à la télé— Bouchard, Bourassa, Mulroney, qui s'entendaient sur tout et surtout sur leur tristesse devant cette pure perte.

Subjugué, submergé par toutes ces ondes brillantes qui fusaient de part en part et circulaient sans aucune contrainte, toutes glorieuses et nullement en conflit, j'eus comme un léger étourdissement (problème de foie) et je sortis.

Je fus encore plus abasourdi quand je lus sur la marquise les renseignements sur la trépassée:

1936-1992
Charlotte-Bombardier

Je me suis très vigoureusement frotté les ampoules. C'était bien écrit Charlotte... Pourtant, bon Dieu, il me semblait donc que ce n'était pas cela, le vrai prénom de madame Bombardier.

J'eus alors une seconde pensée vers Pohénégamook et j'aperçus le fantôme du pauvre inconnu sortir de terre, prendre la forme d'un long serpent de mer et s'en aller hanter les eaux du lac pour tâcher d'acquérir une certaine notoriété via une couverture médiatique.

Un monstre sacré était mort!
Un sacré monstre était né!

Curieusement, c'est du monstre de Pohénégamook que l'on parlerait le plus longtemps!

Fin

Du même auteur

Demain tu verras (1-2): romans

Complot: roman

Un amour éternel: roman

Chérie: roman

Nathalie: roman

L'Orage: roman

Le Bien-Aimé: histoire vécue

L'Enfant Do: roman

Poly: roman

La Sauvage: roman

La Voix de maman: roman

Couples Interdits: roman

Donald et Marion: histoire vécue

L'Été d'Hélène: roman

Un beau mariage: roman

Aurore: histoire vécue

Aux armes, citoyen! : essai

Femme d'avenir: roman

Femme
d'avenir

roman

Comme tant de Québécoises de son temps, Paula Nadeau tâche de concilier toutes les valeurs que son époque et son milieu lui ont léguées en héritage, et cherche à s'affirmer comme femme d'affaires sans nuire à sa vie de famille.

Malgré la cruelle et impitoyable disparition d'êtres chers, cette Beauceronne née en 1939, accédera à la richesse en se bâtissant un véritable petit empire à partir de presque rien.

Tout ne va pas toujours aisément avec le mari. Les enfants grandissent, se définissent puis vont leur chemin.

Femme d'avenir survole les valeurs nouvelles des années 70: libération de la femme, révolution sexuelle et entrée dans une société de consommation massive, puis, dans les années 80, accompagne un certain virage vers des valeurs plus traditionnelles.

Dans cette partie de sa vie qui va de 1972 à 1992 et l'amène de 33 à 52 ans, cette femme déterminée voit le bonheur se dérober de son présent pour fuir en avant vers des lendemains eux-mêmes remis à plus tard. Et chaque année, à son insu, petit à petit, elle devient un peu plus une femme d'avenir. Millionnaire et

Une lueur d'espoir surgira peut-être...

Suite de **La Voix de maman** et **Un beau mariage,** ce roman est **complet** par lui-même. Il sera suivi de **Les Enfants de la lumière** puis de **Une chaumière et un coeur,** dans la série des 5 livres de la vie de Paula.

Aux armes, citoyen!

essai

Pour détruire le monde, il suffit d'en saper les 3 bases: **l'enfance, la créativité, la nature.**
On le fait avec rage mondialement.

La troïka destructrice, c'est le tissu **Banco-Politico-Médiatique.**
Son pouvoir de contrôle: celui de l'argent.

Son système de valeurs (de mort): **Ambition-Compétition-Consommation.**

Son moyen: la **dépersonnalisation** du citoyen.

Les **outils** de la dépersonnalisation sont: l'épargne, la démocratie, la culpabilisation, la magie blanche, les sports professionnels, les Jeux olympiques, le star-system, le militantisme, le nationalisme, les religions, la mode, le manichéisme, le langage de la fierté et la mentalité des gagnants.

Les conséquences de la dépersonnalisation:
(**non** les causes comme le système nous le fait croire)
criminalité, inégalités, pauvreté, usage des drogues, suicide, violence conjugale, prédation, injustice, guerre, maladies physiques et mentales, destruction de l'environnement...

Ce livre dit comment cela s'échafaude ici sur le modèle américain.

Les **valeurs de vie** demeurent pourtant les mêmes qu'avant l'explosion d'abondance des décennies 70-80:
–**partage** de ses forces,
–**utilisation** mesurée des biens matériels,
–**activité** (physique, intellectuelle, sociale),
–**créativité.**

Par elles, le citoyen ordinaire pourrait devenir **millionnaire.**
En argent! En pouvoir! En santé! En bonheur!